MUITO ALÉM DO DIREITO

Kakay

MUITO ALÉM DO DIREITO

Reflexões sobre o direito, a justiça, a democracia, a poesia e a vida

Muito além do direito

1ª edição — Novembro de 2021

Grafia atualizada segundo o Acordo Ortográfico da Língua Portuguesa de 1990, que entrou em vigor no Brasil em 2009.

Editor e Publisher
Luiz Fernando Emediato

Diretora Editorial
Fernanda Emediato

Assistente Editorial
Ana Paula Lou

Capa
Márcia Ribeiro e Léo Camisão

Pesquisa e Organização
Willian Novaes

Projeto Gráfico e Diagramação
Alan Maia

Preparação
Gypsi Canetti

Revisão
Nanete Neves
Ana Maria Fiorini

Dados Internacionais de Catalogação na Publicação (CIP) de acordo com ISBD

K23m Kakay
Muito Além do Direito: Reflexões sobre o Direito, a justiça, a democracia, a poesia e a vida / Kaky.
- São Paulo : Geração Editorial, 2021.
372 p. : 15,6cmx 23cm.

ISBN: 978-65-5647-050-4

1. Política. 2. Direito. 3. Justiça. 4. Democracia. 5. Poesia. 6. Vida. 7. Reflexões. I. Título.

CDD 320
2021-3835 CDU 32

Elaborado por Vagner Rodolfo da Silva - CRB-8/9410

Índice para catálogo sistemático:
1. Política 320
2. Política 32

GERAÇÃO EDITORIAL
Rua João Pereira, 81 — Lapa
CEP: 05074-070 — São Paulo — SP
Telefone: +55 11 3256-4444
E-mail: geracaoeditorial@geracaoeditorial.com.br
www.geracaoeditorial.com.br

Impresso no Brasil
Printed in Brazil

A meu pai,
talvez meu maior amor,
na esperança de que,
ao contrário do que acredito,
exista outra vida.
E vou estar com ele de novo,
desta vez para todo o sempre.

À minha querida mãezinha,
que soube me dar um rumo,
no meio de tanta loucura,
insensatez e exagerada alegria.

A meus filhos,
Cícero, Vinicius e Érico,
com a convicção de que meu amor por vocês
é a única certeza que eu tenho de existir.
Sem vocês. nada faria sentido.

À Valéria,
que deu contornos definidos
à minha absurda e cega confiança
na hipótese de ser feliz.
Esperei você a vida inteira,
e valeu a pena.

A meus irmãos
Alaor, Marquinho, Lumena e Rita.
Nunca as diferenças fizeram tão bem
e foram tão leves e divertidas.
Uma delícia a vida com vocês.

Aos meus sócios
Roberta, Marcelo, Lili, Ananda e Álvaro,
que leram quase todos os textos,
como companheiros de vida
e me deram segurança para fazer esta exposição
de um amante indisciplinado da vida.
Amo vocês.

À poesia
Começo e fim de tudo.
Sem poesia eu não resistiria.

Aos covardes e aos canalhas citados neste livro.
A vocês eu ofereço minha resistência diária,
sem ódio, mas com o mais solene desprezo.

Sumário

Parte 2
A VIDA DÁ, NEGA E TIRA

Parte 3
CUMPRIR A CONSTITUIÇÃO: UM ATO REVOLUCIONÁRIO

Parte 4

DELATO QUE VIVI

Parte 5
QUASE TARDE, MAS AINDA É TEMPO

Prefácio

Boaventura de Sousa Santos

Tenho o grande gosto de vos apresentar um livro intenso e surpreendente. Intenso, porque foi escrito com a combinação complexa entre razão e emoção, a que chamo razão quente e a que Bento Espinosa chamava paixões razoáveis. Escrito por um dos mais distintos advogados criminalistas do Brasil, este livro contém em si um grito de indignação e um hino ao respeito pelo direito, pelos direitos processuais, pela legalidade democrática e pela Constituição.

A indignação decorre do atropelo grosseiro, reiterado, indecoroso ao primado do direito por parte daqueles a quem a sociedade confiou a sua salvaguarda. A Operação Lava Jato é alvo privilegiado da indignação, mas o autor está bem consciente de que ela só foi possível com a cumplicidade de poderes e instituições políticas e midiáticas bastantes mais vastas, apostadas em não olhar a meios para recuperar privilégios. E, nessa captura política do direito e das garantias processuais, colaborou uma parte do próprio sistema judicial ao qual a rotina burocrática e o conservadorismo corporativo amputaram o nervo da resistência contra tanta ilegalidade supostamente cometida em nome da lei.

A intensidade do livro decorre também de um dos seus grandes méritos: o de ter denunciado a rapina e a espoliação do direito desde muito cedo, quando outros operadores e observadores do sistema ainda estavam anestesiados com o espetáculo de uma justiça, então entronizada pela opinião pública, que, no afã de expor a nudez de um rei-alvo, se despia de tudo o que fazia dela uma pretensão credível de ser justa.

O caráter inaugural e veemente da denúncia tem uma explicação simples: uma experiência de várias décadas apostada na defesa do respeito e da certeza das regras processuais como única via para dar aos seus constituintes a garantia de que, condenados ou absolvidos, eram tratados por um sistema legítimo que os transcendia e julgara em nome de um bem público maior.

Mas, além de intenso e convincente, este livro é surpreendente. Não conheço outros textos de opinião ou técnicos que se socorram de maneira tão convincente da poesia para fortalecer os seus argumentos. A poesia não surge nos textos para ornamentá-lo. É parte constitutiva da argumentação porque Kakay, um apaixonado pela poesia, sabe que a poesia tem razões que a razão desconhece. Os seus poetas preferidos, uma pequena amostra, dizem com agudeza intensa e intuitiva o que as elucubrações técnicas levariam mais tempo a justificar. Os poetas sabem ir ao âmago das coisas com a leveza própria da evidência que só sabe ser óbvia depois de dita de maneira tão simples quanto complexa. E, além de tudo, bela.

Este livro é uma memória eloquente de um tempo que, longe de ser passado, continuará a assombrar a justiça brasileira por muito tempo, tanto mais que esta está a revelar uma dificuldade embaraçosa para fazer a sua autocrítica e arrepiar caminho. Por isso, além de memória, ele é um aviso à navegação.

Por essas razões, não poderia recomendar mais vivamente a leitura deste livro.

Coimbra, 29 de julho de 2021

Boaventura de Sousa Santos, 80 anos, é doutor em Sociologia do Direito pela Universidade de Yale, nos Estados Unidos, e professor aposentado da Universidade de Coimbra, Portugal. Escreveu mais de 30 livros sobre globalização, sociologia e filosofia do direito, epistemologia, democracia e direitos humanos. É também poeta e seus trabalhos foram traduzidos para o espanhol, inglês, italiano, francês e alemão.

Escrever

Um ato de resistência

Resistir não é uma opção, é uma
definição de quem somos nós no mundo.
A opção é de que lado estamos na trincheira.
E vamos continuar resistindo.

Escrever um livro de poesia, um romance ou uma biografia é um desnudar-se. Um ato de entrega e de coragem posto no papel. Os personagens podem ter um pouco do autor ou representá-lo em vários de seus heterônimos não assumidos. Cada um tem um processo de criação e é exatamente isso que faz com que nós, leitores, possamos nos transportar para cada história e, de certa forma, ser também personagens do que estamos lendo. O ato de ler faz de cada um coautor das histórias contadas.

A viagem pela leitura é tão rica e múltipla que um livro nunca é apenas um livro, ele sai do escritor e ganha vida própria depois de lido. Cada leitor empresta a ele, o livro, o seu olhar, a sua experiência acumulada, a sua alegria, a sua expectativa, a sua angústia e até o seu desespero. Por isso, o livro no papel é um grande companheiro. Anotado, riscado e sujo do vinho derramado nas noites eternas. Um livro depois de lido melhora muito, deixa de ser só uma história exposta.

Publicar uma obra de artigos é um pouco diferente. É como uma vida contada em episódios espaçados. Cada artigo teve vida própria e ousadia de ser publicado sem ter conexão com o outro, sem sequer saber da existência dos demais. Eles são a representação do autor no momento em que escreveu. Cada um ambiciona ter começo, meio e fim. Sou um romancista frustrado e um poeta de poesias que só declamo para mim mesmo.

Quando criança, no interior de Minas Gerais, eram somente os livros, e em especial as poesias, que me mostravam o mundo. Além, claro, das incontáveis histórias que ouvia do meu velho pai. Fui conhecer o mar apenas aos 13 anos de idade, mas já tinha me banhado nas águas salgadas que o poeta dizia serem lágrimas de Portugal. Dava para sentir o gosto do mar. A leitura é que faz o homem não precisar ter quase nada. O que a pessoa lê passa a ser tão dela que dá uma segurança danada para enfrentar a vida. E, como ensina o poeta, a gente muda sem se dar conta da mudança; tão simples, tão certa e tão fácil. E pergunto: em que espelho ficou perdida a minha face?

Ainda menino, inquietava-me aquela angústia natural do que ser quando crescer. Eu só tinha uma dúvida: se seria poeta ou advogado criminal. Achava possível ser poeta, assim como achava possível ser advogado. Numa infância sem televisão e longe das cidades grandes, eu pretendia ser poeta por considerar a poesia um curso natural, como os riachos que corriam nas fazendas e nos quais eu me banhava. Não imaginava, então, que, por dentro das águas aparentemente plácidas dos rios, ocorria uma enorme força da natureza, uma verdadeira luta por estarem as águas sendo contidas pelos barrancos. O contorno de cada rio não é determinado pelas águas que correm, mas, sim, pela terra que indica o leito, que segura o rio e quase o aprisiona. Às vezes, num ímpeto, quase fúria, as águas se rebelam e mudam o curso, extrapolando aquelas amarras que os barrancos impõem. Mas depois, invariavelmente, o rio volta a correr no novo leito.

A poesia pode até correr em mim e eu me confundir com ela, mas, daí a ser poeta, descobri, com certa perplexidade, vai um longo caminho. Posso fazer da minha vida uma poesia e até penso que fiz, porém dar a ela forma de palavra é de uma simplicidade cuja ousadia não me é permitida. Por isso, a poesia tornou-se minha maneira de estar sozinho. Minha doce companheira. Só uso a palavra para compor meus silêncios.

Aí restou-me advogar na área criminal, o que abracei como sendo minha maneira de estar no mundo. Em 40 anos de intensa atuação na defesa, descobri que o que a advocacia me deu de mais importante foi ter voz. Poder falar sobre o meu mundo, muito além do Direito, me posicionou e me definiu na vida. Cada artigo é um grito, um canto, uma certeza, ou a angústia de uma dúvida. De certa forma, uma poesia; contudo, sem a necessidade de ter o compromisso e o cuidado do poeta com as amarras da literatura. Na literatura e na advocacia, sigo o poeta que diz que quem anda no trilho é trem de ferro. Somos água que corre entre pedras, liberdade caça jeito. Emociona-me a poeta que, ao definir a liberdade, diz que a pessoa é tão livre que um dia será presa. E perguntam: presa por quê? Ela explica: por excesso de liberdade. E indagam: mas essa liberdade é inocente? A resposta: é, até mesmo ingênua. Então por que a prisão? E ela define: porque a liberdade ofende!

Tivesse que escolher um lugar no mundo, como advogado, onde me sinto mais eu mesmo seria a tribuna. E se fosse pensar onde me sinto mais aconchegado seria na poesia. Recitar Fernando Pessoa, da tribuna do plenário do Supremo Tribunal, em um julgamento que parou o Brasil, foi uma maneira de homenagear a poesia. Declamei:

Há sem dúvida quem ame o infinito. Há sem dúvida quem deseje o impossível. Há sem dúvida quem não queira nada. Três tipos de idealistas e eu nenhum deles. Porque eu amo infinitamente o finito. Porque eu desejo impossivelmente o possível. Porque eu quero tudo, ou um pouco mais, se puder ser, ou até se não puder ser...

Sei que, com essa ousadia, passei a ter a certeza de que é possível fazer, nos momentos mais sérios e tensos, um enfrentamento que traz em si a marca do humanismo.

A pessoa, quando procura um advogado criminal, carrega com ela uma dor, um medo e um turbilhão de sentimentos que não podem ser convertidos apenas em uma tese jurídica de defesa. A poesia e a literatura me fazem tentar compreender o sentimento de mundo das pessoas quando são acusadas. É a vida que bate na porta do advogado e a defesa vai definir qual curso ela terá. Ou você acredita nisso e se entrega de maneira visceral às causas, ou não deve exercer a advocacia criminal.

Pensei muito antes de publicar esta coletânea, mas, quando li, com agradável surpresa, o prefácio, o posfácio e as tocantes homenagens de amigos queridos, senti que valeu a pena. Este é um livro no qual os artigos publicados são, com certeza, o menos interessante. Mas me ver nas palavras generosas desses amigos deu a certeza de que realmente o enfrentamento me colocou do lado certo da trincheira. E com as pessoas que eu queria ao meu lado.

Quando percebi, anos atrás, que a instrumentalização do Judiciário e de parte do Ministério Público estava corrompendo o sistema de justiça, resolvi correr o Brasil para fazer esse debate. Foram alguns anos e dezenas de embates nos mais diversos recantos, sempre disposto a falar e a ouvir. E com muita determinação e coragem ao denunciar os abusos num momento em que a grande mídia endeusava os corruptores do sistema. Em todas as minhas viagens, um livro de poesia era meu companheiro nos momentos de solidão. Havia a certeza de que, uma hora, o mundo lá fora iria despertar para o risco que significa a subversão do sistema de justiça.

É interessante constatar que a vida é como um romance que nos surpreende sempre. Quando julgávamos ter vencido o obscurantismo, descobrimos que o atraso que enfrentamos pariu um monstro ainda mais torpe. E que a nossa saída é novamente resistir. Escrevendo, falando e nos oferecendo à luta, sem agachar na hora do tapa. Tendo em cada embate aquele pasmo essencial que teria cada criança se, ao nascer, soubesse que já nascera. Assim, sentimo-nos nascidos a cada instante.

Por isso mesmo, ao reler os artigos, percebi, com inquietante tristeza, que a palavra angústia se repete com uma perigosa insistência. É porque essa angústia talvez seja a marca de um tempo estranho que estamos vivendo. Não é apenas o descobrir, perplexo, que vivemos um governo de desmantelamento de todos os avanços humanísticos incorporados ao longo dos tempos. Há uma verdadeira desconstrução da nossa cultura, da saúde, da educação e das relações entre as pessoas. O ódio foi eleito como marca do grupo bárbaro que dita as regras. E um cruel coquetel de mediocridade, misoginia, racismo escancarado, banalidade, culto à morte e de falta absoluta de empatia.

E, caminhando lado a lado com a necessidade de nos posicionar na luta diária contra o nazifascismo e na tentativa de manter o Estado democrático de direito, ameaçado sem cessar, nós nos vimos impelidos a viver a mais terrível crise sanitária dos nossos tempos. Já seria inevitavelmente trágico o enfrentamento do vírus, como foi em todo o mundo. Mas aqui no Brasil ainda tivemos que conviver com um negacionismo assassino que, de modo impiedoso, optou por cultuar a morte. Mercadejaram com a vida e infligiram ao povo brasileiro um verdadeiro *thriller* de horror. Vivemos momentos bizarros de ausência absoluta de humanidade. A imitação jocosa de uma pessoa morrendo com falta de ar, em cínico desrespeito às famílias que perdiam seus entes queridos, chocou profundamente e mostrou a face bandida dos responsáveis pelo governo. A opção por ganhar dinheiro e não salvar vidas deu o tom da irracionalidade que reina no Brasil.

Conviver com quase 700 mil brasileiros insepultos na nossa memória e tendo como companhia milhões de pessoas que sofrem a dor da perda só poderia resultar em textos angustiados e indignados. Uma revolta necessária que não permite que nos entreguemos aos caminhos tortos ditados por um bando insensível e oportunista. Vejo em cada artigo um tom duro, um grito de alerta e um chamado à necessidade do enfrentamento nesses tempos de guerra surda. E o confronto à barbárie que quer, de forma insinuosa, se impor. Não dava para denunciar a tragédia sem ser com um embate duro e frontal. As poesias, que tentam dar em cada texto voz à minha perplexidade, servem para não deixar que nos embruteçamos. Um verso no lugar certo, contextualizado, vale mais do que milhares de páginas escritas. Vale mais, até, do que muitas ações físicas.

Escrever é um ato de resistência. Nos momentos mais angustiantes, a possibilidade de escrever é uma lufada de ar puro na muralha densa que nos sufoca. É um passo fora do círculo invisível de giz em que, muitas vezes, nós mesmos nos aprisionamos. Cada um resiste como pode, ou como consegue. Nesses momentos entendemos por que o poeta disse ter sido entre a náusea e a rosa que a ostra fez a pérola.

E cada um escolhe suas armas. Quando completei 50 anos, fiz uma festa em homenagem à poesia e armei uma tenda na qual usei recursos do Museu da Língua Portuguesa. As pessoas sopravam em alguns lugares e uma poesia se materializava no ar e nas paredes. E a gente via as pessoas rindo como crianças, alegres por estarem se permitindo sorrir. Era a poesia dando ares de esperança e conforto. À época, era possível ser feliz no Brasil e, mesmo com o fosso abissal das desigualdades, tínhamos a ousadia da felicidade. Hoje, resta-nos um gosto amargo na boca. Entretanto, a literatura ainda nos socorre.

Lembro que, ao escolher o presente que eu me daria pelos meus 50 anos, fui a Minas e contratei uma professora de literatura. Ela fez uma pesquisa em todos os sebos de Belo Horizonte e encontrou 750 livros de poesia, dos quais me presenteei com 500. E eles estão comigo diariamente por todos esses anos, fazendo-me companhia. Agora, na pandemia, que nos fez a todos mais tristes, mais angustiados e mais solitários, esses livros serviram-me de fuga e de abrigo.

Com dois meses de isolamento, comecei a recitar todos os dias uma série de poesias, gravando no celular e mandando para alguns amigos. Era uma maneira de dividir a solidão e de me sentir abraçando à distância. Era um afago carinhoso por meio da poesia, já que o isolamento nos impedia do toque amoroso. E aquela brincadeira foi crescendo e, desde então, esteja onde eu estiver, recito algumas poesias ao cair da tarde. Já são mais de mil pessoas que as recebem, como uma corrente de carinho e afeto. É a poesia construindo pontes e nos permitindo continuar a fazer o enfrentamento de maneira humanista. Os bárbaros detestam poesia.

Com alegre atrevimento, reuni alguns artigos para recordar a nossa luta diária de oposição aberta ao ódio, ao fascismo, ao atraso e à barbárie. E para celebrar a vida, a amizade, os desejos ainda a serem descobertos e a esperança. Lembrando sempre o poeta que diz que devemos aperfeiçoar a arte de escutar, pois só quem ouviu o rio pode ouvir o mar. Ouvir e espreitar, como bom mineiro que foi forjado entre montanhas que apontam os limites; mas, como carioca honorário que se entrega aos mistérios do mar querendo fazer parte das águas, ousar em busca de um mundo onde prevaleçam a igualdade e a solidariedade.

Contudo, sem a pretensão de ser escritor. Afinal, um velho poeta respondeu à indagação sobre se queria ser escritor. E definiu, depois de dizer várias vezes o que não deve ser feito para ser um escritor: quando chegar mesmo à altura, e, se foste o escolhido, vai acontecer por si só e continuará a acontecer até que tu morras ou morra em ti. Não há alternativa. E nunca houve.

A resistência necessária

Quem faz um poema abre uma janela. Respira, tu que estás numa cela abafada, este ar que entra por ela. Por isso é que os poemas têm ritmo, para que possas profundamente respirar. Quem faz um poema salva um afogado.

Mário Quintana

Escrever é um ato de resistência. Quando as nuvens se tornam mais densas a ponto de sufocar e fazer o ar rarefeito. Quando um certo torpor turva a capacidade de raciocínio. Quando a cegueira deliberada deixa difusa a visão, e a capacidade de ação parece manietada. Quando a angústia parece ser sua eterna companheira. Nesse caos, nesse túnel sem luz, aparece um convite para escrever. Como que a dizer: respire, tire a venda, ouse e sonhe, você não está só. Os assuntos se embaralham neste momento de perplexidade.

Ninguém pode escrever sobre mais nada enquanto meio milhão de mortos permanecem insepultos nas nossas memórias. Em um momento em que nem mesmo a nossa tradição — o nosso rito de passagem nas mortes — pode ser preservada. Nessa quadra trágica na qual a falta do abraço é substituída pelo olhar, mas que, no momento da despedida final, não temos sequer o olhar familiar que nos acaricia. Nem o abraço, nem o olhar. Só a solidão como companheira ou o olhar cansado, embora solidário, de um profissional de saúde. Esse herói anônimo.

A dor é a companheira da indignação. Sabemos todos que a irresponsabilidade genocida do governo, que virou as costas para a ciência, que desprezou a vacina, que se vale da necropolítica, com a falta de empatia, que cultua a morte, faz do Brasil de hoje o país responsável por 1/4 de todas as mortes de Covid-19 do mundo. Mas é necessário enfrentar, ainda que com a resistência literária.

Não vamos permitir que nos intimidem com a perversa ignorância física, com o boçal desconhecimento dos limites básicos da ética, do bom senso e até do humor. Os fascistas são bárbaros que não têm capacidade de compreender a ironia e que detestam poesia. Têm uma espécie de culpa enrustida de tudo, mesmo do que não sabem. Por isso, apelam para as armas, para a violência, para as ameaças. São covardes e canalhas.

É preciso saber enfrentar com resiliência as provocações diárias das tentativas de quebra da estabilidade institucional. Sem medo e com destemor. Sem escrúpulos, os idiotas fazem subleituras da aplicação do entulho autoritário que é a Lei de Segurança Nacional (LSN). Confundem, deliberadamente, a imprescindível liberdade de expressão, base de todo sistema democrático, com a orquestração financiada por grupos de extrema direita que visam desestabilizar as instituições.

Na exata diferença entre o respeito ao sagrado direito de opinião, base do sistema democrático, e o abuso e o arbítrio disfarçados de respeito para subverter a democracia é que reside a maturidade de um regime e de um povo. Cabe a nós prestigiar um e denunciar, enfrentar o outro.

Vamos fazer nosso ato de resistência acreditando na ciência, na vida, na solidariedade e na poesia. Vamos nos refugiar em Fernando Pessoa, na pessoa de Caeiro: "Sei ter o pasmo essencial que tem uma criança se, ao nascer, reparasse que nascera deveras... sinto-me nascido a cada momento para a eterna novidade do mundo".

25/3/2021 — O Dia-IG

Parte 1

—

A CORRUPÇÃO DO SISTEMA DE JUSTIÇA

Kakay é uma dessas forças da natureza, sempre surpreendendo, superando-se. Em primeiro lugar, mineiríssimo e amigo de todas as horas. Advogado único, porque poeta, amante das artes e da beleza, da vida e apaixonado por tudo que faz, nos tribunais e nas ruas, na justiça e na política, sempre com coragem. Foi dos primeiros a percorrer o Brasil alertando e denunciando o caráter político da chamada Lava Jato. Implacável na defesa das prerrogativas dos advogados e do devido processo legal. Um brasileiro. Um cidadão do mundo.

José Dirceu,

ex-ministro da Casa Civil no governo Lula

Antônio Carlos de Almeida Castro, uma inteligência que se fez marca — o nosso Kakay. Brilhante, combativo e corajoso advogado e intelectual de grande talento. Personalidade inconfundível, amigo leal, afetuoso, talento e sensibilidade que transbordam para a poesia e as artes, a música e a magia pessoal, humana, virtudes morais e idealismo político.

—

José Sarney,

presidente da República e decano da Academia Brasileira de Letras

Que país queremos?

Só uso a palavra para compor meus silêncios.

Manoel de Barros

Triste o país que precisa de pretensos heróis, salvadores da pátria e pregadores da moralidade. É inadmissível que alguém, um juiz, um membro do Ministério Público ou da polícia, venha dizer que detém o monopólio do combate à corrupção. Todo cidadão de bem — jornalista, advogado, dona de casa — quer um país sem o flagelo da corrupção, que degenera o tecido social e leva a mais desigualdades.

Ninguém detém o monopólio da virtude de ser honesto. Cada um de nós tem um papel importante no processo de amadurecimento democrático, no aperfeiçoamento do Estado de direito.

Diante do momento que vivemos, são estas algumas das perguntas que tenho feito Brasil afora: que tipo de país queremos depois desse enfrentamento? Queremos um país em que o processo se dê a qualquer custo? E, ainda, sem as garantias do devido processo legal? Sem o respeito ao amplo direito de defesa e à presunção de inocência? Onde a prisão seja a regra, não a exceção, como em todo país civilizado?

Queremos um país em que um juiz tenha jurisdição nacional e diga que tem bônus de muitas prisões ainda, pois na Itália decretaram 800 prisões na Operação Mãos Limpas? Onde um procurador da República tem a ousadia de confessar que a prisão é uma forma de obter a delação e que, mesmo assim, nada tenha sido feito contra ele?

Queremos um país em que o Ministério Público e a Polícia Federal incentivem a espetacularização do processo penal ao promoverem coletivas de imprensa a cada fase da operação, com exposição cruel, desumana, desnecessária e ilegal das pessoas investigadas?

Queremos um país no qual a acareação entre delatores seja permitida sem que um ou outro seja preso ou perca os benefícios da colaboração premiada? Ora, se foi necessária a acareação, isso significa que um dos delatores mentiu e que a verdade, a base de toda delação, tem que ser restabelecida. A acareação significa, portanto, que nem o próprio Ministério Público acredita na versão que sustenta a acusação.

Que país queremos? Um país em que a delação seja feita, na maioria das vezes, sob absurda pressão, sem prestigiar o ato voluntário previsto na lei? Um país no qual o processo penal esteja sendo levado a efeito sem que o advogado tenha o direito mínimo de conhecer a plenitude das provas? Até mesmo com a criminalização da defesa, como se esta fosse um mal necessário?

Fica a reflexão: que país queremos que saia desse oportuno confronto? Um país com a preservação das garantias individuais e dos direitos constitucionais? Com o devido processo legal como regra das ações da Polícia Federal, do Ministério Público e do Poder Judiciário?

Um país com o princípio constitucional da ampla defesa efetivamente garantido, e não sob o prisma formal? Com o respeito ao direito de não exposição do investigado e de não condenação prévia?

Queremos um país sem heróis, mas onde se cumpram as leis e a Carta? Um país unido, onde as pessoas saibam que hão de se combater as mazelas e que a forma de combatê-las é o que distingue um país civilizado da barbárie institucionalizada? Eu quero o bom combate!

Como diria Fernando Pessoa: "Arre, estou farto de semideuses! Onde é que há gente no mundo?"

9/9/2015 — Folha de S. Paulo

A Operação Lava Jato e o posto Ipiranga

De tanto se repetir uma mentira,
ela acaba se transformando em verdade.
Joseph Goebbels

Quando a Operação Lava Jato começou, o setor estruturado do marketing fez uma opção que considerei infantil e maniqueísta, mas que se revelou eficiente. As pessoas que ousassem apontar excessos eram tachadas de contrárias ao combate à corrupção.

Como se a dita operação fosse a solução dos problemas do Brasil, quase uma entidade divina para dar respostas a todas as perguntas existenciais do brasileiro, entoando: pergunte à Lava Jato.

Essa opinião falsa e covarde tomou ares de verdade. O que interessava era calar qualquer crítica. Com o sucesso, resolveram ir além. Usaram o prestígio da operação para encampar alguns projetos pessoais ou das instituições e aperfeiçoaram a estratégia. Tudo o que fosse contrário aos interesses era apontado como forma de tirar credibilidade.

Essa ousadia se cristalizou com a espetacularização do processo penal. A lei de abuso de autoridade surgiu quando do 2º Pacto Republicano de Estado, em 2009. Redigida por um grupo de juristas, entre eles o ministro Teori Zavascki (1948-2017), foi exposta como um projeto do senador Renan Calheiros (MDB-AL) para conter a Lava Jato.

Um projeto anterior à operação, mas que operadores da Lava Jato temiam, foi deturpado sem pudor.

As tais 10 medidas, apregoadas como sendo contra a corrupção, nenhuma relação tinham com o combate à corrupção. Visavam diminuir o escopo do habeas corpus, fazer valer a prova ilícita no processo penal, instituir um teste fascista de integridade. Aqueles que criticamente se propunham a fazer o debate das 10 medidas eram apontados como contrários à operação.

O momento mais significativo foi quando do julgamento do afastamento da presunção de inocência pelo STF (Supremo Tribunal Federal) e no julgamento sobre a prisão em segundo grau.

Aqueles que ousaram discutir a constitucionalidade foram tachados de inimigos da sociedade.

O juiz universal de Curitiba chegou a cometer a ousadia de, em público, pedir ao presidente da República que interferisse no julgamento do Supremo.

Nenhuma relação com a Lava Jato tem a discussão da prisão obrigatória após segunda instância. Ao contrário, trata-se de medida que atinge milhares de desassistidos, sem rosto e sem voz. Infelizmente, essa discussão será recrudescida pelos que querem a prisão de Lula após o julgamento do Tribunal Regional Federal da 4ª Região. É a jurisprudência de ocasião, própria do momento de ativismo judicial.

Também o despacho do ministro Gilmar Mendes sobre o uso da condução coercitiva foi atacado como uma forma de tirar o poder. Bastou vir a liminar para que o setor estruturado de marketing fizesse uma campanha a fim de mostrar que a Lava Jato estava em risco. Falso, desleal.

A mais recente investida foi contra o indulto de Natal, uma tradição humanitária. Sob o frágil pretexto de que seriam indultadas pessoas envolvidas nas investigações, investiu-se contra o indulto. Os reais prejudicados são pessoas que fazem parte da tradicional clientela do sistema penal brasileiro: negros, pobres e despossuídos.

Há três anos corro o país em debates frequentes para apontar os excessos, denunciando essa estratégia perversa e irresponsável. A resposta, de maneira infame, é dizerem que se trata de artimanha da defesa contra a Lava Jato.

Todas essas questões são colocadas maldosamente, como se fossem para atingir a operação. Faz lembrar a inteligente propaganda do posto Ipiranga: tudo você encontra lá. Qualquer discordância com os detentores da virtude e da verdade será vista como ofensa à Lava Jato. Qualquer reclamação terá de ser feita lá no posto Ipiranga.

Deviam ler Pessoa: "Aos que a fama bafeja, embacia-se a vida."

26/1/2021 — Folha de S. Paulo

"Moro merece a presunção de inocência?"

É claro que precisamos dar ao Moro e aos procuradores a presunção de inocência, coisa que esse juiz e esses procuradores não fariam, mas é interessante notar e anotar algumas questões:

1 – O juiz diz que não se deve dar valor à palavra de um "acusado", opa, isso é rigorosamente o que ele faz ao longo de toda a operação!
2 – O juiz confirma que sua esposa participou de um escritório com seu amigo Zucolotto, mas sem "comunhão de trabalho ou de honorários". Sem dúvida, esse fato seria usado pelo juiz da 13ª Vara como forte indício, suficiente para uma prisão contra um investigado qualquer. Seria presumida a responsabilidade, e o juiz iria ridicularizar essa linha de defesa.
3 – A afirmação de que dois procuradores enviaram por e-mail uma proposta nos mesmos termos da que o advogado enviou, padrinho de casamento do juiz e sócio de sua esposa, seria certamente aceita como, mais do que indício, prova contundente da relação do advogado com a força-tarefa.
4 – O fato de o juiz ter entrado em contato direto com o advogado Zucolatto, seu padrinho de casamento, para enviar uma resposta à *Folha de S. Paulo*, ou seja, combinar uma resposta à jornalista, seria interpretado como obstrução de justiça, com prisão preventiva decretada, com certeza.

5 – A negativa do tal procurador Carlos Fernando de que o advogado Zucolatto, embora conste na procuração, não é seu advogado, mas, sim, outro nome da procuração, seria ridicularizada e aceita como motivo para busca e apreensão no escritório de advocacia.
6 – O tal Zucolatto diz trabalhar com a banca Tacla Duran, mas que só conhece Flavia e também não sabia que Rodrigo seria sócio. Se fosse analisada tal afirmação pelo juiz da 13ª Vara, com certeza daria ensejo à condução coercitiva.
7 – E o fato simples de a advogada ser também advogada da Odebrecht seria usado como indício de participação na operação.
8 – A foto apresentada, claro, seria usada como prova.
9 – A negativa de Zucolatto, que afirma não ter o aplicativo no seu celular, seria fundamento para busca e apreensão do aparelho.
10 – Enfim, a afirmação de que o pagamento deveria ser em espécie não precisaria de prova, pois o próprio juiz admitiu ontem numa palestra que a condenação pode ser feita sem sequer precisar do ato de ofício, sem nenhuma comprovação.

Conclusão: embora exista, em tese, a hipótese de esses fatos serem falsos, o que nos resta perguntar é como eles seriam usados pela República do Paraná? Se o tal Dallagnol não usaria a imprensa e a rede social para expor esses fortes "indícios" que se entrelaçam na visão punitiva. Devemos continuar dando a eles a presunção de inocência, mesmo sabendo que eles agiriam de outra forma?

Como diz o poeta: "A vida dá, nega e tira"; um dia os arbitrários provarão do próprio veneno.

28/8/2017 — Conversa Afiada

Delação de Moro: o prêmio é perdoar a prevaricação do ex-ministro?

Arre, estou farto de semideuses!
Onde é que há gente no mundo?
Fernando Pessoa

A manifestação do ex-ministro Moro é de uma gravidade sem precedentes. Ele sai acusando formalmente o presidente inimputável de uma série de crimes, comuns e de responsabilidade.

Que Moro teria um destino deprimente eu já dizia antes da posse, em entrevista de outubro de 2018 na qual afirmei "Moro terá um fim melancólico pelo histórico de farsante, autoritário, arbitrário que sempre pautou a vida deste juiz." Reconheço, porém, que ele teve um átimo de "pretensa dignidade" ao acusar o seu ex-chefe e revelar ao Brasil a forma de atuação subterrânea do presidente. Mas só pretensa e isso é de suma importância, pois na verdade o ex-ministro prevaricou.

Bolsonaro, Moro confessou, pediu a ele, ministro de Estado e chefe maior da PF (Polícia Federal), que fizesse uma obstrução a investigações em andamento, que vazasse ao presidente informações sigilosas. Segundo afirmou, o presidente confessou que, por interesse político, exigia do ministro uma série de medidas para interferir em inquéritos, para ter um diretor-geral para chamar de seu, para ter em primeira mão e fora de expedientes regulares e lícitos relatórios de inteligência e reportes sobre casos em andamento.

Fica a pergunta: o que mais teria o presidente pedido ao ex-ministro Moro e que este, para não confessar os próprios crimes, deixou de revelar? Ocorre que, talvez por simples despreparo e falta de conhecimento jurídico, Moro admitiu, no mínimo, a prevaricação.

Pareceu desistir do seu projeto pessoal de ser nomeado ministro do STF, que possivelmente o levou a prevaricar, e escorregou nas suas aflições e humilhações sofridas.

Vale recordar o estranho episódio ocorrido à época da tal investigação dos *hackers* que haviam invadido aparelhos de agentes públicos de destaque. Na ocasião, foi amplamente noticiado que o próprio Moro teria entrado em contato com autoridades de maneira informal, fora de qualquer expediente oficial, para comunicar que as figuras públicas haviam sido hackeadas e que as informações seriam destruídas. Vejam que a tal interferência que o ex-ministro Moro agora parece abominar parecia ser uma prática já utilizada pelo próprio ex-ministro.

Hoje Moro chegou a elogiar a postura do ex-presidente Lula, que sempre agiu dando completa autonomia à Polícia Federal, que não ousou interferir em investigações. E, no começo de seu discurso delatório, tentou, titubeante, algo que pudesse ficar de herança como feito do Ministério sob sua gestão. Não conseguiu elencar nada, absolutamente nada. O prevaricador era um inepto. Talvez o momento alto dessa prestação tenha sido a campanha motivacional para que os servidores do Ministério se empenhassem em suas funções e mais nada, algo pífio. E chegou ao desplante de atribuir ao STF certa dose de responsabilidade pela clamorosa incompetência e inépcia da pasta, criticando indiretamente as decisões do STF sobre compartilhamento de dados do Coaf.

Em conclusão, tendo o ex-ministro da Justiça revelado para todo o país alguns dos crimes praticados pelo presidente da República, é evidente que, como autoridade pública e chefe maior da Polícia Federal, deveria ter agido imediatamente para conter e denunciar os crimes do presidente, solicitando ao procurador-geral da República que tomasse providências, que oficiasse requerendo instauração de procedimento investigativo no Supremo. Vejam que o próprio Moro admite que não foram pedidos isolados, mas reiterados; um assédio absurdo e criminoso.

Não resta alternativa senão dar sequência a essa gravíssima acusação feita pelo ex-ministro. O *impeachment* é a única saída, pois o afastamento do presidente se faz inexorável. As investigações sobre o presidente e sua família têm que ser preservadas. Resta a todos acompanhar os desdobramentos desta grande crise. Uma interferência direta nessas investigações equivale a um golpe de estado. E devemos todos acompanhar com o cuidado e firmeza necessários, a milícia merece enfrentamento com toda a cautela, mas com determinação e profundidade. Moro começou a fazer uma delação premiada. E disso ele entende, ele e a força-tarefa que comandava. O país espera ansioso.

Sim, demorou! Não se sabe por quanto tempo prevaricou sistematicamente, o ex-ministro pode ter ficado inseguro sobre como agir, pois conhece as entranhas da podridão deste Governo. E, embora nunca deva ter lido Clarisse Lispector, a nossa diva já alertava: "Até cortar os próprios defeitos pode ser perigoso. Nunca se sabe qual é o defeito que sustenta nosso edifício inteiro."

24/4/2020 – Poder 360

República de canalhas

Poderoso para mim não é aquele que descobre ouro.
Para mim poderoso é aquele que descobre as insignificâncias (do mundo e as nossas).
Só uso as palavras para compor meus silêncios.

Manoel de Barros

É interessante notar que, vez ou outra, o tema do foro especial por prerrogativa de função se apresenta, ainda que de maneira indireta. Um exemplo claro de tentativa canhestra de burlá-lo se deu agora com o Delta quando ele optou por escrever uma petição, de maneira a escamotear os nomes completos dos presidentes do Senado e da Câmara. O intuito de não demonstrar que as autoridades citadas tinham foro no Supremo ficou mais evidente pela desculpa esfarrapada de que os nomes não cabiam no papel. O grande Elio Gaspari expôs o ridículo do argumento:

"(...) foram apanhados pelo repórter Leonardo Cavalcanti chamando Rodrigo Maia de "Rodrigo Felinto" e David Alcolumbre de "David Samuel" numa planilha oficial. Esse golpe é velho, usado por delegados e procuradores que tentam confundir juízes. Justificando-se, a equipe do doutor Martinazzo disse que os nomes completos não cabiam no espaço. Contem outra, doutores. Pode-se fazer tudo pela Lava Jato, menos papel de bobo. O nome Rodrigo Felinto tem 15 batidas, Rodrigo Maia cabe em 12".

É o que eu sempre afirmei: essa turma da Lava Jato conta com um excelente setor estruturado de marketing, pois juridicamente eles são bem fraquinhos. Em termos éticos, inexistentes. E, se forem expostos, sem dúvida vão dar vexame com suas explicações. Eles lembram o velho rabugento Bukowski: "Posso viver sem a grande maioria das pessoas. Elas não me completam, me esvaziam".

É claro que a maior de todas as falsidades se deu, inúmeras vezes, pelo então verdadeiro chefe da força-tarefa de Curitiba, o ex-juiz, ao burlar incontáveis vezes o princípio do juiz natural e se autodeclarar juiz universal, com competência e jurisdição em todo o território nacional. Juiz de todas as causas nas quais o interesse político do grupo que representava estivesse presente. Juiz *ad hoc*. Muito mais do que juiz parcial. Juiz com definição de interesse específico. O que estivesse no radar do projeto político do grupo passava a ser de competência restrita do magistrado. Essa é uma das importâncias de discutir a dimensão do que representa o juiz natural. Não apenas por ser um requisito constitucional, mas também por poder afastar os interesses políticos de grupos que não se intimidam em instrumentalizar o Ministério Público e o Poder Judiciário.

Com a espetacularização do processo penal, grupos inescrupulosos viram, na seara do Judiciário, um meio fértil para fortalecer projetos de poder. A discussão sobre o juiz natural sempre foi relevante no direito brasileiro, especialmente em casos de tentativa clara de burlar os tribunais superiores. Um caso clássico foi o do ex-senador Demóstenes Torres. O Ministério Público, a polícia e um juiz de 1º grau tentaram burlar a competência constitucional do Supremo Tribunal — afinal, Demóstenes era senador — e fizeram uma investigação sem poderes para tanto. À época, eu era advogado do senador e me vi obrigado a recorrer ao Supremo Tribunal, com um habeas corpus, e retirar dos processos todas as provas obtidas de maneira ilegal, com artimanhas e desprezo à Constituição. O resultado foi a anulação, unânime, ao final, de todos os procedimentos e processos contra o senador.

Em minha vida, advoguei para quatro presidentes da República, mais de 90 governadores, dezenas de senadores, ministros, deputados e sempre os alertei, todos eles, de que eu era contra o foro especial por prerrogativa de função. E, mais, que eu entendia ser o foro uma "armadilha" contra os réus. Menos à época em que nem sequer havia os processos, as denúncias, mas essa é outra história...

Sempre afirmei que, em um sistema republicano, o foro especial por prerrogativa de função deveria ser extinto. O caso conhecido como mensalão é prova cabal do risco que ele representa. O processo foi julgado pelo plenário do Supremo e, antes do espetáculo midiático da Lava Jato, era, até então, o maior sucesso de mídia no Judiciário brasileiro. Com massiva campanha pela condenação, com uma mídia opressiva e determinada, o julgamento foi se afastando de qualquer rigor técnico.

Para conseguirem as condenações, os ministros fizeram uma vergonhosa subleitura da teoria do domínio do fato. Alguns, por não dominarem a teoria; outros, por uma definição prévia de condenação. Fico à vontade para analisar, pois meus clientes Zilmar e Duda Mendonça foram absolvidos. Ainda que, como resultado da excessiva exposição midiática, mesmo absolvidos, inocentados, eles, por anos, continuaram no imaginário popular como "mensaleiros", ou seja, foram condenados. Mas, pelo menos, mesmo condenados pela opinião pública, livraram-se da prisão.

Os efetivamente condenados não tiveram como recorrer exatamente em razão do foro "privilegiado". Julgamento midiático em única e última instância, tudo que não pode ocorrer em um Estado que se pretenda democrático. Numa República, não há justificativa para foros diferentes, porque a regra é que somos iguais, todos, em direitos e deveres. E a expectativa é um Judiciário independente, rápido, aparelhado para aplicar e fazer cumprir a Constituição.

Proponho uma reflexão sobre a hipótese de manter o foro no Supremo Tribunal somente para os presidentes dos Três Poderes e o procurador-geral da República. As demais autoridades que hoje detêm o foro especial por prerrogativa de função seriam julgadas por um juiz de 1º grau, com uma relevante inovação: toda e qualquer medida restritiva de direito (prisão, busca e apreensão, afastamento do cargo e quebra de sigilos, enfim, o afastamento de qualquer garantia constitucional) só poderia ser feita por um colegiado de três ou cinco desembargadores. O processo seguiria o rito normal com um juiz de 1ª Instância que julgaria o caso, mas as medidas restritivas teriam que ser colegiadas.

Não é salutar um juiz apressado mandar prender o ministro da Fazenda, o presidente do Banco Central ou uma autoridade cuja detenção abale para muito mais das hostes individuais. Essa é uma discussão que cabe fazer neste país onde a velha e surrada frase "sabe com quem está falando" pula de boca em boca. Ora está na boca de um desembargador, ora, na de um encastelado dos Jardins ou da zona sul, que ainda se sentem melhores do que os demais cidadãos. Como se existissem cidadãos de 1ª e de 2ª classe. É contra essa prepotência, essa pobreza de espírito, essa forma de racismo enraizado, esse autoritarismo enrustido que eu proponho uma reflexão.

Assim, quando uma "autoridade" ou um idiota qualquer que se esconde atrás de uma montanha de dinheiro ou de poder sacar um argumento de falsa autoridade, nós poderemos responder: "Não sabemos quem é você atrás dessa arrogância, mas aqui é a República". Parafraseando o cartunista Rafael Corrêa: "E agora, o que faremos? Poesia, esses canalhas não suportam poesia". Talvez com uma dose de humildade, de humanidade, até mesmo esses pobres de espírito da autointitulada República de Curitiba possam entender o que é República, numa visão humanista e igualitária. Pode não significar nada, mas pode ser um começo. Como ensina a nossa Clarisse Lispector: "E, antes de aprender a ser livre, tudo eu aguentava, só para não ser livre."

24/6/2020 – Poder 360

"A questão não é de conveniência. É de legalidade, Delta"

O país passa, há tempos, por um período de indignação seletiva. E essa seletividade beira, muitas vezes, a hipocrisia. Desde o começo da Operação Lava Jato, eu e um bom número de pessoas, hoje infinitamente maior, temos alertado sobre os inúmeros abusos da força-tarefa de Curitiba e do seu chefe-coordenador de fato, o nefasto ex-juiz, ex-ministro.

Várias são as questões que nós apontávamos como irregulares. Banalização das prisões preventivas, uso imoral e inconstitucional das prisões para conseguir delação, estupro do instituto das delações, prepotência, distorção dos fatos, uso indevido de acordos e de cooperações internacionais, arrogância, manipulação de dados, além de diversas outras situações teratológicas.

Entretanto, o que eu apontava como mais grave, que inclusive causava certa perplexidade, hoje resta cristalino: o grupo tinha um projeto de poder.

Foi na busca desse projeto de poder que toda a operação foi montada. Sempre anunciei Brasil afora que eles, os integrantes da força-tarefa, são muito fracos juridicamente, alguns são indigentes intelectuais, mas o que tem de forte naquele grupo é um setor estruturado de marketing mais bem preparado do que o tal setor estruturado de uma grande empreiteira por eles destroçada.

Como tinham o apoio irrestrito da grande mídia, cuidaram de aumentar o prestígio com mais e mais abusos, bem à feição de grupos políticos totalitários. O poder os cegou, eles perderam o controle. Deixaram de se preocupar com a aparência, como fica claro no diálogo divulgado entre os procuradores Vladimir Aras e Deltan Dallagnol, em que se nota a combinação de extradição direta entre a força-tarefa da Lava Jato e os Estados Unidos, sem passar pelo Ministério da Justiça.

O procurador Vladimir Aras fez o alerta, à época, de que seria necessário encaminhar a questão ao Ministério da Justiça, mas Deltan refutou: "Obrigado, Vlad, mas entendemos com a PF que nesse caso não é conveniente passar algo pelo Executivo." Vladimir foi mais direto: "A questão não é de conveniência. É de legalidade, Delta. O tratado tem força de lei federal ordinária e atribui ao Ministério da Justiça a intermediação." Ainda assim, Deltan manteve sua posição.

Recentemente, foi divulgada pelo *Poder 360* mais uma tentativa de afronta ao Poder Judiciário por aquela organização que parece fazer disso uma prática rotineira. Revelou-se denúncia apresentada pelo grupo curitibano em que teriam sido camuflados os nomes dos presidentes da Câmara e do Senado. Na oportunidade, a força-tarefa os indicou como "Rodrigo Felinto" e "David Samuel", numa suposta tentativa de esconder de quem se tratava o caso, para que o processo não fosse remetido ao foro competente. A justificativa apresentada pelos procuradores foi que "parte dos nomes não coube por inteiro".

Entre os inúmeros abusos que vêm sendo revelados diariamente, tal como a utilização de gravador comprado pela própria força-tarefa, não se poderia deixar de recordar que a relação de duvidosa legalidade entre a Lava Jato e os Estados Unidos foi também noticiada com a descoberta de pedido de intervenção do FBI em sistema da Odebrecht, sem, contudo, a formulação de requerimento formal. Não obstante, um dos líderes do grupo afirmou que "não consegue lembrar-se concretamente" da atuação do FBI.

Afinal, se os fins justificam os meios, e essa passa a ser a prática, muito em breve os meios passarão a ser quaisquer meios. É famosa a frase do ex-ministro Jarbas Passarinho ao assinar o AI 5: "Às favas todos os escrúpulos da consciência". No caso analisado, há sérias dúvidas sobre se existiria consciência a ser mandada às favas.

Essa consolidação dos abusos passou a ser a força da força-tarefa. A grande mídia criou uma aura de heróis e, o pior, eles passaram a acreditar nisso. Como ensinou Bertolt Brecht: "Infeliz a nação que precisa de heróis."

Eles passaram até mesmo a afrontar as autoridades superiores do próprio Poder Judiciário. Afrontaram no episódio do desembargador Favreto, e o Judiciário quedou-se inerte. Tentaram fazer o mesmo no caso do Raul Schmidt, desrespeitando uma ordem do TRF1, mas no caso o independente, sério e corajoso desembargador federal Ney Bello cuidou de mostrar que, vez ou outra, ainda há juízes em Brasília. Com um despacho exemplar, ressaltou que é "inimaginável, num Estado democrático de direito, que a Polícia Federal e o Ministério da Justiça sejam instados por um juiz ao descumprimento de decisão de um tribunal", bem como que "é intolerável, é o desconhecimento dos princípios constitucionais do processo e das normas processuais penais".

No atual momento em que o ex-juiz afirma que a Operação Lava Jato está sob ataque, em uma clara tentativa de desmoralizar qualquer investigação sobre o que o grupo fez nos últimos anos, é necessário não cometer os mesmos abusos que eles cometeram e continuam cometendo.

É essencial registrar a reação orquestrada dos líderes da operação, incluindo o ex-juiz, no momento em que se vazou — quem vazou? — que existiam delações contra eles em curso. Notas coordenadas, uso da velha mídia, contratação de advogado para impedir a delação, enfim, pânico. Nessa hora, se eles tivessem o costume de recorrer à literatura, talvez se socorressem da Clarice Lispector para não fazerem nenhum movimento precipitado: "Até cortar os próprios defeitos pode ser perigoso. Nunca se sabe qual é o defeito que sustenta nosso edifício inteiro."

Na verdade, a estrutura de poder elaborada pela força-tarefa teve como pressuposto a instrumentalização do Poder Judiciário e do Ministério Público. A referida instrumentalização se deu no início de maneira leve, quase imperceptível, mas depois foi perdendo o pudor. No começo, trabalhavam com a espetacularização do processo penal e com a criminalização da política como estratégia. Trabalhavam com o apoio, nem sempre deliberado, da grande mídia.

Com o crescente prestígio da força-tarefa e, especialmente, do seu chefe, foi potencializada a necessidade de trabalhar a imagem do grupo.

Mesmo com toda a mídia espontânea, era necessário criar fatos. Entrevistas após as operações, elaboração de projetos de leis, participação em programas de televisão, palestras, em suma, o projeto político tomando corpo. Por outro lado, os cuidados com a valiosa, prestigiada e importantíssima carreira de membro do Ministério Público, que é sério e respeitado, cada vez mais deixados em terceiro plano.

Ridículos *outdoors*, *power points*, fotografias imitando séries americanas, tudo para a glamourização da turma de Curitiba. Acabam me lembrando Charles Bukowski: "Às vezes, me sinto como se estivéssemos todos presos num filme. Sabemos nossas falas, onde caminhar, como atuar, só que não há uma câmera. No entanto, não conseguimos sair do filme. E é um filme ruim".

O que parecia ser uma grande trapalhada de um grupo ávido por poder, porém, começou a se tornar uma trama intrigante. Tendo em vista esse enredo, no qual o grupo se autointitula uma instituição, quase uma entidade, acima e independentemente do Ministério Público, a sociedade merece ter acesso a todas as narrativas. Não estou fazendo nenhuma acusação, não tenho o vício dos membros da força-tarefa e do seu chefe.

Todavia, as estranhezas são tantas que, se fôssemos usar a régua deles, a esta altura já teríamos tido uma operação deflagrada. E, não esqueçamos, é necessário esclarecer os tais fundos bilionários.

Uma última reflexão sobre a estratégia barata do grupo de, ao confrontar o procurador-geral da República, dizer que o que há é uma briga política para favorecer o presidente Bolsonaro. Ora, o governo autoritário e fascista deste presidente foi gestado nos excessos da Operação Lava Jato.

São irmãos siameses. E a história ensina: nada como uma luta cega pelo poder para virem à tona os podres. Mais uma vez a poesia, agora Florbela Espanca: "A vida é sempre a mesma para todos: rede de ilusões e desenganos. O quadro é único, a moldura é que é diferente."

3/7/2020 – Poder 360

Ninguém está acima da lei. Ninguém?

A casa que eu amei foi destroçada
A morte caminha no sossego do jardim
A vida sussurrada na folhagem
Subitamente quebrou-se não é minha
Sophia de Mello Breyner

Em 17 de março de 2014, quando foi deflagrada a Operação Lava Jato, fui procurado por Alberto Youssef a fim de advogar para ele. Estive em Curitiba e acabei desenvolvendo uma relação de respeito com ele. E tomei a decisão de deixar o caso quando a Procuradoria, de maneira vulgar e arbitrária, exigiu que Alberto Youssef desistisse de um habeas corpus que eu impetrara no Superior Tribunal de Justiça.

Era desistir do habeas corpus ou ele não conseguiria assinar a delação e obter seus benefícios. Eu estava em Paris quando recebi a notícia da exigência da troca. Senti náusea ao me deparar com a ousadia e arrogância dessa força-tarefa que já se anunciava autoritária. Desci ao Café de Flore e desisti, em uma dura petição, do habeas corpus e do cliente.

Lembrei-me de Mia Couto, no "Versos do Prisioneiro 3":

Não me quero fugitivo.
Fugidio me basta.
(...)
Eu falo da tristeza do voo:
A asa é maior que o inteiro firmamento.
Quando abrirem as portas
eu serei, enfim,
o meu único carcereiro.

Ressaltei mais tarde a ele, Youssef, mas pessoalmente, que ele tinha, óbvio, o direito de fazer a delação e que quem estava abusando dele eram os procuradores. O fato de exigirem que um preso desistisse de um habeas corpus em favor da sua liberdade para conseguir a delação atingia, profundamente, tudo o que eu entendia e entendo sobre direito, sobre ética, sobre justiça. E isso já anunciava quem era o grupo de Curitiba.

Como dizia Rainer Maria Rilke, que com certeza os integrantes desse grupo nunca leram:

Mas a escuridão tudo abriga
figuras e chamas, animais e a mim,
e ela também retém
seres e poderes.
E pode ser uma força grande
que perto de mim se expande.
Eu creio em noites.

Uma força-tarefa coordenada por um juiz sem escrúpulos e com um projeto de poder político.

Ao longo dos anos tive 25 clientes na Operação Lava Jato. E fui acompanhando os acúmulos de abusos, de arbitrariedades, de absurdos e de indignidades que esse pessoal de Curitiba fazia em nome de um pretenso combate à corrupção.

Resolvi correr o país para discutir os excessos do grupo político da Lava Jato. Fui a todos os cantos, falei para todas as plateias, expus-me a todos os debates. Durante anos, algumas vezes por mês, eu me dispus a enfrentar o que considerava ser uma hipótese de instrumentalização do Judiciário e do Ministério Público para um objetivo político.

Recorro ao meu amigo Boaventura Souza Santos:

Quando a escuridão é espessa
e não se escapa entre os dedos
gosto de apanhar uma mancheia
e levar até à luz para ver melhor

regresso feliz de mãos vazias
a escuridão afinal não é a tempestade fatal
o abismo medonho a avalanche final
é apenas o que não se pode ver

Sempre, e sempre, fiz questão de começar minhas críticas aos excessos com um forte reconhecimento aos enormes êxitos alcançados pela Operação Lava Jato logo no início. O desnudar de uma corrupção capilarizada era uma vitória e um avanço.

A politização e a completa perda de objeto em nome de um projeto de poder, porém, tinha que ser devidamente enfrentado. Em janeiro de 2015, escrevi na *Folha de S. Paulo* um artigo: "Que país queremos?", no qual eu já alertava que o combate à corrupção só poderia ser feito dentro dos limites das garantias constitucionais. E o poder da Lava Jato foi crescendo proporcionalmente aos seus abusos.

Com o apoio da grande mídia, e se sentindo semideuses, perderam o pudor. Já não mais se escondiam. Os membros da força-tarefa agiam como delinquentes juvenis a rir de todos. Pueris. Mesquinhos. Banais. Envergonhavam a todos que têm alguma noção de ridículo; mas quem é ridículo não sabe que é ridículo ou, às vezes, nem o que é ser ridículo. Bregas incultos com *outdoor* de promoção pessoal, *power points*, palestras em cultos, pregações moralistas, viagens para Disney à custa do erário. Enfim, um show de horrores de corar mesmo os mais adeptos da República de Curitiba que ousassem ter uma mínima noção de vida em sociedade.

Só nosso Castro Alves para nos representar:

Senhor Deus dos desgraçados!
Dizei-me vós, Senhor Deus!
Se é loucura... se é verdade
Tanto horror perante os céus?
[...]
Astros! Noites! Tempestades!
Rolai das imensidades!
Varrei os mares, tufão!

O projeto de poder se sofisticou. Com a chegada do chefe no Ministério da Justiça, o plano ia de vento em popa. O grupo que tinha gestado o governo autoritário e genocida do atual presidente estava no poder. Mas, claro, faltava ser o poder. Não depender do lunático que haviam elegido.

Mesmo sem nenhuma preocupação em elaborar projetos para o país, o bando avançava. Mas os abusos foram saindo de controle. E os absurdos se avolumando. E o bando se mostrando absolutamente fora de si, dando clara sensação de que haviam sido pegos em flagrante. Um desespero começou a se cristalizar. Típico de quem sabe bem o que fez nos verões passados.

Agora, recentemente, em uma live no canal do Youtube promovida pelo Grupo Prerrogativas, o atual procurador-geral expôs, com segurança e sem ódio, uma série de questões gravíssimas, inclusive afirmando que "A hora é de corrigir os rumos para que o lavajatismo não perdure".

E como exemplos desse combate à corrupção desenfreado, que vem sendo feito fora dos ditames legais e constitucionais, o procurador-geral da República trouxe dados e informações estarrecedores:

- a força-tarefa de Curitiba dispõe de 350 terabytes em arquivos que contêm dados pessoais de 38 mil pessoas. Isso equivale a um arquivo com tamanho oito vezes maior que o arquivo geral do Ministério Público Federal, que tem 40 terabytes. Nesse ponto, uma vez que não se sabe como foram escolhidas essas milhares de pessoas, os dados acabam formando uma grande "caixa de segredos" usada para "chantagem e extorsão" pelos membros da força-tarefa. Daí a necessidade de compartilhar os dados de uma unidade institucional com a Procuradoria-Geral da República, como defendido pelo dr. Augusto Aras;
- existem cerca de 50 mil documentos "invisíveis" que foram enviados à corregedoria para apurar o trabalho dos integrantes do Ministério Público Federal. Foi apurado que havia uma "metodologia de distribuição personalizada" em Curitiba, Rio de Janeiro e São Paulo, onde os membros escolhiam os

processos. O procurador-geral ainda ressaltou que "é um estado em que o procurador-geral da República não tem acesso aos processos, tampouco os órgãos superiores, e isso é incompreensível";

- as listas-tríplices que eram elaboradas com os nomes dos candidatos à Procuradoria-Geral da República, escolhidos após votação pelos procuradores, eram fraudáveis e, segundo o procurador-geral, já existem relatórios de perícia que confirmam tal fato.

Assim, torna-se evidente o motivo do sentimento de pânico que assomou esse grupo estranho.

Não é engraçado imaginar que, desses 38 mil, devem existir vários dos comparsas ou cúmplices? Que entre os protegidos vários podem ser agora expostos? Será que eles vão pagar mil *outdoors* para publicar pedidos de desculpas? E quando forem processados, vão querer um juiz como o chefe deles? Se condenados, vão se entregar para serem presos assim que o Tribunal de 2ª Instância confirmar a condenação? E vão querer ser expostos, com as famílias, nessa mídia que os incensou? E vão se sentir pequenos quando as filhas e mães forem denunciadas para eles se fragilizarem? E a caixa de segredos, será aberta em praça pública com a cobertura das grandes redes de comunicação?

E, enfim, massacrados, violentados, aterrorizados, difamados, estrangulados financeiramente e em suas liberdades, fariam delações premiadas de verdades e mentiras bem contadas e combinadas.

Ou seja, terei que recorrer de novo a Pessoa na pessoa de Álvaro de Campos no "Poema em linha reta": *Arre, estou farto de semideuses! Onde é que há gente no mundo?* Esses medíocres, óbvios, fazem-me até repetir o poema...

31/7/2020 — Poder 360

Vida e liberdade

Não há refúgio, e o terror aumenta.
É tal e qual o drama aqui na sala:
A luz da tarde em agonia lenta,
E a maciça negrura a devorá-la.
Dor deste tempo atroz,
sem refrigério,
Eis os degraus do inferno que nos restam:
Morrer e apodrecer no cemitério
onde fantasmas, como eu,
protestam.

Miguel Torga

No momento em que o país cuida, com toda razão, quase única e exclusivamente da necessidade fundamental e imperiosa da vacina, uma notícia de pé de página chama a atenção. O ex-ministro Sergio Moro ganharia hoje uma eleição para a Presidência da República. Apenas ele, segundo a matéria, poderia enfrentar e derrotar o atual presidente. É evidente que ninguém está com cabeça para qualquer outra questão que não seja a tentativa de salvar vidas e de propiciar ao brasileiro o ar que está sendo obstado pelo negacionismo e obscurantismo. O que me leva a refletir sobre essa hipótese — ainda distante — das próximas eleições é imaginar que esse ex-juiz está no cerne, na raiz deste desgoverno que hoje nos sufoca, nos aniquila. Foi um projeto de poder, coordenado pelo ex-juiz de Curitiba que chefiava criminosamente a força-tarefa, que propiciou a chegada desse grupo ao poder. Se, depois de ter assumido o cargo de ministro da Justiça, houve um rompimento entre eles, isso nada mais é do que uma briga de quadrilha.

Certamente, o agora ex-ministro aposta no caos para se posicionar no tabuleiro do jogo de poder. Caos que ele tem que ser chamado a explicar. Afinal, qual é a real importância, qual papel o Moro exerceu nas últimas eleições? É sempre bom ler Mário Quintana: "O passado não reconhece seu lugar, está sempre presente."

O Poder Judiciário é um poder inerte, só se manifesta quando provocado. E o Poder Judiciário não tem faltado ao país. Neste trágico momento de negação à vacina, de ausência do ministro da Saúde, é na segurança jurídica e no descortino do ministro Ricardo Lewandowski que o Brasil se ampara. Sem alardes, sem fanfarronices. Também da lavra do ministro Lewandowski a determinação de que todas as mensagens referentes a um determinado lapso temporal e obtidas por *hackers* devem ser entregues à defesa técnica do ex-presidente Lula. E todos esses documentos chegam à defesa com o selo da validade processual. Poderão ser manuseados e usados como prova de defesa.

É claro que, quando falta o ar para arejar os pulmões, nada mais tem importância ou sentido. A vida é, e deve ser, a prioridade absoluta, a primeira razão de existir. Mas sabemos todos que não existe apenas uma única frente de batalha. A liberdade vem disputar junto com a vida os espaços que puder ocupar. O ar que nos falta nos pulmões e que nos mata pelo não enfrentamento científico do vírus é também o ar que pode levar a julgamentos justos e com plenitude de defesa. Um direito, evidentemente, não exclui o outro. Vamos de João Cabral de Melo Neto:

Sem bala, relógio,
ou a lâmina colérica,
é, contudo, uma ausência
o que esse homem leva.
...
por fim a realidade
prima, e tão violenta
que ao tentar apreendê-la
toda a imagem rebenta.

Trago em mim o olhar, às vezes viciado, da ampla defesa e da paixão pelo respeito ao devido processo legal e à Constituição. E cabe a todos os operadores do direito cobrar que a pandemia não sirva de pretexto para o não julgamento de relevantes e decisivos processos que estão parados. No caso específico dos excessos cometidos pela força-tarefa, especialmente a de Curitiba, a postura independente e corajosa do procurador-geral, ao priorizar a continuidade das investigações, mas dando mais transparência aos atos do próprio Ministério Público, serve de alerta no sentido de que o ar que falta nos hospitais, cuja ausência mata, não pode fazer falta também nos tribunais.

Assim como o atual governo não pode ficar, na feliz expressão do ministro Carlos Ayres Britto, "de costas para a Constituição" no que diz respeito ao enfrentamento da ultrajante situação da universalização da vacina e da priorização da vida neste precipício pandêmico, não podemos relegar para um plano inferior questões de suma importância para a estabilidade democrática. E que dizem respeito também a cumprir ditames constitucionais. Pode parecer impertinência falar de qualquer outro assunto que não seja a necessidade premente da vacina e da saúde pública. Mas é assim que os países e os cidadãos devem se posicionar: com cobranças e discussões das grandes questões nacionais, mesmo fora do foco da pandemia.

Os milhares de cidadãos brasileiros submetidos ao infortúnio de um processo penal têm o direito de ver implementado o juiz de garantias que foi votado e transformado em lei pelo Congresso Nacional e que se encontra suspenso por uma decisão liminar monocrática do ministro Fux. O habeas corpus coletivo que impetramos em nome do Instituto de Garantias Penais merece toda prioridade no julgamento. Em respeito ao Congresso Nacional, ao colegiado do Supremo Tribunal Federal, representado pela sua composição plenária, e aos que esperam uma prestação jurisdicional. Não se pode usar os dramas evidentes da crise sanitária para negar o direito ao jurisdicionado.

Da mesma maneira, urge que o Supremo Tribunal enfrente e decida sobre a suspeição do ex-juiz Sérgio Moro. Essa questão está madura e terá efeito sobre o importante instituto da suspeição. É possível responder à pergunta de *O Livro das Suspeições*: o que fazer quando sabemos que Moro era parcial e suspeito? E hoje todos sabem. Essa é uma questão que diz respeito diretamente à credibilidade do Poder Judiciário. Recorro, como sempre, ao grande Pessoa no *Livro do Desassossego*: "Ergo-me da cadeira com um esforço monstruoso, mas tenho a impressão de que levo a cadeira comigo, e que é mais pesada, porque é a cadeira do subjetivismo".

O ainda restante de lucidez no país e no resto do mundo está empenhado — e é bom ser assim — em evitar que qualquer outra discussão que não seja a prioridade da ciência tire a chance de salvar as pessoas do abismo. A inabilidade diplomática que isolou o Brasil tem que ser superada com humildade e a tradicional habilidade que caracterizava o setor. Ouvir do ministro da Saúde que não consegue negociar com a Índia pela dificuldade com o fuso horário é acachapante, constrangedor.

Avizinha-se o fim dos recessos no Congresso e no Judiciário, e o país precisa ter a coragem de fazer os enfrentamentos dos temas que nos asfixiam. Mesmo com a prioridade absoluta, neste momento, de erradicar o vírus com a universalização da vacina, é possível não deixar de lado outros temas fundamentais para a estabilidade democrática. Não permitir que sejamos presos a esse círculo de giz imaginário, que nos sufoca, amordaça e paralisa, é uma forma necessária de resistência.

Uma nuvem densa de obscuridade caiu sobre nossos olhos nos últimos tempos e certa cegueira coletiva nos desorienta. Vamos recolocar os temas que sustentam conquistas democráticas conseguidas a duras penas. Sejamos lúcidos e múltiplos. A adversidade do momento exige que sejamos maiores do que seríamos em tempo de normalidade institucional. Quando, enfim, o humanismo e a ciência derem cabo ao flagelo da pandemia, será necessário que o país esteja em pé e com as bases democráticas asseguradas. Mesmo durante a tormenta e com a tempestade a nos fustigar, é bom saber que temos fôlego para enfrentar o ar rarefeito. E nos apegar, novamente, a Mário Quintana no poema "Emergência":

> *Quem faz um poema*
> *abre uma janela.*
> *Respira, tu que estás numa cela abafada,*
> *este ar que entra por ela.*
> *Por isso é que os poemas têm ritmo-*
> *para que possas profundamente respirar.*
> *Quem faz um poema*
> *salva um afogado.*

22/1/2021 — Poder 360

Trama revelada

Tenho ódio à luz e raiva à claridade
Do sol, alegre, quente, na subida
Parece que a minh'alma é perseguida
Por um carrasco cheio de maldade!

...

Eu não gosto do sol, eu tenho medo
Que me leiam nos olhos o segredo...
A minha tragédia
Florbela Espanca

Alguma coisa está mesmo fora da ordem. Ficou difícil explicar o óbvio, quase impossível entender as questões mais singelas e que, em regra, não demandariam nenhuma dificuldade de entendimento. As novas mensagens vindas à tona entre o tal juiz, ex-salvador e ex-herói da pátria, e seus comparsas são estarrecedoras.

Ao que parece, o país, anestesiado de tanta dor e horror, nem sequer discute o buraco profundo que está escancarado e que tragou a capacidade de indignação nacional.

Com um país à deriva, quase 250 mil mortes por Covid-19, falta de política de enfrentamento científico ao vírus, falta crônica de vacina e tantas outras mazelas, como querer qualquer indignação com um juiz que é desmascarado como obscenamente falso, traiçoeiro, dissimulado? Um juiz que mercadejou com a toga, instrumentalizou o Judiciário e, por uma estratégia política de poder, coordenou um bando de procuradores indigentes morais e intelectuais, traiu a magistratura e rasgou a Constituição.

Talvez o ideal seja imaginar um cenário pessoal e simples para fazer com que as pessoas reflitam a gravidade do que foi feito pelo então juiz da Operação Lava Jato. Esqueçam o Lula. Esqueçam o jogo político desse bando de Curitiba.

Imagine que você está disputando a guarda do seu filho na Justiça e, antes da audiência decisiva, descobre que o juiz está instruindo o promotor a como se portar na audiência e a quem ele deve se reportar para obter sucesso. Ou, em uma ação judicial na qual se pleiteia não perder sua casa, seu único bem, para um banco que a financiou e você descobre e-mails entre o juiz, o promotor e o advogado do banco, definindo a estratégia para o banco ganhar a ação.

Para coroar, imagine você, torcedor do Palmeiras, na final do Mundial de Clubes. No jogo com o Bayern de Munique, descobre várias mensagens do juiz dando coordenadas aos atacantes alemães e avisando que, se o jogador cair dentro da área, vai dar pênalti. E, como o torcedor costuma ser apaixonado, que não seja o Palmeiras na final do Mundial, mas o Cruzeiro, o Flamengo, o Corinthians, o Botafogo, ou o seu time de coração, e o torcedor vendo o conluio entre o juiz, os bandeirinhas e o outro time. É esse o estrago que esse juiz de Curitiba e seus asseclas provocaram no processo penal e na Constituição.

Instrumentalizaram o Poder Judiciário e o Ministério Público Federal. Evidentemente que eles, é necessário ressaltar, não representam o Poder Judiciário ou o Ministério Público. A esmagadora maioria dos juízes e dos membros do Ministério Público é séria e comprometida com os valores constitucionais e democráticos. Esse bando de Curitiba armou tudo com uma estratégia que tinha objetivos políticos. Mercadejaram com a toga e esbofetearam o Poder Judiciário.

Causa ânsia de vômito ver a falta de limites do grupo para fraudar os processos. Com o apoio da grande mídia, eles armavam estratégias, combinavam os passos a serem dados, vazavam criminosamente informações para influenciar a opinião pública, faziam acordos internacionais clandestinos sem a necessária instrumentalização formal, burlavam regras básicas de competência usurpando a competência de outros tribunais, inclusive do Supremo Tribunal Federal, desafiavam ordens superiores, enfim criaram um Código de Processo Penal de Curitiba e uma Constituição para chamarem de sua. Um escárnio. Um ultraje. Um acinte. Necessário nos socorrer de Baudelaire:

> *Não sou acaso um falso acorde*
> *Nessa divina sinfonia,*
> *Graças a voraz ironia*
> *Que me sacode e que me morde?*
> ...
> *Eu sou a faca e o talho atroz!*
> *Eu sou o rosto e a bofetada!*
> *Eu sou a roda e a mão crispada,*
> *Eu sou a vítima e o algoz!*
>
> *Sou um vampiro a me esvair*
> *— Um destes tais abandonados*
> *Ao risco eterno condenados*
> *E que não podem mais sorrir!*

E neste momento de angústia e solidão do povo brasileiro, com a autoestima em baixa pela falta de ar que nos acomete, seja a falta de ar que vem da praga do vírus, seja a falta de ar por vivermos sob o jugo de um desgoverno, num momento em que a baixa humanidade geral provoca a sensação de baixa de imunidade e nos fragiliza a todos, ter acesso às entranhas desse golpe tramado em Curitiba nos causa profunda indignação. É necessário que todos nos empenhemos no esclarecimento cabal dessa trama que mudou os rumos do país. Sim, esse bando provocou mudanças no destino das pessoas. Esse desgoverno que hoje nos fez pária internacional é filho direto do projeto de poder tramado em Curitiba.

Mas não podemos perder a coerência e devemos agir agora tendo a Constituição como norte, tal qual fazíamos antes. É claro que essas mensagens obtidas por um *hacker*, logo, por meio ilícito, só podem ser usadas para defesa de direitos. Não podem servir de base para condenar ninguém. Não podemos agir como os procuradores pregavam quando diziam que "provas ilícitas obtidas de boa fé" podem ser utilizadas para condenar. Essa é a régua moral e ética do bando de Curitiba e, claro, não nos serve.

Da mesma maneira, o então juiz — ao vazar criminosamente material para incriminar investigados na operação coordenada por ele —, quando questionado, dizia que o que deveria valer era "o conteúdo", sem a preocupação da legalidade na obtenção. Essa perspectiva não nos serve. Não se combate o que vem do esgoto se misturando com os excrementos que os alimenta. É necessário enfrentar tudo dentro das regras constitucionais e garantindo o direito a todos, mas fazendo ampla investigação.

É também urgente que nós, advogados, coloquemos o olhar nas mazelas da classe. Até para termos legitimidade ao denunciar os crimes cometidos pelo bando, e por coerência, é necessário que a atuação de alguns advogados seja escrutinada. Vários advogados de delatores agiram com ética e dentro dos ditames legais. Ao que tudo indica, porém, alguns estavam demasiadamente perto da carniça para não terem sentido o cheiro fétido que exalava e impregnava o ambiente.

Segundo as mensagens indicam, o ex-juiz mandou o procurador avisar aos advogados que eles deveriam diminuir o número de testemunhas de defesa. E o procurador cumpre a ordem, pois as mensagens dão a entender que os advogados obedeceram. Uma desmoralização para a advocacia. Há diálogos nos quais os procuradores, debochando dos advogados, afirmam que existia entre alguns um mercado de venda de delação, insinuando venda de proteção ou até hipótese de extorsão. Gravíssimo! A par da evidente prevaricação por parte dos procuradores, pois se sabiam de um crime tinham que investigar, é necessário que a classe veja essas condutas esclarecidas. Parece óbvio porque tratavam essas posturas com galhofa e não investigaram. Na verdade, estavam todos na mesma empreitada, eram cúmplices em um esquema milionário e poderoso. Resta esclarecer todos esses procedimentos. Não podemos nos misturar aos atores dessa tragédia.

Em momentos assim, é necessário ter a ousadia de dar um passo fora desse círculo invisível de giz do *esprit de corps*. Uma nuvem densa tende a envolver todos em um imobilismo que impede o ar puro e a entrada da luz para desinfetar o ambiente. Mas a gravidade dos fatos exige essa coragem. É só buscar na poesia e na literatura o conforto para o espírito, recorrendo ao eterno Pessoa: "Há um tempo em que é preciso abandonar as roupas usadas, que já têm a forma do nosso corpo, e esquecer os nossos caminhos, que nos levam sempre aos mesmos lugares".

Agora, mais do que nunca, é necessário ter apego aos ritos constitucionais. Se esses procuradores da força-tarefa de Curitiba estivessem em mãos com o material que está se tornando público e fossem usar os mesmos critérios que então os norteavam, já teriam pedido a prisão deles próprios. Certamente, já teriam vazado o material e plantado notas nos seus jornalistas de algibeira, falando em organização criminosa, em obstrução de justiça e outros crimes. E, por coerência, dentro da perspectiva da república de Curitiba, o ex-juiz já teria determinado a prisão de todos, inclusive dele próprio, e nós estaríamos acompanhando, perplexos, pela televisão o comboio de carros da Federal, com helicópteros e gente nas ruas torcendo, levando-os para aquele lugar que, ao que parece, será mesmo o provável destino.

No meio de toda a trama séria e com consequências graves para o Estado democrático de direito, pelas diversas ilegalidades e pelos crimes cometidos nessa instrumentalização do Poder Judiciário, o que talvez mais cause náusea seja a falta de qualquer resquício de humanidade em algumas mensagens. Nenhum sentimento de solidariedade, nenhuma empatia. O ódio, o desprezo à dignidade das pessoas, o preconceito, a maldade mesmo, são a marca e o resumo do caráter desse bando. Muito além do jogo de poder, muito acima das manipulações das instituições, o que dá nojo é quando eles se revelam mais verdadeiros, mais sem peias, quando mostram realmente quem são ao ridicularizar as pessoas, ao fazer chacotas com a dor até mesmo na morte de uma criança, ao falar do gozo coletivo com a desgraça alheia. São sentimentos que habitam um submundo, as trevas e que representam tudo o que lutamos contra.

Não vamos combatê-los com as armas da vingança e do obscurantismo. Vamos jogar a Constituição na cara deles, vamos esbofeteá-los com livros de poesia, vamos condená-los a ler e a respeitar a todos. Sugiro que sejam obrigados a ler Borges, no poema "Os Cúmplices":

Crucificaram-me e eu devo ser a cruz e os cravos.
Passaram-me o cálice e eu devo ser a cicuta.
Enganaram-me e eu devo ser a mentira.
Incendeiam-me e eu devo ser o inferno.
Devo louvar e agradecer cada instante do tempo.
Meu alimento é todas as coisas.
O peso preciso do universo, a humilhação, o júbilo.
Devo justificar aquilo que me fere.
Não importa minha ventura ou minha desventura.
Sou o poeta.

5/2/2021 — Poder 360

Santo *hacker*

Nada me pesa tanto no desgosto como as palavras sociais de moral. Já a palavra "dever" é para mim desagradável como um intruso. Mas os termos "dever cívico", "solidariedade", "humanitarismo", e outros da mesma estirpe, repugnam-me como porcarias que despejassem sobre mim de janelas. Sinto-me ofendido com a suposição, que alguém porventura faça, de que estas expressões têm que ver comigo, de que lhes encontro, não só uma valia, mas sequer um sentido.

Fernando Pessoa, *Livro do desassossego*

Quando a solidão passa a ser a mais frequente companhia, por causa do isolamento social, e o programa mais esperado é acompanhar algum julgamento no Judiciário, isso é um sinal claro de que os tempos são estranhos e preocupantes. A conversa sempre volta à incompetência do governo — que, num negacionismo criminoso, optou por comprar cloroquina e não a vacina — ou à absoluta inércia dos poderes constituídos no enfrentamento do caos.

A torcida não é pela volta da normalidade da vida que nos roubaram, mas para ver se o número de mortos pelo vírus diminuiu naquele dia. Nós, que tínhamos na excelência do SUS (Sistema Único de Saúde) a capacidade de vacinar milhões de pessoas rapidamente, hoje estamos torcendo para conseguir vacinar a população até o começo do próximo ano.

Na ausência e na irresponsabilidade criminosa do governo no programa de vacinação, algumas empresas já começam a fazer valer o tristemente famoso jeitinho brasileiro e a burla vergonhosa faz com que algumas pessoas sejam vacinadas clandestinamente. Em geral, esses são os que bradam pelas ruas que o vírus não existe, que a doença não é grave e que só estão se vacinando porque, como querem mostrar, fazem parte de uma elite acostumada a arrotar os privilégios julgados naturais. A máscara, que salva vidas, serve também para a gente não precisar ver a cara desse bando de canalhas. Escondo-me em Torquato Neto, no "Poema do Aviso Final":

É preciso que haja alguma coisa
alimentando o meu povo;
uma vontade
uma certeza
uma qualquer esperança.
É preciso que alguma coisa atraia
a vida
ou tudo será posto de lado
e na procura da vida
a morte virá na frente
e abrirá caminhos.
É preciso que haja algum respeito,
ao menos um esboço
ou a dignidade humana se afirmará
a machadadas.

A questão central do país hoje, além do vírus, é saber se as tais mensagens que o bendito *hacker* capturou dos telefones institucionais da — na expressão posta pelo colunista de *O Globo* — "gangue de Curitiba" podem ser usadas somente para a defesa dos que foram perseguidos pelo grupo, ou também para colocar a gangue no banco dos réus.

O questionamento é de alta indagação jurídica e por isso é debatido, pasmem, nos táxis, nos programas de auditório e em mesas de bar. Ou seja, as conversas do bando, chefiado por um ex-juiz que se julgava semideus, já são do conhecimento de todos e ninguém mais ousa negar sua veracidade. Até porque já há um procurador que expressamente afirma serem verdadeiras as mensagens, embora diga que aquele espaço no Telegram era parecido com conversas de botequim. O que o Judiciário fará com as citadas mensagens é o assunto da moda.

O próprio ministro e presidente do Superior Tribunal de Justiça requereu ao procurador-geral da República que investigue os membros da força-tarefa flagrados nas mensagens combinando investigar ilegalmente ministros do Tribunal. Assim sendo, o ministro Humberto Martins considerou as mensagens suficientes para determinar a abertura de uma investigação a fim de apurar as condutas penais, bem como administrativas, e até desvio ético dos procuradores. E o procurador-geral da República já encaminhou o pedido de investigação da gangue de Curitiba para a Corregedoria do Ministério Público Federal. É hora de os demais membros do Ministério Público mostrarem que não coadunam com os métodos obscuros e ilegais desse grupo.

Por sinal, em importantíssima manifestação pública, quatro ilustres ex-presidentes da Associação Nacional dos Procuradores da República condenaram expressamente as trocas de mensagens entre os membros da força-tarefa de Curitiba e o juiz Sérgio Moro. Ressaltaram que as mensagens sugerem conduta incompatível com a missão constitucional do Ministério Público, com desprezo às garantias constitucionais dos acusados e em desrespeito às normas que regem a cooperação internacional. Os ex-presidentes sugerem ainda que "sejam identificadas as ilicitudes praticadas no exercício do ofício e seus responsáveis, submetidos ao devido processo legal". É a comprovação cabal de que boa parte dos procuradores, eu sempre repito, é séria, proba e não compactua com os abusos.

No entanto, não espere coerência dos membros da gangue que sempre se guiaram por um projeto de poder. Indigentes intelectuais e morais tinham na estrutura de marketing sua sustentação. Para tanto, contavam com o apoio estratégico de parte da grande mídia e dos jornalistas de algibeira, sempre ávidos para serem usados. E, claro, ao instrumentalizarem o Poder Judiciário, usavam, sem pudor, as mais diversas estratégias para dar aparência de legalidade aos abusos. Muita gente séria foi enganada por uma história montada sem nenhum escrúpulo ou compromisso com a verdade. Utilizando o mote de combater a corrupção a qualquer custo, corromperam o sistema de justiça para chegarem ao poder. Remeto-me a Sophia de Mello Breyner Andresen, no poema "O Velho Abutre":

O velho abutre é sábio
e alisa as suas penas
A podridão lhe agrada
e seus discursos
têm o dom de tornar
as almas mais pequenas

A gangue pregava que a prova ilícita deveria ser usada sim, pois os fins justificariam os meios. São os mesmos que admitiam que a prisão servia, mesmo sem os pressupostos legais, para o fim específico de forçar o cidadão a delatar. Valiam-se da tortura de maneira institucionalizada, ao se considerar que prisão injusta pode ser uma forma de tortura. Contavam com a exposição midiática para quebrar a moral dos investigados e os forçavam a delatar. Estupraram o instituto da delação. Montaram, como fica claro nas mensagens, uma organização à margem da lei, composta por juiz, procuradores e advogados para lucrar com uma indústria de delação. As recentes revelações parecem mostrar que a delação era empregada para extorquir, para ameaçar, para proteger.

E dá náusea constatar nas mensagens que faziam tudo isso debochando e se divertindo com a desgraça alheia. É deprimente ver a absoluta falta de qualquer escrúpulo do grupo. A maneira desumana com que tratavam as pessoas, até mesmo em episódios trágicos como a morte do neto do ex-presidente, nos passa a dimensão da miséria humana que caracteriza esses personagens. Não podemos deixar o desprezo que nutrimos por eles obnubilar nossos olhos a ponto de querermos negar-lhes os direitos que eles negaram a todos.

É claro que, se fôssemos usar a mesma régua que o bando usava para se impor, ou se fôssemos exigir coerência deles, a essa altura esses procuradores já deveriam ter pedido sua própria prisão e a do juiz que os chefiava — e o juiz já teria prendido todos! E ainda com a uma superexposição midiática no horário nobre. Repito o que já virou um mantra: vamos dar a eles o devido processo legal, o pleno direito de defesa, um julgamento justo e imparcial e até a presunção constitucional da inocência, garantindo que só irão para o cárcere após o trânsito em julgado da sentença.

Em tempos em que cumprir a Constituição passou a ser um ato revolucionário, vamos garantir a eles todos os direitos constitucionais. Essa falta de ar que sufoca o cidadão acometido pela praga do vírus, agravada pela inação criminosa do governo, que é filho direto do trabalho político da gangue em questão, não deve nos levar à perda da lucidez.

A angústia e o medo que imobilizam todos os infectados já produzem sérios efeitos colaterais aos que sobrevivem à doença. Há uma turva nuvem que parece cegar a todos e um grito seco não gritado, preso na garganta. No meio desse círculo invisível a nos oprimir, temos que resistir aos métodos de barbárie que sempre combatemos. É, de certa maneira, a humanidade sendo posta à prova. Só venceremos se enfrentarmos os abusos, mesmo em tempos de ar rarefeito, com as armas da normalidade democrática.

As mensagens, isso é unânime, podem e devem ser manejadas na defesa técnica dos que foram objeto das ilegalidades. Toda a jurisprudência é nesse sentido. Assim como não é mais possível discutir se o juiz foi parcial ou se a gangue por ele coordenada cometeu inúmeros ilícitos e crimes. Isso hoje é de uma obviedade chapada. A discussão que se faz necessária é se é possível utilizar as mensagens, obtidas sem autorização judicial, como prova em um processo criminal contra os envolvidos. Para isso serve o Estado democrático de direito.

Mesmo sendo indiscutível que a gangue tenha cometido diversos excessos, o cumprimento a Constituição se impõe. Os membros do bando pregavam o uso da prova ilícita para acusar e abusaram das provas obtidas por meios ilícitos, inclusive na obtenção de documentos no exterior sem obedecer aos tratados internacionais, mas não devemos nos misturar a eles.

A questão central é se as mensagens capturadas em telefones institucionais, trocadas entre agentes públicos e versando sobre processos públicos, devem ter o mesmo tratamento constitucional de proteção à intimidade do que as mensagens privadas. Todos têm o direito constitucional à intimidade e a não verem ser usadas contra si provas obtidas por meios ilegais. O alcance da norma constitucional é que desafia o Poder Judiciário agora.

O sistema de justiça, corrompido pela gangue e por seu chefe, tem que mostrar que o direito vale para todos. A ponderação entre o uso das funções públicas como escudo para cometer crimes e abusos e a extensão do direito de proibição ao uso da prova ilícita está a provocar o próprio sistema que foi conspurcado pelo bando. Foi preciso um ato ilícito de um *hacker* para desnudar o poderio criminoso da gangue de Curitiba. Resta puni-los. Lembrando o velho Bertolt Brecht:

Pelo que esperam?
Que os surdos se deixem convencer
E que os insaciáveis
Devolvam-lhes algo?
Os lobos os alimentarão,
Em vez de devorá-los?
Por amizade
Os tigres convidarão
A lhes arrancarem os dentes!
É por isso que esperam!

12/2/2021 — Poder 360

Conversa de botequim em homenagem a Noel Rosa

Quem já passou
Por esta vida e não viveu
Pode ser mais, mas sabe menos do que eu
Porque a vida só se dá
Pra quem se deu
Pra quem amou, pra quem chorou
Pra quem sofreu, ai

Quem nunca curtiu uma paixão
Nunca vai ser nada, não

Não há mal pior
Do que a descrença
Mesmo o amor que não compensa
É melhor do que a solidão

Abre os teus braços, meu irmão, deixa cair
Pra que somar se a gente pode dividir?
Eu francamente já não quero nem saber
De quem não vai porque tem medo de sofrer

Ai de quem não rasga o coração
Esse não vai ter perdão.

Vinicius de Moraes, *Como dizia o poeta*

Em um momento de profunda angústia, sofrimento e certo desespero por presenciarmos um país à deriva, sem rumo e sem nenhum controle frente a esta pandemia, agravada pela ineficiência e irresponsabilidade do governo, ainda temos que enfrentar os bárbaros abusos cometidos pela "gangue de Curitiba", segundo nomeou Demétrio Magnoli.

Um bando de procuradores, coordenado por um juiz parcial, que instrumentalizou o Ministério Público Federal e o próprio Poder Judiciário. Por conta e em razão de um projeto político, eles rasgaram a Constituição e corromperam o sistema de justiça.

Nos últimos anos, temos feito o enfrentamento dessa turma, os "filhos de Januário", nos mais diversos foros. Tendo vindo a público, de maneira clara e inquestionável, a postura espúria, criminosa e banal com que esse grupo agia, fora de quaisquer limites da ética e do direito, alguns detalhes sórdidos merecem comentário.

Recentemente, um dos procuradores, em um rasgo de sinceridade ou já instruído por algum advogado criminal, resolveu admitir o óbvio: o fato de que as gravações são verdadeiras e que reproduzem rigorosamente as conversas trocadas entre os membros da força-tarefa de Curitiba. São diálogos criminosos e constrangedores que demonstram e escancaram o conluio ilegal e imoral entre os membros da "gangue" coordenada pelo ex-juiz. Mas uma coisa nos chocou profundamente.

O tal procurador afirmou que o grupo tratava todos os assuntos como se eles estivessem num boteco e que o clima era mesmo de botequim. Ora, sempre nos permitimos divergir, manifesta e frontalmente, da forma como esse grupo pensa o Direito Penal, o Direito Constitucional e o sistema de justiça. Por considerá-los muito aquém da responsabilidade que abraçaram, fizemos nosso enfrentamento dentro do que entendemos ser a correta e justa aplicação do direito, com base na dignidade da pessoa e no devido processo legal. Mas, agora, é na definição do que é botequim que aflora a verdadeira índole do caráter desse bando. Não mexam no nosso botequim!!

Somos botequeiros, amantes de uma boa conversa, de um bom copo, de horas perdidas com amigos falando sobre a vida, os amores, a política e as angústias. Mas nunca a nossa diferença com essa turma foi tão clara, tão evidente, tão abissal. Muitas vezes, no observar da vida e da reação das pessoas sobre o cotidiano é que conseguimos entender o verdadeiro "eu" de cada um.

Para nós, no boteco se ouve roda de samba e se fala sobre o sofrimento de ver tantas crianças nas ruas. Para eles, é para ridicularizar a dor de um avô que perdeu o neto de nove anos. Para nós, o boteco é para discutir maneiras de aumentar as garantias constitucionais e a proteção do cidadão contra o poder do Estado. Para eles, a conversa de boteco é para encontrar formas de corromper o sistema de justiça e de instrumentalizar o Poder Judiciário, como fizeram na Operação Lava Jato, ao rasgar a Constituição com um único e exclusivo objetivo. O objetivo de tirar das últimas eleições presidenciais o seu franco favorito. Agora ousam se meter no nosso botequim?

Para eles, as conversas fixam-se na necessidade, verdadeiro fetiche, de ver determinada pessoa presa para, enfim, com isso "ter orgasmos múltiplos". Para nós, as conversas giram sobre a velha e boa sedução para um "sexo seguro" e que nos dê um "gozo" sem as perversões do sofrimento do outro. Paquera mesmo, conversas amorosas, olhares lânguidos, poesias recitadas. Um clima de romance é o que se senta às mesas conosco nos nossos botequins. Enquanto, no boteco deles, eles se jactam do apoio da mídia e dos jornalistas de algibeira para terem visibilidade e para poderem ganhar muito dinheiro com palestras, nas nossas mesas de botequins, falamos sobre viagens para todo o Brasil, e mesmo para o mundo, para discutir e para debater o Estado democrático de direito, sem cobrar absolutamente nada. Pelo dever de, como cidadão, participar do debate político e desmascarar as falsidades por eles pregadas.

Enquanto, no botequim da canalhice, eles cuidam de fomentar o ódio e o preconceito contra defeitos físicos, ou a maneira com que seus alvos e suas vítimas se vestem, nós passamos horas no nosso debatendo a necessidade de pregar a igualdade. De como enfrentar o preconceito e participar de campanhas como "vidas negras importam". Em um botequim, servem ódio em copos grandes. No outro, são servidas doses generosas de humanismo e de civilidade, o botequim é por essência LIBERTÁRIO!

Entre as mesas do botequim pervertido, passam conversas sobre como usar os poderes constituídos para enganar autoridades estrangeiras, para obter documentos de maneira ilegal e, depois de usá-los, encontrar uma forma de "esquentá-los". O nosso botequim está repleto de ideias sobre como aumentar o respeito na relação entre os países, estabelecer limites nessas relações, afinal, só cumprindo os nossos limites constitucionais poderemos nos impor no cenário internacional. No boteco deles, uma das conversas mais picantes, aquela que satisfaz a libido do grupo, é a de como usar, sadicamente, a prisão como meio de tortura para conseguir a delação. É chafurdar de uma pessoa que cultiva seu gosto por hortaliças sugerindo que ela fique em uma prisão agrícola!

No nosso bar, as conversas giram em torno de como sensibilizar a imprensa, a sociedade e o Judiciário a respeito da necessidade de enfrentar essa barbárie. Enquanto eles têm como meta a institucionalização da tortura. Fazemos, no nosso botequim, brindes à liberdade, às conquistas humanistas e à dignidade dos cidadãos.

A música tocada no boteco deles deve ser a ópera *Lohengrin*, de Wagner, reproduzida por Goebbels, que é linda, mas que serve para não nos deixar ouvir os murmúrios fascistas. Eles são fãs do policial doentio Javert, que persegue loucamente Jean Valjean, tão bem retratado por Victor Hugo em *Les Miserables*. Nos nossos botecos, falamos em voz alta, ouvindo uma música do Chico que embala o sonho de um país mais justo, mais igual e mais solidário.

Por isso, é necessário que a gente deixe claro que o brasileiro ama mesmo é o nosso botequim. Eles já corromperam o sistema de justiça em nome de um projeto de poder, mas tudo tem limites. Não mexam com nossos botequins. Vamos responder a essa banalização com muita poesia, recitada em voz alta, muitos brindes e muitos abraços amorosos quando acabar o isolamento.

E vamos gritar para eles saírem dos botecos, para não os prostituírem e voltarem para o local de onde não deveriam nunca ter saído. O botequim é o espaço livre da liberdade e não combina com eles.

É o espaço lúdico da paquera, é o hábitat natural dos poetas, das poesias, das paixões. Tanta liberdade sufocaria esse bando. Eles gostam do ar rarefeito, das sombras, da disseminação do medo. Vamos fazer um brinde aos sentimentos democráticos, à igualdade e à fraternidade. Eles naturalmente sairão de cena. Vivam nossos botecos e os botequeiros!

E vamos jogar o eterno Chico Buarque na cara deles:

Mesmo que fuja de mim
Por labirintos e alçapões
Saiba que os poetas como os cegos
Podem ver na escuridão

14/2/2021 — Poder 360

Lava Jato manipulou o Judiciário e o MPF

Cego é o que fecha os olhos
e não vê nada.
Pálpebras fechadas, vejo luz
como quem olha o sol de frente.
Uns chamam escuro
ao crepúsculo
de um sol interior.
Cego é quem só abre os olhos
quando a si mesmo se contempla.
Mia Couto

Há anos tenho observado o grupo que um colunista de *O Globo* definiu como "gangue de Curitiba". Fracos na ciência do Direito, ampararam-se em uma forte estrutura de marketing, apoiados pela mídia. Sempre que sofriam alguma derrota, cuidavam de dominar a narrativa com um discurso de que queríamos "acabar com a Lava Jato", que éramos "contra o combate à corrupção".

Só eles detinham o monopólio da virtude e eram os únicos a querer o fim da corrupção. Uma narrativa canalha.

Deslocados para a estrutura do Gaeco, insistiram no mesmo assunto, como se os outros procuradores da República fossem levianos, condescendentes com o crime. Um desrespeito à classe. Julgavam que a Lava Jato era uma "instituição" maior que o próprio Ministério Público.

Assim também agia o juiz, quando instituiu a jurisdição universal a Curitiba, como se os demais juízes federais fossem incompetentes e lenientes. Desonesto intelectualmente.

Corro por quatro anos o Brasil, em palestras e debates, e sempre afirmei não admitir que juiz, procurador ou delegado algum tivesse autoridade para dizer que queria o combate à corrupção mais que eu, mais que qualquer cidadão sério. A diferença entre mim e esse bando é que eu queria o combate nos limites constitucionais. Não um combate messiânico e com claro projeto político.

Embora advogue nessa operação desde o primeiro dia, com 35 clientes nela, nunca tive nenhum deles condenado por essa turma. E conseguimos vitórias importantes. Mas eles sempre tentavam manipular sem escrúpulos. Logo eles, que corromperam o sistema de justiça.

Agora, desmoralizados, desnudados, eles ainda tentam se apegar a esse discurso vazio. Desesperados. Ridículos. Viraram sombras dos heróis que acreditavam ser. Fantasmas rondando o mundo político e jurídico, sem moral para nenhum debate sério. Ainda se valem de antigos apoiadores, mas hoje todos podem ver os nervos e as vísceras expostos e dá para sentir o cheiro nauseante dos dejetos que brotam dos abusos.

Ainda assim, tentam dominar a narrativa de que são os arautos da moralidade. Só que agora sussurram pelos cantos, acabrunhados, com medo. Não diria com vergonha, pois lhes falta grandeza de alma para sentirem vergonha e fortaleza de caráter para se arrependerem dos abusos e pecados que cometeram. Como ensina Torquato Neto: "*É preciso que haja algum respeito, ao menos um esboço, ou a dignidade humana se afirmará a machadadas*".

Precisamos reconhecer que a Operação Lava Jato teve méritos inquestionáveis e ajudou a desnudar um grau de corrupção que tinha de ser enfrentado. Ninguém em sã consciência prega a anulação da operação. Essa afirmação é falsa, injuriante. Onde houve investigação regular, as condenações têm de ser mantidas.

É importante entender o argumento de que os tribunais superiores mantiveram a maioria das condenações. Esses tribunais recebem os processos com as provas produzidas e, claro, partem do pressuposto da higidez das provas. É diferente analisar agora, quando a parcialidade, o conluio, a desfaçatez e o drible às normas constitucionais estão aflorados.

Ouvi de respeitado ministro a afirmação de que a nulidade da operação seria um desastre para a imagem do Supremo. Cabe ao

Supremo cumprir a Constituição. Nos processos em que comprovadamente tiver ocorrido a corrupção do sistema de justiça, com a parcialidade do juiz, com a instrumentalização do Judiciário e do Ministério Público, inclusive com a participação de advogados, o que se pretende — e isso só engrandece a Corte Superior — é o cumprimento das normas constitucionais. Se tiver de anular tal ou qual processo, o tribunal agirá como age no dia a dia. Não é a pressão midiática que vai abalar um tribunal que não tem faltado ao País.

É claro que agora, com o conhecimento mais amplo, ainda que não pleno, dos excessos, a nação espera, ávida, um reencontro com a normalidade democrática. Manter as condenações corretas e anular aquelas que forem fruto de desmando. Inclusive, investigando os que ousaram manipular os principais fundantes da Carta Magna. É ler *O Corvo*, de Edgar Allan Poe: "Dize-me: existe acaso um bálsamo no mundo? E o corvo disse: 'Nunca mais'".

Tive a honra de dizer, na sagrada tribuna do plenário do Supremo, quando do julgamento da presunção de inocência, que o tribunal pode muito, mas não pode tudo, porque nenhum poder pode tudo. Mas é nessa Casa que deposito minha confiança no enfrentamento desses excessos que hoje são evidentes. Esse bando manipulou o Judiciário e o Ministério Público em nome de um projeto de poder. Tal projeto foi a principal peça para a eleição deste governo negacionista.

O ar que falta aos infectados por esse vírus maldito é o mesmo ar que esse grupo subtraiu da democracia brasileira. Se estamos todos envoltos por uma camada turva de nuvem que nos sufoca e oprime, a origem da falta de ar é o desmesurado desejo de poder, a ambição sem limites, o jogo sujo bancado por esses bárbaros. Temos de dar um passo fora desse círculo de giz invisível que nos aprisiona. E enfrentar os que se diziam donos da verdade, uma verdade falseada, com as armas que eles negaram a todos. Vamos dar a eles o direito a um juiz imparcial, uma investigação com respeito às garantias constitucionais e um julgamento justo.

Se fôssemos usar a régua deles, eles próprios teriam pedido a prisão do bando e o juiz os teria prendido a todos, inclusive a ele mesmo. Vamos respeitar os direitos deles na sua plenitude, mas vamos mostrar que o Judiciário e o Ministério Público não são massa de manobra de um grupo que corrompeu o sistema por causa de um projeto de poder político.

Recorro ao velho Pessoa, no *Livro do desassossego*: "Tenho a náusea física da humanidade vulgar, que é, aliás, a única que há. E capricho, às vezes, em aprofundar essa náusea, como se pode provocar um vômito para aliviar a vontade de vomitar".

21/2/2021 — Carta Capital

Com a palavra, o Ministério Público e o Supremo

Bate-me à porta, em mim, primeiro devagar.
Sempre devagar, desde o começo, mas ressoando depois,
ressoando violentamente pelos corredores
e paredes e pátios desta própria casa
que eu sou. Que eu serei até não sei quando.
É uma doce pancada à porta, alguma coisa
que desfaz e refaz um homem...

Herberto Helder, *Poemas completos*

Um dos grandes riscos que corremos nesta sociedade midiática é o da banalização do absurdo. Com a proliferação de notícias, discussões feitas por WhatsApp, a substituição da leitura de livros por textos com, no máximo, um número tal de caracteres, a tendência é que as análises acabem ficando na superfície, dignas de uma reunião ministerial do atual governo.

É quase humanamente impossível, especialmente para quem tem uma vida intensa e plena, acompanhar, por exemplo, os vazamentos das mensagens com pencas de possíveis crimes e de abusos da chamada "gangue de Curitiba". Ao que parece do que foi revelado, é uma espécie de crimes em série, como se fosse um *serial killer*, mas com rara crueldade. Ficamos meio que anestesiados com a quantidade de informações que brotam, como se tivessem vida própria.

Difícil acreditar do que a mente humana é capaz quando deturpada e corrompida pelo poder, como o que estamos vivenciando com esse grupo que foi coordenado pelo ex-juiz Sergio Moro. A mais absoluta falta de limites e de vergonha mesmo, como o próprio Dallagnol confessa nas mensagens. São tantos e tamanhos os absurdos que parece realmente um grande romance de mau gosto. Uma lástima que seja real. Eles prostituíram de tal maneira a realidade que, às vezes, preferimos imaginar uma peça de realismo fantástico. Mas, infelizmente, até pela mediocridade reinante no bando, o que existe é mesmo uma realidade manipulada, deturpada, falsa, canalha. Valho-me de Carlos Drummond, no poema "Os Ombros Suportam o Mundo":

Chega um tempo em que não se diz mais: Meu Deus.
Tempo de absoluta depuração.
...
E os olhos não choram.
E as mãos tecem apenas o rude trabalho.
E o coração está seco.
...
Ficas-te sozinho,
A luz apagou-se,
Mas na sombra teus olhos resplandecem enormes.
És todo certeza,
Já não sabes sofrer.
....
Teus ombros suportam o mundo
E ele não pesa mais do que a mão de uma criança.
As guerras, as fomes, as discussões dentro dos edifícios
provam apenas que a vida prossegue
E nem todos se libertaram ainda.
Alguns, achando bárbaro o espetáculo,
Preferiram (os delicados) morrer.
Chegou um tempo em que não adianta morrer.
Chegou um tempo em que a vida é uma ordem.
A vida apenas, sem mistificação.

É necessário entender que o excesso de poder e, principalmente, a expectativa de um poder ainda maior fizeram com que o bando perdesse a noção do risco, do perigo, da dignidade mínima dos cargos que ocupam e ocupavam. Ao instrumentalizarem o Poder Judiciário e o Ministério Público, eles deram um tapa na cara de milhares de juízes e procuradores sérios Brasil afora. Jactavam-se donos da verdade e vestais da moralidade. Neste momento de tristeza e recolhimento, com a falta de ar e a angústia que nos acomete a todos, a sociedade ainda tem que conviver com esse verdadeiro ataque ao sistema de justiça e, por consequência, ao Estado democrático de direito, promovido por esse bando.

O projeto de poder do ex-juiz e dos procuradores, seus liderados, teve uma primeira vitória ao eleger o atual presidente negacionista. Boa parte dos 250 mil mortos e da dor dos familiares e amigos ronda e assusta esses siderados pela responsabilidade evidente do bando. Agiram sem limites, embriagados pelo poder. E ainda induziram a erro os tribunais superiores, os quais recebem os processos com a prova encartada e não analisam, processualmente falando, a origem das provas. É claro que o princípio que norteia o Judiciário é o da boa-fé. Não se podia imaginar que os processos continham tantos vícios de inconstitucionalidade, de ilegalidade, incontáveis abusos de poder, quebras de imparcialidade. É hora do desnudamento pleno dessas manipulações, abusos e falsidades.

Com a quantidade de hipotéticos crimes diários possivelmente cometidos pela República de Curitiba, revelados pela mídia, e estando o país parado sem uma política de combate ao vírus, o que se imaginava seria um arrefecimento do filme de terror que é estrelado por esse bando. Sempre tem um lavajatista disposto a discutir e encontrar desculpas para tudo. Insinuam que não há crime no relacionamento de subserviência entre procurador e juiz, ou no prejulgamento dos réus, ou nos vazamentos criminosos, enfim, tentam encontrar desculpas para todos os fatos claramente ilegais.

Mas agora surge um dado constrangedor na relação possivelmente criminosa do bando. Não satisfeitos em promover uma verdadeira destruição de alguns setores, de banalizar a preventiva, de estuprar o instituto da delação, de pregar a necessidade de prisão antes do trânsito em julgado, logo após o julgamento em segunda instância, eles agora querem acabar de vez com a credibilidade do sistema. Ficou constatado que a delegada de confiança do ex-juiz e dos procuradores simplesmente forjava depoimento que nunca existiu. E a falsidade era de pleno conhecimento do bando, conforme as mensagens demonstram, mas deixaram para lá, omitiram-se em seu dever ético, moral e legal de apontar o crime e cuidar de investigá-lo. Não fizeram, para satisfazer interesse pessoal. Prevaricaram?

Opa! Vamos repetir, é isso mesmo, pelo teor dos diálogos, a delegada de estimação do bando fazia, criava, inventava depoimentos para ajudar e agradar aos chefes da operação. Dá uma profunda decepção, um desalento mesmo, perceber que esse grupo vivia em um submundo com suas trevas, ocultando ações que destroem a credibilidade do sistema de justiça.

É inimaginável e indefensável que procuradores da República mantenham o seguinte diálogo:

Dallagnol (25/1/2016): "Como expõe a Erika: ela entendeu que era pedido nosso e lavrou termo de depoimento como se tivesse ouvido o cara, com escrivão e tudo, quando não ouviu nada... dá no mínimo uma falsidade... DPFs são facilmente expostos a problemas administrativos".

Orlando Martello: "Podemos combinar com ela de ela nos provocar diante das notícias do jornal para reinquiri-lo ou algo parecido. Podemos conversar com ela e ver qual estratégia ela prefere. Talvez até, diante da notícia, reinquiri-lo de tudo. Se não fizermos algo, cairemos em descrédito. O mesmo ocorreu com Padilha e outros. Temos que chamar esse pessoal aqui e reinquiri-los. Já disse, a culpa maior é nossa. Fomos displicentes!!! Todos nós, e aí eu me incluo. Era uma coisa óbvia que não vimos. Confiamos nos advogados e nos colaboradores. Erramos mesmo!".

Dá nojo ver o grau a que chegou a manipulação em busca de um projeto de poder!

São inúmeras as ações que devem ser investigadas. Uma leitura rápida da troca de mensagens nos deixa a impressão de que ocorreram outros depoimentos forjados, falsos. Há que se apurar se esses depoimentos falsos foram usados em condenações.

Imagine o que significa fabricar um depoimento, "com escrivão e tudo", e depois usar esse depoimento como prova para condenar! E a menção da "confiança" que os procuradores depositavam nos advogados e delatores, o que significa? Os advogados e delatores sabiam, ajudavam a produzir tais documentos? Isso tem que ser investigado. Quem são os advogados, quem são os delatores?

Há anos sou um crítico ferrenho do que a República de Curitiba fez com o instituto da delação. Sempre com a ressalva de que se trata de um importante instituto para o enfrentamento do crime organizado, eu apontei por dezenas de vezes a verdadeira prostituição da delação. Sempre alertei para a necessidade de apurar possíveis prisões para forçar delação, acordos sem base legal, quebra da espontaneidade, venda de segurança, coação, extorsão, ameaça, conluios. Uma verdadeira usina de mercancia das delações. Servia para proteger criminosos e atingir inimigos. Sim, como o grupo tinha propósitos políticos, eles, os membros, escolhiam inimigos e instrumentalizavam o sistema de justiça contra esses "inimigos". Um escárnio! Lembro-me de Manuel Bandeira, em "Noite Morta":

Noite morta.
Junto ao poste de iluminação
Os sapos engolem mosquitos.
Ninguém passa na estrada.
Nem um bêbado.
No entanto há seguramente por ela uma procissão de sombras.
Sombras de todos os que passaram.
Os que ainda vivem e os que já morreram.
O córrego chora
A voz da noite....
— Não desta noite
Mas de outra maior

E é como sempre afirmo, ao final, não só os juízes e os procuradores devem ser responsabilizados, mas também os delatores de ocasião e de aluguel, além dos advogados que se prestaram a essa farsa. Agora, com a notícia de que podem ter forjado depoimentos e que os procuradores podem ter prevaricado e protegido, sem investigar, urge que se entenda o que isso realmente significa. Qual é a extensão da manipulação dos processos por esse bando? Constata-se que induziram os tribunais superiores, até mesmo o Supremo Tribunal Federal e o Superior Tribunal de Justiça, a erro. Provas inventadas chegaram aos tribunais como se válidas fossem. Uma ousadia que abalou a confiança do cidadão no Poder Judiciário.

Com o apoio da pesada estrutura de marketing, esse grupo subverteu todas as garantias que representam um sistema de justiça digno desse nome. E esbofetearam a grande maioria dos juízes e procuradores que são sérios e probos. Cabe ao Poder Judiciário e ao Ministério Público uma resposta à nação e ao povo brasileiro. A manipulação tem que ser desmascarada. Com a palavra, o procurador-geral e o Supremo Tribunal Federal.

Em um momento de gravidade ímpar no qual o país, à deriva, vê inacreditáveis 250 mil mortos pelo vírus, milhões de famílias entregues à dor da perda ou a angústia da falta de perspectiva, nosso único foco deveria ser a vacina. O Supremo Tribunal não tem faltado ao brasileiro no enfrentamento da urgência do combate à pandemia. Mas essas revelações não podem ser tragadas pela tragédia da crise sanitária. No seu tempo, têm que ser enfrentadas.

A instrumentalização do sistema de justiça é como a falta de ar para o infectado. A prisão injusta usada como projeto de poder significa a retirada do ar que alimenta a dignidade da pessoa. Sem o ar as pessoas morrem sufocadas pelo vírus, sem a dignidade o homem morre pela falta de capacidade de acreditar na justiça. O mal que esse bando fez é como um vírus que foi inoculado, dolosamente, e corroeu a crença em um Judiciário justo e imparcial.

Uma pesada nuvem, densa e tóxica, de desesperança desceu sobre as pessoas e obstruiu a visão, calou a voz, sufocou pela angustiante falta de ar e aniquilou o espírito com a revolta das injustiças perpetradas. A vacina é uma investigação profunda e a responsabilização desses verdadeiros vírus, que ousaram subverter, em nome de um poder a ser alcançado a qualquer custo, todo o nosso sistema de justiça. Recorro ao eterno Miguel Torga, no livro *Penas do Purgatório* no poema "Reminiscência":

Prossegue o pesadelo
Feliz o tempo, que não tem memória!
É só dos homens esta outra vida
Da recordação.
E são inúteis certas agonias
Que o passado destila no presente!
Tão inúteis os dias
Que o espírito refaz e o corpo já não sente!
Continua a lembrança dolorosa
Nas cicatrizes.
Troncos cortados que não brotam mais.
E permanecem verdes, vegetais,
No silêncio profundo das raízes.

26/2/21 — Poder 360

Pode isso, dr. Judiciário?

A história nega as coisas certas. Há períodos de ordem em que tudo é vil e períodos de desordem em que tudo é alto. As decadências são férteis em virilidade mental; as épocas de força em fraqueza de espírito. Tudo se mistura e se cruza, e não há verdade senão no supô-la.

Fernando Pessoa, *Livro do desassossego*

Era uma segunda-feira, 17 de março de 2014, quando o telefone tocou cedo. Uma operação da Polícia Federal. Nesses casos, a gente sempre espera para ver a dimensão da operação antes de aceitar qualquer cliente. Logo em seguida, três dias depois, foi preso Alberto Youssef. Mal sabíamos que ali seria o início da Operação Lava Jato, importante operação que viria a movimentar o país, com resultados surpreendentes até se tornar uma operação política, conduzida por um juiz determinado a ser presidente da República. Este instrumentalizou o Poder Judiciário, tendo como pupilo um grupo de procuradores da República que instrumentalizavam o Ministério Público. Tudo isso com apoio da grande mídia e um forte esquema de marketing coordenando as ações e divulgações. Começava ali a maior fraude ao sistema de justiça do Brasil.

Dos três clientes que me procuraram, optei por advogar para Alberto Youssef. Já sabia quem ele era, tanto quanto tinha conhecimento de quem eram Moro e seus pupilos procuradores. Eu havia atuado na operação Sundown, impingindo ao grupo de Curitiba a maior derrota que eles até então haviam sofrido. Conhecia a indigência intelectual e moral do grupo, que fazia tudo pelo poder. Mas agora a briga seria muito maior. Os caipiras estavam com poder midiático de fogo e queriam ainda mais poder. A qualquer custo.

Não demorou para eu deixar a advocacia de Youssef, pois, em setembro daquele ano, os procuradores, com medo de uma derrota, exigiram que ele desistisse de um habeas corpus que impetrei para garantir sua liberdade. Atitude canalha e covarde dos procuradores que se aproveitaram do momento de fragilidade de um cidadão preso. Ali, comecei a ver e a sentir os abusos daquela República de Curitiba que, cega pela mídia, julgava-se salvadora da pátria. Escândalo anunciado e tragédia certa. Mas ainda não imaginávamos o estrago que seria causado à credibilidade da justiça brasileira. A grande Cecília Meirelles sempre nos salva:

O rumor do mundo vai perdendo a força
E os rostos e as falas são falsos e avulsos.
O tempo versátil foge por esquinas de vidro, de seda, de abraços difusos.

Sentindo o cheiro dos abusos, vendo e ouvindo os personagens lúgubres que coordenavam o circo, criando fortes laços com a barbárie e com um golpe ao Estado democrático, resolvi resistir. Eram muitos os absurdos: excessos de prisão, estupro das delações premiadas, achaques, juiz com jurisdição nacional, juiz parcial, enfim, o caos.

Um grupo de advogados resolveu debater, questionar, enfrentar o que já se anunciava como um bando de delinquentes. Sem maiores acessos à grande mídia, que até assessorava a gangue, resolvi cair no mundo e, duas ou três vezes ao mês, nos últimos cinco anos, corri o Brasil de norte a sul para discutir o Direito, a Constituição, as garantias, sempre recitando poesia depois dos debates para ridicularizar os bárbaros. Eles têm medo da literatura. Tive plateias de 4 mil pessoas, outras de 200, pouco importava. Sem ser dono da verdade, seguia falando e desmontando esse grupo de golpistas, incultos, banais. Em cada cidade, após as palestras, sempre surgia um convite para entrevistas nos jornais locais, rádios, programas de TVs. Se era para apontar o esquema criminoso engendrado pela "gangue de Curitiba", eu aceitava.

E o bando se especializou em fraudar não só o sistema de justiça, mas em vender uma imagem de salvadores da pátria. Em 9 de setembro de 2015, escrevi um artigo na *Folha de S. Paulo*, "Que País Queremos?" Ainda em 2015, afirmei não admitir que absolutamente ninguém, juiz, procurador ou policial, pudesse dizer que quer o combate à corrupção mais que eu, mais que qualquer cidadão sério. Mas, repetia eu um conceito que se transformaria num mantra: esse combate tem que ser dentro das garantias constitucionais, do devido processo legal e com a ampla defesa assegurada. A resposta a essa pergunta está no voto do ministro Gilmar Mendes, proferido no julgamento da última terça-feira (9 de março de 2021).

Muitas vezes, sentia o peso avassalador dos grandes interesses querendo nos esmagar. A verdadeira guerra travada na discussão que levou à vitória da presunção de inocência, no Supremo Tribunal Federal, mostrou que o Brasil não é um país para amadores.

A força econômica, a grande mídia, o "punitivismo" exacerbado, a criminalização da política, a substituição de parte da política por uma proposta de não políticos, o controle da narrativa por parte dos medíocres de Curitiba, a falsa crença de que nós éramos contra o combate à corrupção e a favor da impunidade fizeram com que andássemos pelo país em busca de um sonho que a realidade insistia em negar.

Mas o debate e a palavra têm uma força devastadora quando nós sentimos a justiça do nosso lado, mesmo que grupelhos se apoderem inescrupulosamente da narrativa simbólica entre os "maus e os homens de bem". Bando de medíocres que não se vexaram em brincar com e zombar da liberdade e das garantias constitucionais em nome de um projeto de poder. Lembro-me de Mário de Sá-Carneiro, no poema "A Queda":

E eu que sou o rei de toda esta incoerência,
Eu próprio turbilhão, anseio por fixá-la
...
Peneiro-me nas sombras- em nada me condenso...
Agonias de luz eu vivo ainda entanto.
Não me pude vencer
mas posso me esmagar.
— Vencer às vezes é o mesmo que tombar —
...
Tombei...
E fico só esmagado sobre mim.

Na sina, na busca incessante por um mundo mais livre, mais justo e igual, começamos a ver cair os pilares de um projeto hipócrita, com viés fascista e demolidor, de um direito que representa a dominação e o obscurantismo. No julgamento da parcialidade do juiz e da força-tarefa de Curitiba, parecia que passava um filme dos melhores momentos dos últimos anos. Algumas frases dos votos nos remetiam a plateias espalhadas, ao longo de cinco anos, pelo imenso Brasil. Eu me reconheci ali naquelas frases, naqueles votos.

A decisão do ministro Fachin anulando os processos por uma chapada incompetência do juiz nos remete às centenas de críticas feitas à jurisdição nacional ou universal de Curitiba. Nunca o óbvio demorou tanto a vir à tona. Mas veio, e lembrei-me do poeta: "É tarde, mas ainda é tempo".

Agora, o projeto de poder desse grupo que procurou deslegitimar a política, que criminalizou os políticos e a advocacia, que corrompeu o sistema de justiça e abalou a crença em um Poder Judiciário justo começa a ser realmente desnudado. O juiz e seus asseclas, os procuradores, delegados e advogados de araque que lhe eram submissos devem também ser responsabilizados.

Não é hora de comemorar, pois estamos no pior momento deste horror da crise sanitária. O grupo fascista e orientado pela necropolítica, que cultua a morte, foi eleito e é filho legítimo da gangue de Curitiba, responsável pela dimensão da catástrofe. A visão covarde, canalha e negacionista levou o país a inacreditáveis 2.349 mortos em um só dia. Números oficiais, pois a subnotificação é brutal. Mais de 270 mil mortos. A banalização da morte, a ridicularização da dor da perda dos que sofrem, o sadismo e falta de empatia são a marca desses desalmados. Uma enorme e densa nuvem cegou a todos os que queriam ver. Uma nuvem que nos abraça, não o abraço da solidariedade, mas o que nos imobiliza e nos sufoca. Que tira nosso ar. Que, de tão densa, esmaga-nos e não permite que a esperança saia e respire.

Mas o enfrentamento dos abusos dessa operação fajuta e criminosa — que é o que se tornou a Lava Jato — há de ser um alento para o cidadão que viu a liberdade ser manietada, a dignidade ser usurpada e sentiu que um Judiciário corrompido politicamente consegue uma morte da cidadania tão angustiante como a morte física pela falta de ar. A irresponsabilidade que fez faltar o ar nos hospitais e nos pulmões é irmã siamesa da irresponsabilidade que sufocou o sistema de justiça. Escondo-me em T.S. Eliot:

Súbito num dardo de luz solar
Enquanto a poeira se move
Aflora o riso oculto
Das crianças na folhagem
Depressa agora, aqui, agora, sempre
-Ridículo o sombrio tempo devastado
Que se estende antes e depois.

12/3/2021 — Poder 360

A vida dá, nega e tira

Alguns têm na vida um grande sonho, e faltam a esse sonho. Outros não têm na vida nenhum sonho, e faltam a esse também.

Fernando Pessoa, *Livro do desassossego*

A grande vantagem de viver em um Estado democrático de direito é ter a certeza de que a lei, os tribunais e o sistema de justiça, enfim, valem para todos. Mesmo para aqueles que, em dado momento, tenham se prestado a corromper o sistema. Mas a coerência nos orienta sobre a necessidade de seguir defendendo com vigor o cumprimento das normas constitucionais. Isso vale também para aqueles que as usurparam.

Quando comecei a criticar os abusos e os excessos do ex-juiz Sérgio Moro e seus comandados, os procuradores membros da força-tarefa de Curitiba, eu tinha a firme convicção de que tudo que eles prostituíram burlando o sistema um dia teria de ser resgatado, e eles iriam se apegar às normas que esmeraram em ofender. Hoje, eles se apegam à integridade do sistema de justiça, a qual o Supremo está resgatando e foi usurpada exatamente por esse grupo.

Nada como um dia após o outro. Tem sido muito comentado o habeas corpus que tem como paciente o procurador Diogo Castor, impetrado ante os crescentes rumores de iminente prisão dos procuradores investigados. Anote que esse procurador era um dos mais arrogantes membros da força-tarefa de Curitiba. Agressivo, prepotente, foi a Portugal prender um cliente nosso e cometeu os maiores absurdos. Depois que ganhamos o caso, perseguiu a filha do nosso cliente para tentar fazê-lo retornar ao Brasil. Perdeu de novo. Algo imoral.

Ele sempre foi um dos mais aguerridos críticos do ministro Gilmar, contra quem proferia impropérios e ridicularizava os fundamentos dos votos garantistas. Em 30 de outubro de 2018, comunicava ao bando: "Prezados, criei um grupo para adotarmos medidas contra o Gilmar Mendes." E a patuleia aplaudia, excitada.

Abusado e sem limites, está sendo investigado, conforme anuncia a imprensa, também por receber aproximadamente R$ 373 mil em diárias de maneira ilegal. Espero, sinceramente, que não seja verdade. Seria ultrajante.

Foi um dos principais garotos-propaganda das tais "10 medidas contra a corrupção", que derrotamos fragorosamente no Congresso Nacional. O carro-chefe do projeto era a possibilidade do uso da prova ilícita no processo penal, desde que "obtida de boa-fé". Uma pândega! Era um crítico do "uso abusivo do habeas corpus" e ridicularizava a tentativa de impedir investigações por meio do remédio constitucional. Por sinal, uma das tais 10 medidas tinha como objetivo diminuir o escopo do habeas corpus.

Foi ele quem pagou aquele outdoor ridículo em que os procuradores da República imitavam a pose de policiais americanos. Um vexame.

Bem, no habeas corpus, grosso modo, segue o que pede o tal Diogo Castor:

Pede o trancamento do inquérito, proibindo a continuidade das investigações;

Deseja a proibição do uso das mensagens obtidas pelo *hacker*, por terem sido obtidas de forma ilícita;

Faz críticas a vazamento ilegal;

Usa como base de sustentação alguns votos do ministro Gilmar, com grandes elogios a seu posicionamento garantista;

Requer o enquadramento do relator do inquérito na Lei de Abuso de Autoridade;

Ressalta a importância de cumprir o preceito constitucional que garante direito individual e que proíbe o uso para investigar — muito menos condenar — provas obtidas de maneira ilícita, invocando a teoria do fruto da árvore envenenada.

E, vejam bem, o "doutor" tem todo o direito de pleitear o que entende ser seu direito. O interessante é constatar que ele só terá chance de êxito se a interpretação do direito for exata e rigorosamente o contrário do que ele e seu bando defendiam. Essa é a dimensão do que o Supremo Tribunal fez nos últimos tempos: cumprir a Constituição, simples assim.

Se fôssemos exigir coerência por parte desse grupo que instrumentalizou o Judiciário e o Ministério Público com interesses políticos — não sou eu mais quem diz, é a 2ª Turma do Supremo — ou seja, se o ex-juiz e seus asseclas fossem usar a mesma régua que usavam na famosa 13ª Vara Federal de Curitiba, eles teriam que ter pedido a prisão de todos e o ex-juiz já os teria prendido. Remeto-me a Cecília Meireles:

Não sei que tempo faz, nem se é noite ou se é dia.
Não sinto onde é que estou, nem se estou.
Não sei nada.
Nem ódio, nem amor.
Tédio? Melancolia.
Existência parada.
Existência acabada.

Interessante ressaltar que uma rádio do sul me perguntou sobre os rumores das prisões dos procuradores pelo Supremo Tribunal de Justiça nesse inquérito. Eu defendi que não era caso de prisão, até por falta de contemporaneidade, inovação que nós introduzimos na lei quando derrotamos o tal pacote anticrime e que muito contrariou o ex-juiz e seu bando, diga-se de passagem. Por sinal, o que eles consideravam a maior derrota que impingimos ao bando — a prisão somente após o trânsito em julgado — deve hoje ser a decisão que eles mais cultuam. E devemos defender esse direito também para o grupo.

É impagável ver na peça do habeas corpus o procurador fazer justiça ao ministro Gilmar Mendes e ao Supremo, tecendo loas ao "culto ministro". É o mesmo que acusava o ministro Gilmar de não ter "equilíbrio" para o cargo e de "falta de seriedade" quando queria fazer prevalecer os seus abusos.

De maneira semelhante age o advogado do ex-juiz ao pedir a aplicação do princípio da "paridade de armas", em maio de 2020, no inquérito em que Sérgio Moro é investigado. E está certo o advogado ao pedir um tratamento constitucional, embora essa nunca tenha sido a postura de seu cliente enquanto juiz.

Na verdade, o que se constata é que o medo se apoderou do grupo de Curitiba. Eles usavam o terror como método, gostavam de posar de heróis e de donos da bola para amedrontar os seus investigados de estimação. Usavam a prisão para conseguir delações, o que é ilegal, inconstitucional e antiético, monstruoso mesmo, e jactavam-se disso. Como lembra o poeta Trasíbulo Ferraz: "A vida dá, nega e tira".

Agora, perderam de vez a compostura e o decoro. Tiveram a desfaçatez — numa das maiores pataqueiras jurídicas da história do Supremo — de apresentar um memorial, em nome dos sete procuradores, no habeas corpus em que o paciente é o perseguido preferencial deles, o ex-presidente Lula, e peticionaram, com advogado contratado para tal, para manter a incompetência do juízo da 13ª Vara, na qual eles sempre atuaram. Não tente entender. É realmente incompreensível. Não se sabe sequer a que título eles peticionaram.

Na realidade, é, de certa forma, compreensível o estado de desespero que assola o grupo. Quando se sentiam poderosos, admitiram haver contribuído decisivamente para a eleição desse fascista que hoje leva o país para o vale da morte. Ao prenderem o principal opositor do atual presidente, foram o decisivo eleitor desse presidente genocida. Hoje, devem se sentir corresponsáveis pelas 340.776 mortes oficialmente confirmadas. E devem se assustar com as manchetes que informam que o Brasil tem em um dia mais mortes por Covid-19 do que 133 países em um ano de pandemia: 4.211 óbitos registrados. O Brasil responde sozinho por mais de 1/3 de todos os mortos do mundo.

O ar que falta às pessoas nos hospitais superlotados, os leitos que não existem para acolher os infectados e o desespero dos doentes à busca de uma UTI podem ser creditados a esse presidente que cultua a morte, que despreza a dor, que ridiculariza o sofrimento. E ele está sentado no colo do grupo que criminalizou a política, instrumentalizou o Judiciário e o Ministério Público, assim como estuprou o sistema de justiça, todos ávidos pelo poder.

Não é demais lembrar que o chefe do grupo aceitou virar ministro da Justiça do governo genocida que se instalou, em clara divisão de poder e em recompensa aos serviços prestados. Se depois romperam, nada mais foi do que briga de quadrilha.

A discussão nesse momento é sobre a necessidade imperiosa de responsabilizar criminalmente, e também por crime de responsabilidade, o presidente. Não é possível que vamos ter de esperar 600 mil mortos para fazer o enfrentamento.

A praga do vírus subjugou a sociedade, que está acuada, assustada. E a fome se instalou de maneira avassaladora no país. Impossível acompanhar a realidade sem perder o rumo. Mas é necessário romper a densa e impenetrável fumaça que nos sufoca para que façamos o enfrentamento desse responsável direto por tanta dor, tanta tristeza, tanta desolação, tantas mortes. Nenhum de nós sairá impune dessa tragédia. E só teremos de volta nossa dignidade perdida se responsabilizarmos esse assassino que, deliberadamente, apostou na morte como opção. Depois dele, é indispensável que, sem ares de vingança, mas, de justiça, a gente se concentre em desnudar e responsabilizar esses que foram a sustentação do caos. Valendo-nos de Miguel Torga, em "Penas do Purgatório":

Não há refúgio, e o terror aumenta.
É tal e qual o drama aqui na sala:
A luz da tarde em agonia lenta,
E a maciça negrura a devorá-la.
Dor deste tempo atroz, sem refrigério.
Eis os degraus do inferno que nos restam:
Morrer e apodrecer no cemitério
Onde fantasmas, como eu, protestam.

9/4/2021 — Poder 360

Dignidade conspurcada

Por trás de todo paladino da moral
vive um canalha
Nelson Rodrigues

Num país em que uma das principais questões que mobilizam o noticiário é a pauta do Judiciário e em que, nas mesas de botecos — nosso lugar de aconchego —, o assunto mais candente é tal ou qual julgamento, é melhor você ter por perto um *personal avocat*.

Alguém que faça você assimilar, dispensado de ouvir longos votos de três horas, o que está sendo discutido, sem precisar de um curso para entender o que, às vezes, parece ter sido feito para confundir.

Hoje, algumas questões estão sendo debatidas, incansavelmente, em todos os programas e com aqueles comentaristas que parecem fazer questão de não explicar, talvez até porque não entendam nada mesmo.

Nesta semana, duas questões jurídicas ocuparam o imaginário popular, martelado por opiniões representativas de interesses, as quais são frequentemente exaradas sem fundamento jurídico e são, por vezes, sustentadas por verdadeiros torcedores, como se fosse um jogo. A par disso, centenas de entrevistas, artigos, debates de especialistas. Um drama. Vamos pincelar, de maneira direta e simples, os pontos que ganharam a atenção:

1 – Incompetência do juízo;
2 – Parcialidade do juiz.

Atrevo-me a enfrentar, singelamente, esses pontos, pois são decisões jurídicas cujos resultados têm efeito real, e até imediato, na vida de cada um. Influenciam e, de certo modo, decidem questões que mudam nossas vidas.

Sobre a decisão acerca da competência ou incompetência do juízo, vale dizer que cada um de nós tem o direito de ser julgado por um juiz natural. Um magistrado que, antes de o fato ocorrer, já está definido por lei para examiná-lo. Não podemos esperar, caso haja dúvida sobre a existência ou não de um pênalti contra o Cruzeiro, que o juiz escolhido para definir a questão seja um sofredor da máfia azul. Menos ainda, que o juiz possa ter a pretensão de ter jurisdição nacional e escolher as causas que tem interesse em julgar.

Como exemplo, basta perguntar por que o triplex do Guarujá e o sítio de Atibaia estavam sendo julgados em Curitiba...

Na verdade, o nefasto ex-juiz Moro, desonrando a toga, atraía para si todos os casos nos quais tinha interesse político, ou até escuso, e queria que fossem investigados. Para esses casos, ele já tinha uma decisão pronta, definida.

A questão é extremamente grave e relevante. O juiz que instrumentalizou o Judiciário para satisfazer interesses pessoais, burlando a distribuição de processos, não merece o respeito, pois não se dava o respeito. A consequência natural é a nulidade de todos os atos do ex-juiz incompetente.

A intrincada questão sobre a parcialidade é ainda mais grave. Se um juiz, maliciosa ou até criminosamente, resolve, por motivos inconfessáveis, julgar de maneira parcial uma pessoa, ele deve ser declarado suspeito. E a suspeição importa em nulidade, devendo ainda ser investigados os motivos da parcialidade, que pode ter origem criminosa.

É melhor tirar Lula do exemplo para facilitar a compreensão.

Imagine que você está discutindo judicialmente a guarda do seu único filho numa audiência que se dará numa sexta-feira. Na quinta-feira anterior, você descobre mensagens que deixam claro que o juiz se uniu ao advogado da outra parte, combinando entre eles a tese a ser levada aos autos para a guarda ser concedida à outra parte.

Ou, ainda, se você descobre que o juiz mandou grampear o telefone do seu advogado para, juntamente com o membro do

Ministério Público, descobrir qual será a defesa levada aos autos. Esse é o pano de fundo da parcialidade: a falta de caráter, a dissimulação, a canalhice, a desonestidade intelectual.

A questão da incompetência da 13ª Vara Federal de Curitiba e, por tabela, do ex-juiz Sérgio Moro foi reconhecida, primeiro, por decisão monocrática do ministro Fachin, posteriormente confirmada por 8 votos contra 3, pelo plenário do Supremo. Os processos do ex-presidente Lula foram anulados e serão remetidos a outro foro. Assunto definido e acabado.

A discussão que o presidente do Supremo pretende reabrir, no plenário da Corte, sobre parcialidade rigorosamente também é uma questão decidida pelo STF na 2ª Turma. Não deveria sequer ser apregoado o julgamento, em respeito à segurança jurídica.

O Supremo Tribunal Federal decidiu, em definitivo, que Sérgio Moro, coordenando ilegalmente um bando de procuradores da tal força-tarefa, agiu de maneira parcial e criminosa, em clara perseguição ao ex-presidente Lula. Essa decisão é grave e, na minha visão, expõe a urgente necessidade de investigar a conduta dos envolvidos na verdadeira corrupção do sistema de justiça. A trama criminosa perpetrada pela República de Curitiba mudou a história recente do Brasil.

Não podemos deixar de registrar que esse governo genocida, que hoje pratica uma política de culto à morte, cujo presidente acaba de ser representado criminalmente como responsável pela morte de milhares de brasileiros, elegeu-se tendo como principais votantes os integrantes do grupo golpista.

O chefe deles, o ex-juiz, chegou a ser ministro da Justiça desse governo assassino, tendo saído somente por causa de uma briga de quadrilha.

Daí ser fundamental acompanhar cada decisão do Judiciário que tem impacto direto no nosso dia a dia. E quando olharmos a catástrofe brasileira no trato da crise sanitária, quando contarmos os quase 400 mil mortos, quando sentirmos raiva e vergonha do desprezo desse governo fascista pela dor dos brasileiros, quando a falta de oxigênio deixar sem ar os pulmões de pessoas que amamos, quando a solidão — a única companheira para a pessoa sozinha nas UTIs — for também nossa companheira nas noites insones, não podemos ter dúvida de olhar para os que, inescrupulosamente, foram os grandes responsáveis pela tragédia que se abate sobre o país.

O resgate da verdade trazida nesses julgamentos merece ser acompanhado pelo cidadão que foi vítima da instrumentalização desonesta e criminosa do Poder Judiciário. A nuvem densa de fumaça, que nos oprime e que vem da falta de transparência da união macabra responsável por levar esse grupo à presidência, é alimentada pelo gás tóxico exalado pelo que existe de mais podre na política e que não se furtou a corromper o sistema de justiça para assumir o poder. É hora de devolver a dignidade conspurcada. Remeto-me a Torquato Neto, no "Poema do Aviso Final": *É preciso que haja algum respeito, ao menos um esboço ou a dignidade humana se afirmará a machadadas.*

22/4/2021 — O Dia-IG

Extermínio: cumplicidade mórbida

Não enterres, coveiro, o meu Passado,
Tem pena dessas cinzas que ficaram;
Eu vivo d'essas crenças
Que passaram,
E quero sempre tê-las ao meu lado!

...

Ai! não me arranques d'alma este conforto!
Quero abraçar o meu Passado morto
Dizer adeus aos sonhos meus perdidos!

Augusto dos Anjos

A tal Operação Lava Jato, coordenada com fins políticos pelo ex-juiz Sergio Moro e seus asseclas procuradores da República de Curitiba, membros da mal-afamada força-tarefa, completou sete anos no último dia 17 de março. Desmoralizada, com seus membros sendo investigados, seus processos principais anulados e seus métodos bizarros e criminosos, parciais, escancarados e ridicularizados pelo Brasil. Sendo eu um dos seus primeiros e mais contundentes críticos, desde o primeiro momento, o esperado seria um artigo que analisasse os abusos e os crimes cometidos pelo bando, a dissecação do fracasso.

Mas tal efeméride se dá em um momento trágico da história do País e do povo brasileiro. Pela primeira vez, a média móvel de mortos pela Covid ultrapassou 2 mil pessoas e o índice alcançou 2.031 mortes, o mais alto desde o início da pandemia pelo 19° dia seguido. O número de mortos, oficialmente, ultrapassa 3 mil por dia. O Brasil já tem 285.136 mil mortos e mais de

11 milhões de pessoas infectadas. Uma tragédia sem precedentes. Escondo-me em Fernando Pessoa:

O véu das lágrimas não cega.
Vejo, a chorar,
O que esta música me entrega
A mãe que eu tinha,
O antigo lar,

A criança que eu fui,
O horror do tempo, porque flui.
O horror da vida,
Porque é só matar.

Para um brasileiro que tenha preocupação real com o país, para quem se importa com seu semelhante, para uma pessoa que, mesmo na crise, ainda mantenha um resquício de humanidade, não pode haver nada a comemorar e o objeto de qualquer reflexão deve ser único: como retirar do comando do Brasil este presidente que cultua a morte, que pratica a necropolítica, que desmoralizou a autoestima do povo brasileiro, que transformou pessoas mortas em números a serem manipulados.

Até mesmo os rituais da despedida, tão presentes em nossa cultura, foram desprezados, a dor parece que tem vergonha de ser sentida. A barbárie transformou o desespero em algo banal, a absoluta incapacidade de reagir transformou as pessoas em robôs. O ar que falta nos hospitais, por incúria dos governantes, e mata, começa a faltar para as pessoas que se sentem imobilizadas por tanto horror.

Além do número abissal de mortos, sabe-se que o desespero pelo não planejamento no combate científico ao vírus transforma, a cada segundo, o país em um espaço livre para cultivar o vírus e suas novas cepas. A céu aberto. O negacionismo extremo, a política de incentivar a aglomeração, a covardia em não fazer *lockdown* e o crime em propagar a não necessidade da vacina transformaram o país numa república da morte. Além de párias internacionais, ninguém quer se relacionar com brasileiros; em breve, nossas fronteiras também serão fechadas para os negócios. Não existe espaço para amadorismo. Estamos sendo sucateados. Esse governo fascista vai entregar o bagaço e os destroços de um país saqueado.

Um exemplo do resultado direto das mortes com a condução na política aconteceu agora nos Estados Unidos. A curva de mortos com o fascista do Trump apontava uma subida permanente e vertiginosa. Bastou um representante do Centrão americano derrotar o Trump e mudar a política para incentivar o isolamento, o uso de máscara e, principalmente, o uso massivo da vacina, que a queda se precipitou. Não podemos esquecer que cada ponto a menos na curva significa milhares de vidas salvas.

A opção clara, política, deliberada de não comprar vacina e, mais, de defender a não vacinação, de politizar o assunto, de rejeitar propostas de compra dos imunizantes, tudo isso tem que ser responsabilizado criminalmente. A humanidade não merece assistir a esse verdadeiro extermínio de parte da população brasileira. A discussão da definição jurídica do que é genocídio não compete mais somente, academicamente, aos juristas e advogados, é hora de levar a questão às cortes internacionais para que se adote uma postura sobre o tema. Serão necessários 500, 600 mil brasileiros mortos para que saiamos do imobilismo? Não existe ideologia no trato com as questões desse vírus. Ou nos unimos e tiramos republicana e democraticamente esse presidente do poder, ou vamos começar a vivenciar cenas dantescas com os mortos nas ruas, nas casas. É cruel, mas é a verdade.

Antes da desgraça que se implantou com a crise sanitária, esse grupo de bárbaros já desmantelava o país. Sucatearam o SUS, cortaram a verba destinada à ciência, não investiram na educação, destruíram a cultura, o meio ambiente, acabaram com os conselhos que faziam o país registrar níveis de excelência em várias áreas; enfim, esses idiotas estavam fazendo um país à semelhança do que eles são. Mas esse era o jogo político. Quem perdeu que se habilite. Agora, é muito maior o tamanho do estrago e urge uma atitude. Encontro-me em Clarice Lispector:

> *Renda-se, como eu me rendi. Mergulhe no que você não conhece, como eu mergulhei. Não se preocupe em entender, viver ultrapassa qualquer entendimento."*

...
Que minha solidão me sirva de companhia.
Que eu tenha coragem de me enfrentar.
Que eu saiba ficar com o nada e mesmo assim
Me sentir como se estivesse plena de tudo.

Basta pensar que o Brasil, outrora, já vacinou 10 milhões de crianças em um único dia! Hoje, não temos sequer um programa nacional de divulgação dos nossos problemas, não existe campanha de esclarecimentos e, muito menos, uma campanha vigorosa de vacinação. Estamos à deriva. O ar que nos fazia eufóricos na luta por um Brasil mais justo, mais igual, hoje nos falta e essa falta nos sufoca, nos aniquila.

É necessário que a dor, a angústia e o medo acabem nos impulsionando na luta por uma resistência. Se não conseguirmos nos organizar razoavelmente para exigir uma mudança de rumo na condução do país, vamos ter que assumir nossa parcela de responsabilidade na tragédia. A omissão será cobrada de cada um. É necessário que se faça um enfrentamento duro e leal, até em homenagem aos médicos, enfermeiros, agentes dos hospitais que estão na linha de frente, e também aos que morreram pelo vírus em razão da omissão covarde e canalha das autoridades e em louvor ao povo brasileiro. Vamos ter postura e dignidade. Não conviva com os fascistas. Não participe de grupos de WhatsApp com eles. Não permita que eles frequentem suas casas, suas mesas de bar, seus afetos. São homicidas ou cúmplices. Podemos e devemos ser firmes e mais do que nunca intolerantes com a barbárie neste momento. A história cobrará responsabilidades, os humanistas todos estão e estarão ao nosso lado e, afinal, a omissão ficará na conta da covardia dos canalhas. Vamos nos fiar em Mia Couto: "Se não criarmos nas escolas histórias que falam sobre solidariedade, a amizade, a lealdade, essas pequenas coisas que são realmente as grandes coisas da vida, isto não vai surgir naturalmente."

19/3/2021 — Poder 360

[illegible] companheiro,
[illegible] de um espinho
[illegible]
[illegible]

[illegible]

Parte 2

A VIDA DÁ,
NEGA E TIRA

Conheci Kakay, o criminalista, em 1987. Após, com um vagar inteligente, vieram os outros Kakays, sem heterônimos: ativista de direitos humanos, cantor — este lhe dava prazer — ator, *barman*, enófilo, amigo, divulgador (suas leituras de fim de tarde)... Todos os Kakays são competentes, argutos e divertidos. Mas, o principal, que perpassa por todos: lealdade extrema para todos e com tudo. Acresça-se uma característica fundamental: ele ri de si próprio e, assim, é incapaz de odiar.

—

Nelson Jobim,

ex-presidente do STF

e ex-ministro da Defesa.

Chega

O presidente da República,
embora possa muito, não pode tudo.
Ministro Celso de Mello

Não posso esconder as lágrimas que correm livremente enquanto assisto à *live One World: Together At Home*. E olhe que nem conheço esses cantores. O que me comove é a solidariedade. O mundo inteiro demonstra respeito, gratidão e até amor a todos os que se entregam, com risco pessoal e com o sacrifício de não ver ou encontrar as pessoas queridas, em nome do enfrentamento a este vírus maldito, a esta tragédia.

Os países se dão as mãos sem credo ou ideologia. Todo final da tarde, no mundo inteiro, as pessoas vão para as varandas aplaudir, bater panela e cantar em homenagem aos trabalhadores da saúde, da segurança hospitalar e de todos os que se dedicam e se expõem ao enfrentamento da pandemia.

Não sou dos que acreditam que o mundo sairá melhor desta. O homem é naturalmente ruim, mau, mas é fato que, neste momento, as pessoas estão mais dispostas a serem menos ruins, com mais sentimento humanista. É muito tocante ver a música, pelos mais diversos sons e atores, os mais inimagináveis, falar um único som: o som da solidariedade.

O mundo, de alguma forma, está querendo dar chance à vida. Mas, infelizmente, temos que registrar: qual é a nota fora do concerto mundial? O que desafina? Meu Deus, aqui, no Brasil, nós não temos tido tempo de ser só solidários, de só sofrer pela dor — certamente hoje já próxima de todos e de cada um, pela morte ou doença de alguém querido. Não podemos sequer acompanhar o movimento mundial de tentar sair desse buraco, desse drama. Nós temos que acompanhar diariamente, em tempo real, um psicopata inimputável, que já havia esvaziado a ciência em tempos normais, aprofundar o grau de ignorância em tempos de guerra.

Nós, brasileiros, não conseguimos falar a língua universal da fraternidade. Este governo fascista e assassino nos distrai. Nós não conseguimos ter solidariedade com nossos irmãos, nem no medo nem na angústia. Em todo o mundo, os partidos e os políticos baixaram as armas. Há um inimigo comum. Vejam Portugal, onde um partido da oposição cumprimenta o governo por ter trabalhado bem. Sem uso da política. Com lealdade à gravidade do momento.

Aqui perdemos a maior parte do tempo discutindo os absurdos do presidente. Isso não é correto. Esse pústula nos não deixa nem ser humanos, não nos deixa chorar de desespero pelos mortos. Não nos deixa ser simples. Esse inimputável politizou o vírus. Ele, que despreza a inteligência, a pesquisa, o estudo, que é um cultor da morte, da tortura, das trevas, não permite sequer que o país sofra o drama que se abateu sobre a humanidade. Ele é tão mesquinho que politizou o uso ou o não de tal ou qual remédio.

É claramente um homem sem nenhum compromisso com qualquer enfrentamento humanitário. E o pior é que ele faz tudo de modo deliberado. Esse é o jogo político dele. Esse é o campo político desse inimputável.

Jair Bolsonaro continua com um bom percentual de apoio. Pessoas que vão às ruas para dizer que não existe o vírus, não existe a doença. Meu Deus. Esse é o rebanho dele. A posição de enfrentamento é clara e pensada. Por isso, todos nós, que temos ainda lucidez e capacidade de análise, devemos tomar uma decisão. É preciso tirá-lo da Presidência da República.

Por um tempo, defendi que não era possível pensar em outro *impeachment*. Nenhum país suporta três *impeachments* em período tão curto. O impedimento não é a maneira constitucional de tirar da Presidência um incompetente. Mas, no caso, não estamos tratando de incompetência tão somente. Reconheço que subestimei o grau de idiotice, de perversidade, de bandidagem desse miliciano que ocupa a Presidência.

Não se trata mais de falar só em incompetência. Se não existirem condições políticas para o *impeachment*, e penso que há, cabe a nós, operadores do direito, darmos uma solução constitucional para o caso. Mas temos que enfrentar essa dura e cruel realidade, não podemos permitir que esse inimputável siga à frente do governo. A história nos cobrará pela omissão. Proponho que avaliemos uma denúncia, fácil de fundamentar, com os inúmeros crimes de responsabilidade do presidente, a ser apresentada na Corte Suprema.

Nenhum presidente, nem ninguém, tem o poder de propor reiteradamente políticas genocidas. E defender essa política desdenhando de um povo. Ele ofende a todos, inclusive os que o apoiam. Tornar inimputável e afastar um presidente eleito legitimamente por 57 milhões de brasileiros, com uma interpretação constitucional e com uma visão dos tratados internacionais, não é tarefa fácil. Mas nós, operadores do direito, que militamos no dia a dia no Supremo e que conhecemos sua jurisprudência, já vimos "milagres" serem feitos, quando a Corte quer, em nome de uma interpretação da Constituição.

A história e o momento exigem coragem. Senão, para que vale o direito, para que vale a evolução internacional da consciência humanista? Uma denúncia que propicie a oitiva não só do Ministério Público Federal (que, talvez, mais uma vez falte à nação), mas que ouça o Congresso Nacional, nossa Casa Soberana.

Se o Congresso e o Supremo entenderem que não podemos continuar caminhando docilmente para a morte, para a catástrofe, nós teremos como afastar esse homem que faz da morte o seu legado. Para os que questionarem, de maneira óbvia, sem olhar o mar revolto onde estamos, a falta de jurisprudência ou algo assim, eu responderei com Clarisse Lispector: "Enquanto eu tiver perguntas e não houver respostas continuarei a escrever." Com a palavra, o Congresso Nacional e o Supremo Tribunal Federal.

19/4/2020 – Folha de S. Paulo

O cabo e o miliciano

Não haverá sequer um soldado ou jipe do Exército para afrontar o Supremo Tribunal Federal. Talvez tenhamos um miliciano armado às portas do tribunal.

Pergunta que povoou o imaginário brasileiro nos últimos meses — "Onde está o Queiroz?" — talvez possa agora, ao ser respondida, servir para esclarecer outra indagação que nos aflige: "Quem matou Marielle?"

Neste Brasil de tantas angústias e de permanente incredulidade, um certo desconforto vai assumindo corpo ao se cristalizar que a milícia ronda e paira sobre a cena nacional. Assistimos, perplexos, a um show de horror encenado pelo grupo que sustenta o presidente genocida.

O grande Machado de Assis nos ensinou que "a mentira é muitas vezes tão involuntária como a respiração". Esse grupo mente tanto que não respeita a própria mentira. Abusa da sociedade brasileira e acredita na absoluta falta de indignação das pessoas. Joga com o desânimo, com o tempo que dedicamos ao combate ao vírus, com o descrédito das instituições e zomba da inteligência das pessoas.

De certo modo, os integrantes deste grupo estão sendo desnudados pelos fatos, que brotam de um enredo de quinta categoria, com a exposição rocambolesca de uma farsa que se abateu sobre a sociedade brasileira. A cada dia um escândalo, como que a esconder, a sublimar o escândalo do dia anterior.

Já não se preocupam com a necessidade de ter uma linha de defesa. Acreditam mais na nossa falta de ânimo para enfrentar tantas barbáries. No nosso cansaço do enfrentamento do indizível, na impossibilidade de uma organização de resistência em meio ao isolamento e à pandemia. Já perderam a compostura e a necessidade de manter certo pudor ao afrontar a sociedade com uma postura de completo desrespeito à inteligência.

É como se tivessem lido Pessoa, na pessoa de Bernardo Soares, no *Livro do desassossego*, e pensassem: "No baile de máscara que vivemos, basta-nos o agrado do traje, que no baile é tudo". Só que eles certamente não leram Pessoa e apenas cuidam de manter certas aparências, ainda que já desfigurados pela força inexorável das verdades que brotam dos escândalos diários. Em todas as áreas.

Viramos párias internacionais pela não política de enfrentamento do vírus. O mundo se queda perplexo com o completo desrespeito do governo brasileiro em relação a todas as orientações científicas no combate à pandemia. Difícil explicar que em plena crise o país continua sem um ministro da Saúde. Sem uma política de saúde. Sem um norte.

Para esse grupo que governa o país, o único objetivo é escapar da força do Poder Judiciário. É fugir da aplicação simples da lei penal pelos inúmeros crimes que estão vindo à tona. Afrontam o Judiciário ao tentarem emparedar, subjugar o Supremo Tribunal. A cada momento vai ficando comprovado que os ataques aos ministros do Supremo, às suas famílias e à instituição não eram fruto de um movimento espontâneo e sem estrutura. Ao contrário, é uma tentativa de um grupo inescrupuloso, de orientação fascista, financiado por empresários, e que ousa investir contra a estabilidade democrática.

Ao se voltarem contra o Supremo Tribunal e contra o Congresso Nacional, na realidade, queriam terçar forças para esticar a corda da democracia. Por isso a importância de acompanharmos a investigação sobre quem matou Marielle. Se, ao que tudo indica, essas investigações se entrelaçarem e a milícia for a real sustentação de parte desse poder, a sociedade brasileira terá que se posicionar.

Tentaram fazer uma subleitura do artigo 142 da Constituição Federal para darem às Forças Armadas um protagonismo que a Constituição não lhes confere. Como se pudesse existir a hipótese de um golpe de Estado constitucional.

Ora, é reconfortante saber, com toda a certeza que a história nos dá, que jamais as Forças Armadas, em especial o Exército brasileiro, dariam guarida e respaldo ao citado grupo, em se comprovando a participação da milícia na sustentação do quadro político brasileiro. Não haverá sequer um soldado ou um jipe do Exército para afrontar o Supremo Tribunal.

Talvez tenhamos um miliciano armado às portas do tribunal, mas enfrentando os cidadãos amparados pela Constituição. E com amplo apoio da sociedade brasileira, como cantou o inesquecível Moraes Moreira no cordel "Quarentena", publicado pouco antes de morrer:

Até aceito a polícia
Mas quando muda a letra
E se transforma em MILÍCIA
Odeio esta mutreta
Pra combater o que alarma
Só tenho mesmo uma arma
Que é a minha caneta...
Queremos sim ter as respostas
Sobre as nossas Marielles

26/6/2020 — Poder 360

O "pasmo existencial" e a escuridão bolsonarista

O que é verdadeiramente imoral
é ter desistido de si mesmo
Clarice Lispector

Quantas vezes somos surpreendidos, no dia a dia, pelo inusitado do que tem acontecido na política no Brasil?

Às vezes me lembro de Pessoa, na pessoa de Caeiro: "Sei ter o pasmo essencial, que tem uma criança se, ao nascer, reparasse que nascera deveras...". Realmente, "sinto-me nascido a cada momento para a eterna novidade do mundo".

Este governo genocida não dá tempo de nos dedicarmos ao assunto que deveria ser o centro de todas as nossas atenções: a pandemia, o vírus, as mortes, o drama da crise sanitária.

No dia em que o Brasil completa, oficialmente, quase 50 mil mortos e 1 milhão de infectados, todas as atenções estão voltadas para a corrupção da família Bolsonaro, para o Queiroz, para a prática da "rachadinha", para a indicação de um analfabeto funcional para representar o país, como prêmio de consolação pela sua desumana ignorância, no Banco Mundial.

Cansei de ter vergonha alheia. Quero minha capacidade de me indignar por questões sérias de volta! Não posso mais ter que me idiotizar para compreender os destinos de um país que não tem um ministro da Saúde no meio de uma pandemia mundial, que não tem sequer um plano para contabilizar os mortos. Eu não quero ser obrigado a explicar, para quem não vive no Brasil, que nosso presidente incentiva seus seguidores a invadirem hospitais a pretexto de verificar se os médicos estão mentindo, sempre repetindo que a doença não é tão grave. E, o pior, explicar por que algumas pessoas seguem essa voz insana, uma voz à procura de um cérebro, e invadem hospitais.

Um país estranho no qual foi feito o *impeachment* de uma presidente sem que ela tivesse cometido o crime de responsabilidade e, agora, o Congresso se nega a discutir o *impeachment* quando o atual presidente comete crimes de responsabilidade aos borbotões, quase diariamente.

Um país que está deixando de ser o país do futuro, pois a mediocridade está matando todos os sonhos. Só tem futuro quem sonha, quem acredita. Eu confio mais nos que são capazes de sonhar, mas como viver sob o jugo da completa obscuridade?

Victor Hugo disse no imortal *Os Miseráveis*: "Julgar-se-ia bem mais corretamente um homem por aquilo que ele sonha do que por aquilo que ele pensa". Andei o Brasil nos últimos anos a discutir o excesso de "punitivismo", fui a todos os espaços possíveis usando aquilo que a advocacia me deu: voz.

Em todos os lugares em que estive alertei que deveríamos ter a humildade de, às vezes, nos mirar na natureza. A escuridão não cai de uma só vez. Não somos surpreendidos ao meio-dia com uma noite fechada, que cai em segundos em pleno lago Paranoá. A natureza é sábia, o entardecer vai afastando a luz, vai apagando o dia e a noite começa a se impor, devagarinho, até que chegue à plenitude da força da escuridão. E nós vamos nos acostumando à falta de luz.

Assim é o regime obscurantista. Vai aos poucos nos tirando a capacidade de resistir, de nos indignar, de protestar, de reagir. Até que, vencidos pela mediocridade desse projeto fascista, nós percamos a voz, o ar. E sem ar e sem voz não conseguimos resistir. Vamos nos tornando cidadãos como que afetados pelos efeitos do coronavírus sem estarmos infectados pelo vírus, mas infectados pelo verme do bolsonarismo. Um estado de letargia, sem inteligência, sem capacidade sequer de protestar.

Mais uma vez, socorro-me de Victor Hugo: "Chega a hora em que não basta apenas protestar: após a filosofia, a ação é indispensável". E, insisto, é necessário voltar a acreditar que precisamos enfrentar essa mediocridade que nos deprime. O país precisa voltar a acreditar que existe vida fora dessa mediocridade.

Eu me nego a ser pautado por esse bando de arrematados idiotas, corruptos e incompetentes. A sociedade está tomando força e se posicionando. São vários os grupos e manifestos. É necessário que todos esses apoios sejam repetidos e reforçados com ações individuais.

Em tempo de isolamento vamos cada um, também isoladamente, dizer basta, chega, encheu o saco!

Matar o sonho é matar-nos. É mutilar a nossa alma. O sonho é o que temos de realmente nosso, de impenetravelmente e inexpugnavelmente nosso — Fernando Pessoa

19/6/2020 — Poder 360

E agora, Queiroz?

O vazio é o espaço da liberdade, a ausência de certezas. Mas é isso que tememos: o não ter certezas. Por isso trocamos o voo por gaiolas. As gaiolas são o lugar onde as certezas moram.

Fiódor Dostoiévski

A prisão de qualquer pessoa sempre, ou na grande maioria das vezes, me causa profunda inquietude. Caso seja uma prisão que leva o preso às cadeias brasileiras, verdadeiras pocilgas, com estrutura medieval, onde o sentido de humanidade foi há muito esquecido, a inquietude se transforma em indignação. Em angústia.

E, inevitavelmente, vem à tona a realidade cruel e desumana dos presídios e o enorme trabalho "punitivista" desenvolvido por esse grupo da força-tarefa, que gestou, nos excessos da Operação Lava Jato, o que redundou neste governo autoritário e fascista. Agora, brigam pelo poder, mas se merecem. Essa força-tarefa, que, juntamente com seu chefe, o ex-juiz, banalizou as prisões preventivas e que, criminosamente, como admitido agora por um subprocurador, usou as prisões para conseguir delações.

É necessário ter em mente que a esmagadora maioria dos presos no Brasil é composta do "cliente" tradicional do processo penal, ou seja, o negro, o pobre, o sem rosto e sem voz. A prisão de alguns do andar de cima da sociedade em nada modificou as condições sub-humanas a que está submetida a massa carcerária. Talvez tenha dado visibilidade ao debate. Mas, em regra, quem realmente está na linha de frente nesta luta insana é a valorosa defensoria pública e os institutos que cuidam das questões carcerárias.

Em nome desses direitos, batemos às portas do Supremo Tribunal para defender, por meio de ações diretas de constitucionalidade, a presunção de inocência e o direito de o cidadão ser recolhido à prisão somente após o trânsito em julgado. Sim, o cidadão, pois o preso, quando encarcerado, perde a liberdade, mas não perde os demais direitos inerentes à dignidade da pessoa humana. Por isso, a lembrança de Cervantes na voz de D. Quixote ao falar a Sancho: "Pela liberdade, Sancho, assim como pela honra, pode-se e deve-se arriscar a própria vida".

Essa é a sina do advogado criminal. Quando sentimos que o Brasil estava completamente à deriva no enfrentamento da crise sanitária, desta pandemia que assola o mundo, nosso primeiro pensamento foi para o sistema carcerário. Para a crueldade, para a desgraça que iria se abater, e se abateu, sobre nossos presídios. Sem as mínimas condições de acolher os presos, nem mesmo em tempos normais, o enfrentamento nestes tempos de guerra nos assombrava a todos. E todos se irmanaram na obrigação de fazer o necessário embate para minorar a situação nos presídios.

Soluções, ainda que paliativas, foram implementadas e discutidas. A comunidade jurídica se apegou a defender que a excepcionalidade das prisões, que já têm que ser excepcionais, passava a ser um mantra. Não às prisões em tempos de pandemia.

Todas as medidas implementadas para soltar os presos, muitos dos quais já não deveriam mesmo estar presos, foram saudadas e apoiadas com afinco. Nessas horas, vale tudo, até mesmo lembrar aos que não têm sequer senso de humanidade e pensam que o prisioneiro deve mesmo é morrer na cadeia, sem progressão, sem direitos mínimos, que existe um enorme contingente de "não presos" que trabalham dentro dos muros. Profissionais que se dedicam a humanizar, a cuidar, a proteger a vida dos prisioneiros. E que a cada dia saem e vêm conviver nesta nossa sociedade mesquinha e fechada nela mesma. A existência dessa realidade mobiliza alguns que preferem esquecer a situação dos presídios.

Agora, uma decisão mobiliza o país. O tristemente famoso Queiroz conseguiu prisão domiciliar e levou consigo sua mulher. Fora o fato curioso de saber "onde vai ficar Queiroz", afinal, qual é mesmo o domicílio dele? Ecoando o bordão que povoou por meses a sociedade — "Onde está o Queiroz?" —, uma discussão se impõe. Se as condições para merecer uma prisão domiciliar estavam presentes para ele (idade, problemas de saúde, pandemia da Covid-19 e outros requisitos), é necessário perguntar: e para os milhares e milhares que, como ele, estão esquecidos nas masmorras?

A decisão foi estendida para a mulher do Queiroz, a qual estava foragida, reavivando um importante e coerente precedente de respaldo constitucional de que a fuga não é motivo para manter uma preventiva. Precisamos superar a jurisprudência punitiva, até lembrando Pessoa: "Há um tempo em que é preciso abandonar as roupas usadas, que já têm a forma do nosso corpo. E esquecer os nossos caminhos que nos levam sempre aos mesmos lugares".

É hora de todos os operadores do direito e a sociedade, que está mobilizada no combate ao caos, exigirem que essa decisão seja o padrão para todos esses pedidos que estão aguardando decisão dos juízes brasileiros. A dimensão da decisão coloca a seguinte questão: se vier a ser só para o Queiroz e sua esposa, o Poder Judiciário sairá diminuído. Penso que estão presentes os requisitos para a prisão domiciliar. E essa jurisprudência de que o cidadão não pode não se entregar para discutir a legalidade da ordem de prisão é abusiva e contrária a vários princípios constitucionais.

Contudo, é necessário que o Poder Judiciário se apresente para a sociedade, que está atenta. O tal Queiroz parece ser peça-chave para desvendar sérios e graves crimes. A sua prisão, em situação no mínimo intrigante, fez o quase milagre de emudecer o presidente e seu entorno. Uma significativa mudança se operou no governo após a prisão desse personagem estranho. E até as pedras de Brasília sussurravam que o Queiroz preso era um risco. Mas não será por isso que vou deixar de reconhecer que os requisitos da sua prisão, neste momento, não se sustentavam.

Mas essa decisão tem que ter consequências. Se fosse uma prisão domiciliar *ad hoc*, sob encomenda para o Queiroz e sua esposa, sairia menor o Poder Judiciário. Faz-me lembrar Pessoa na pessoa de Bernardo Soares no imortal *Livro do desassossego*: "Ergo-me da cadeira com um esforço monstruoso, mas tenho a impressão de que levo a cadeira comigo, e que é mais pesada, porque é a cadeira do subjetivismo".

Essa tem que ser uma decisão que se estenda imediatamente a todos que estão nessas condições no sistema penitenciário. E ir além, abrir as portas que sempre têm várias chaves. A chave que destranca os poderosos é, às vezes, a mesma que serve para trancar, ou manter presos, aqueles que não conseguem se fazer ouvir. Sei que defender a soltura do Queiroz comporta uma série de críticas, mas fico com o — muitas vezes incompreendido — Paulo Leminski: "Isto de querer ser exatamente aquilo que a gente é ainda vai nos levar além".

10/7/2020 – Poder 360

Coragem institucional é necessária durante a pandemia

Você
tem que aprender
a respeitar a vida humana, disse o Juiz.
Parecia justo.
Mas o juiz
não sabia que, para muitos,
a vida não é humana
Mia Couto

Estamos tão acostumados nessa guerra permanente contra esse grupo de irresponsáveis que está dando as cartas no Brasil que, muitas vezes, nos esquecemos de olhar para nossos umbigos.

O Brasil é um país de frases feitas, sem maiores aprofundamentos. Há uma série de místicas que se tornaram verdades absolutas. Por exemplo, sobre a competência universal e inquestionável das Forças Armadas. Uma dessas "verdades absolutas" sobre o Exército nacional com sua propalada competência.

Eu não tenho dúvidas, e tenho falado sobre isso, de que o nosso Exército, nossas Forças Armadas, são um fator de estabilidade neste momento de esgarçamento institucional. Mais do que isso, defendi, mais de uma vez, que a estrutura miliciana que ronda o país jamais terá o apoio, o consentimento, das Forças Armadas. Ao contrário. Defendo que a estranha e promíscua proximidade da milícia com parte do Executivo encontrará fortíssimo combate e repulsa por parte das Forças Armadas, que, nesse ponto, nos representa.

E tem como norte a Constituição. Lembro sempre de Paulo Leminski, para não ser óbvio: "Repara bem no que não digo". E registrei minha perplexidade com o ensurdecedor silêncio do presidente Bolsonaro após a prisão do tal Queiroz. Silêncio cúmplice. Silêncio de quem tem medo. Inclusive o silêncio dos militares que habitam o Palácio do Planalto e se refestelam com o poder.

Mas é necessário maturidade para enfrentar o enorme número de militares na ativa em cargos executivos. Ora, o militar da ativa que assume o cargo de ministro de Estado precisa ter a grandeza e a humildade de saber que virou político e será questionado como tal. A ideia de um general do Exército, na ativa, assumir o cargo de ministro da Saúde, em plena pandemia, só poderia mesmo vir da cabeça de um capitão que nunca honrou o Exército nacional.

Como bem frisou o general que ocupa a Vice-Presidência, esse capitão só ficou no ensinamento das questões da força física relativa ao Exército, nunca se dedicou a nenhum aprofundamento intelectual. Ou seja, é um raso. Não chega a ser um soldado raso, mas um raso intelectualmente.

Como devemos saber, o general que aceita ser ministro, se virou ministro, tem que aceitar críticas. Na realidade é um escândalo de repercussão internacional o Brasil estar enfrentando a crise sanitária mais grave da história sem um médico, um cientista, um especialista na condução do Ministério da Saúde.

A responsabilidade, claro, não é do Exército. É do presidente da República. Mas o Exército, já que se expôs com a presença de um general da ativa como ministro, tem que aceitar as críticas.

E é um fato que esse general-ministro decepcionou até na sua propagada habilidade específica. O que dirá quanto ao desastre no enfrentamento à crise sanitária? Apenas um ponto foi positivo: desmistificou a trabalhada mensagem da supereficiência do Exército, das Forças Armadas.

Na verdade, caiu a máscara da obrigatória excelência. Ora, existem os grandes oficiais, mas existem os "bolsonaros", forjados à feição de um capitão medíocre, inculto e banal. Ou seja, não vamos usar argumento de autoridade. Vamos admitir simplesmente que um general do Exército pode fazer um pífio desempenho, como ministro, em um ministério crucial como o da Saúde, e que pode ser questionado.

Há uma regra básica, republicana, para todos nós brasileiros: ninguém está acima da lei. O general virou político, apoia um medíocre governo que flerta com o genocídio ao politizar o vírus e banalizar a vida e quer o apoio, sem crítica, de uma sociedade que se pretende madura?

É claro que não é o Exército que flerta com o genocídio. E, o pior, ainda se pretende usar a Lei de Segurança Nacional contra um ministro do Supremo que fez um questionamento com vistas, na verdade, a preservar a instituição do Exército! Que alertou sobre o direito de chamar a discussão sobre a necessidade de darmos guarida constitucional ao Exército brasileiro.

O ministro Gilmar falou com propriedade e responsabilidade. Outros se calam. Nossa Clarice Lispector dizia: "Todo silêncio tem um nome e um motivo". Mas também alertava: "Eu tenho medos bobos e coragens absurdas".

Cumpre ter a coragem institucional de discutir com seriedade a falta de enfrentamento do governo federal na questão da crise sanitária. A sociedade tem o direito de fazer esses questionamentos. E seguiremos fazendo com a certeza de que a liberdade de expressão, um dos pilares do Estado democrático de direito, e o direito à crítica, principalmente de alguma ação de um homem público, não podem se confundir, em nenhuma hipótese, com a tentativa inconsequente de desestabilizar as instituições. E tentar criminalizar esse direito à liberdade plena de crítica flerta com um retrocesso que julgávamos esquecido.

É bom nos lembrarmos de Pessoa: "É tempo de travessia: E, se não ousarmos fazê-la, teremos ficado, para sempre, à margem de nós mesmos".

17/7/2020 — Poder 360

Refúgio poético

Por que é que as acácias de repente floriram flores de sangue?
Por que é que as noites já não são calmas e doces, por que são agora
carregadas de eletricidade e longas, longas?
Ah, por que é que os negros já não gemem, noite fora.
Por que é que os negros gritam, gritam à luz do dia.

Noémia de Sousa

O excesso de informação pode ser acachapante, pode iludir, confundir, alucinar. Tenho à minha frente dois televisores e o celular recebendo dezenas de mensagens, sem falar nas pessoas que me ligam. Quase em transe, eu tento acompanhar a apuração das eleições nos Estados Unidos. Por um tempo deixa de ser importante qualquer informação que não seja numérica ou especulativa sobre o resultado.

Como passei muito tempo tentando entender um povo que fez campanha dizendo que o Biden é comunista e que, se o Trump perder, os Estados Unidos vão ingressar num socialismo, eu agora quero agir como se fosse um americano médio, sem pensar, sem refletir, apenas acompanhar o resultado.

Nos vários grupos de WhatsApp de que participo, cobram minha opinião sobre a postura covarde e sexista do advogado que humilhou a *influencer* Mariana Ferrer numa audiência. Também sobre o silêncio constrangedor e cúmplice do juiz que presidia a audiência, assim como a omissão covarde da defesa e do Ministério Público. O massacre à imagem da *influencer*, que chora e suplica ser tratada com dignidade, foi tão eloquente que, mesmo os machistas convictos, se viram na contingência de criticar os abusos. Os humanistas de ocasião.

Ao longo do dia as matérias se misturaram e veio à tona que *The Intercept*, ao noticiar o fato, usou um título que trazia uma falsa informação, induzindo as pessoas a entenderem, equivocadamente, que o juiz teria absolvido o réu usando a figura do "estupro culposo". *The Intercept* se justificou, alegando ser usual adotar expressões fortes para chamar a atenção e resumir o caso, na tentativa de explicar para o público leigo. Como se pudesse ser normal informar algo desconectado da realidade, mentiroso.

Todo o enredo é de um evidente estupro ao sistema de justiça. Volto ao velho e querido Leão de Formosa:

> *O homem lúcido me espanta*
> *Mas gosto dele na lírica*
> *A verdade metafísica*
> *Modela o verbo e a garganta.*
> *O homem lúcido verifica*
> *Que a existência não se estanca*
> *Põe a baba ao pé da planta*
> *eis que a planta frutifica.*
> ...
> *Sabe que a vida é viscosa*
> *Sabe que entre a náusea e a rosa*
> *foi que a ostra fez a pérola"*

A minha atenção insiste em se ater ao sistema eleitoral estranho e, aparentemente, antidemocrático dos norte-americanos. A fala desconectada e anasalada do presidente Trump soa como um deboche aos que acompanham a apuração. Seria só cômico, mas esse senhor laranja e com trejeitos histriônicos é o homem mais poderoso do planeta, logo é mais trágico do que engraçado. E, como a vida continua mesmo no meio da pandemia e das tragédias, ainda acompanho discussões homéricas nos grupos de WhatsApp sobre os mais diversos assuntos. Do futebol às gafes vergonhosas, já usuais, dos membros do governo brasileiro.

Uma denúncia criminal contra o senador Flávio Bolsonaro e o miliciano Queiroz no famoso caso da "rachadinha" divide o espaço na imprensa, de maneira acanhada, com a demissão de um comentarista bolsonarista da Jovem Pan, que defendia o estupro.

Tudo banalizado. Em algum lugar, sem destaque, o registro de 622 mortes por Covid-19 em 24 horas com a obscena marca de 161.170 mortos no Brasil por causa do vírus. Sem alarde nem manchete. É a vulgarização da morte, o desprezo à dor, o culto à indiferença. As pessoas viraram números e sequer podem cumprir o ritual de despedida dos seus entes queridos. A dor só é real quando bate às nossas portas, quando arranca de nós um ente querido. Mas o show tem que continuar e o ritmo frenético da vida não nos permite refletir sobre ela. Recorro ao *Livro do desassossego*, do Pessoa:

> *Não faço teorias a respeito da vida. Se ela é boa ou má não sei, não penso. Para meus olhos é dura e triste, com sonhos deliciosos de permeio. Que me importa o que ela é para os outros?*
>
> *A vida dos outros só me serve para eu lhes viver, a cada um a vida que me parece que lhes convém no meu sonho.*

Entre uma notícia e outra, em vários canais diferentes e incontáveis mensagens, dou um tempo e me permito escolher, entre centenas de livros de poesias espalhados no escritório, um que me faça fugir de tantas informações que se sucedem e se misturam, muitas vezes desencontradas. E fugir também de mim. Vou à varanda e recito, gravando no celular, algumas poesias de Augusto dos Anjos, do livro *Eu e Outras Poesias*. Recito como se quisesse mostrar para mim mesmo que não virei número, que não fui tragado por este estranho mundo meio sem sentido. Que resisto buscando alguma lucidez. E, até, alguma alegria.

"Poemas na Janela"*: Kakay recita Augusto dos Anjos*
Link Youtube: https://youtu.be/PFqXtgbUsiM

As mensagens rápidas dos grupos de WhatsApp, às vezes, são incompreensíveis e, lógico, incompreendidas. É como se as pessoas todas se idiotizassem para poder ter uma mesma comunicação. Sem tempo algum de reflexão. Com a profundidade de um Trump ou de um Bolsonaro.

Ao olhar os livros de poesias espalhados sem nenhum critério, lembrei que, quando fiz 50 anos, contratei uma professora de literatura e pedi a ela que fizesse uma pesquisa em todos os sebos de Belo Horizonte. Ela encontrou 670 livros de poesia. Eu escolhi 500 livros entre eles e me dei de presente. Hoje eles estão ali a olhar para mim, tentando me tirar da frente da televisão, tentando me afastar do WhatsApp, tentando me mostrar que a vida segue seu ritmo e que eu tenho de respirar no meu tempo e não permitir que esse redemoinho me sugue.

E que se não nos permitirmos nos dedicar àquilo que nos define interiormente, que nos faz ter inteireza, pouco importa tudo o mais que nos domina e aprisiona. Existe um fosso sem fundo que nos atrai se ultrapassarmos um invisível círculo de giz que, de alguma maneira, cada um de nós risca no imaginário para proteger e preservar uma, talvez, ainda possível lucidez. Desligo tudo e volto à poesia, o manto denso da noite envolve em silêncio o mundo lá fora e eu me perco, interiormente, em Augusto dos Anjos. E me encontro.

A antítese do novo e do obsoleto,
O Amor e a Paz, o Ódio e a Carnificina,
O que o homem ama e o homem abomina,
Tudo convém para o homem ser completo!

6/11/2020 – Poder 360

Nau da Insensatez

De tanto ver triunfar as nulidades,
de tanto ver prosperar a desonra,
de tanto ver crescer a injustiça,
de tanto ver agigantarem-se os poderes nas mãos dos maus,
o homem chega a desanimar da virtude,
a rir-se da honra,
a ter vergonha de ser honesto.

Ruy Barbosa

Paira no ar certa tristeza intrínseca que, de tão frequente, quase já se tornou uma companheira. A perplexidade inicial foi se ajeitando e, mesmo a contragosto, as inúmeras besteiras se tornaram corriqueiras. Houve uma estranha incapacidade de reagir com a veemência que os descalabros exigiam. Quem se acostuma a discutir, a lutar por diferenças de ideias, a defender pontos de vista, a ceder diante de argumentos bem alinhados se sente atônito e atado quando se confronta com a completa imbecilidade como contraponto.

Tenho dito que a estupidez que aprendemos a desprezar tem sido usada como estratégia de poder. Os espertos destruíram todas as balizas civilizatórias. Minaram a educação, destruíram as bases da saúde pública, detonaram criminosamente o meio ambiente, enfim, imiscuíram-se no que havia de conquistas humanistas adquiridas no decorrer do século. E fizeram um trabalho sistemático de desmantelamento como estratégia de governo, dando a impressão de acaso. Uma forma marota que doura uma deliberada maneira criminosa de conduzir a coisa pública.

Mas, mesmo para os mais desavisados, o grau de insensatez surpreende. A ousadia estúpida parece não ter limites. A desfaçatez com que tratam a pandemia, a politização do vírus e a cultura da morte e do desprezo à vida de certa forma anestesiaram a grande maioria dos brasileiros. Acostumamo-nos a cortar certas pessoas das nossas relações, saímos de certos grupos de WhatsApp, nos preservamos para manter um mínimo de dignidade e lucidez frente ao caos. Cada um encontrou um meio de se manter acordado ante uma longa noite sem sinal da luz do dia. Mas, sem uma reação orgânica e contundente aos desmandos. Sem uma organização na sociedade para exigir o fim dos desmandos.

A cada ato teratológico deste governo fascista que parece querer tirar o ar que mantém a resistência, uma força interior brada e impulsiona, mas sem representatividade coletiva. A vergonha alheia parece já ser uma companheira do dia a dia.

Mas, é possível constatar que, de maneira insidiosa, a ação dos bárbaros ganha cada vez mais espaço. Como dizia o velho Nelson Rodrigues: "Os idiotas perderam a modéstia". Sem máscaras, já não sentem necessidade de mostrar qualquer pudor. O disfarce de simples incautos já não se faz mais necessário. Ostentam à luz do dia a ignorância como galardão. Como sempre a poesia nos socorre na voz de Fernando Pessoa:

Fiz de mim o que não soube
E o que podia fazer de mim não o fiz.
O dominó que vesti era errado.
Conheceram-me logo por quem não era e não desmenti.
e perdi-me.
Quando quis tirar a máscara,
estava pegada à cara.
Quando a tirei e me vi no espelho,
já tinha envelhecido.

Não se fazem mais de rogados, arrotam, sem nenhum pudor, que, para manter o poder, estão dispostos a assumir a responsabilidade de enfrentar a ciência e a ter a pandemia como cruel e dolorosa aliada. Como haviam tido o desplante de pregar a desnecessidade da obrigatoriedade da vacina e não foram enfrentados à altura, agora resolvem tentar interromper a própria produção da vacina com uma inequívoca postura de politizar o culto à morte. Mais do que um caso de saúde pública, estamos diante de um gravíssimo caso que divide a opinião de quem pensa sobre uma saída: *impeachment* ou interdição.

O fato de ter sido democraticamente eleito não confere ao presidente poder absoluto. Nenhum poder é absoluto. A democracia exige que haja freios e contrapesos. Um presidente não pode usar a força, inclusive simbólica, do cargo em um regime presidencialista para afrontar o país pregando e determinando, por razões políticas, a interrupção do curso normal da busca da vacina para enfrentar a pandemia. Não pode ter a ciência como inimiga, nem ter um ministro da Saúde incapaz de enfrentar essa tragédia. Que país vamos legar aos nossos filhos?

Ficamos acostumados aos arroubos sexistas, machistas, misóginos, racistas desse homem insano. E deixamos de levá-lo a sério, acreditando que seu maior perigo fosse essa retórica de atraso. Contudo, mesmo para os parâmetros curtos e rasos, ele extrapola ao proibir a obrigatoriedade da vacina e, pasmem, incentivar que o Estado renuncie à pesquisa. É bom frisar que sequer damos maior valor ao gesto patético e deprimente de ameaçar guerra contra os Estados Unidos.

Esses rompantes se acumulam em um rosário de cretinices que fez o Brasil virar pária na comunidade internacional. Estamos em vertiginosa queda de credibilidade. Esse presidente é do tamanho exato dessas sandices. Diminuiu o país e enxovalhou a dignidade de um povo que anda acabrunhado pelas tabelas. Sua obsessão por insultos sexuais demonstra, à saciedade, o ser primário, complexado, mal resolvido que é. Seu prazer em humilhar generais, de se impor, revela o despeito que ele carrega por ser, reconhecidamente, um militar medíocre e frustrado. O Exército brasileiro e as Forças Armadas não merecem esse comandante em chefe.

A sociedade tem que se mobilizar. Não é possível que sigamos como gado que vai sendo guiado para o abate. Com visão negacionista, esses vândalos, por acreditarem ser a terra plana, não devem enxergar o precipício para o qual estamos sendo sugados. Talvez ainda tenhamos tempo, mas o desprezo não pode ser nossa única arma. Nem a sátira, nem os memes, que há muito deixaram de ser engraçados. Melhor nos socorrermos da imortal Cecília Meireles:

Já vem o peso do mundo com suas fortes sentenças.
Sobre a mentira e a verdade
desabam as mesmas penas.
Apodrecem nas masmorras juntas,
a culpa e a inocência.
...
Já vem o peso da vida
Já vem o peso do tempo
...
Diante do sangue na forca
e dos barcos do desterro.
Julga os donos da Justiça
suas balanças e preços.
E contra seus crimes lavra
a sentença do desprezo.

É preciso haver uma maneira, dentro dos exatos limites constitucionais, de nos tirar a todos desse pesadelo que nos sufoca. Pouco importa se somos um bando de maricas com um punhado de pólvora nos bolsos, com pílulas de cloroquina nas mãos para provar que a vacina não é necessária. Afinal, pregam, esse vírus não existe. Pouco importa se o poder cegou os que estão, ainda que humilhados, aos pés desse presidente. O que nos resta é manter a dignidade e nos indignarmos. Antes que nem a dignidade nos reste como última fronteira da resistência. É bom lembrar que aos bárbaros a dignidade nunca fez falta. E nos ater a Bertolt Brecht:

Pelo que esperam?
Que os surdos se deixem convencer
e que os insaciáveis

devolvam-lhe algo?
Os lobos os alimentarão,
em vez de devorá-los!
Por amizade
os tigres convidarão
a lhes arrancarem os dentes!
É por isso que esperam!

13/11/2020 — Poder 360

Angústia existencial

O homem lúcido me espanta
Mas gosto dele na lírica.
A verdade metafísica
Modela o verbo e a garganta.

O homem lúcido verifica
Que a existência não se estanca
Põe a baba ao pé da planta
Eis que a planta frutifica.

O homem lúcido como quer
Seja lá onde estiver
Ele está, sem aquarela.
Sabe que a vida é viscosa
Sabe que entre a náusea e rosa
Foi que a ostra fez a pérola.

Leão de Formosa

Muito além da morte, esse vírus inoculou nas pessoas a insegurança, o pânico, a dúvida e uma quase desesperança. Talvez pela inusitada junção de fatores: isolamento, crise econômica mundial, fechamento do comércio, home office, escolas fechadas, desemprego, proibição de viagens, número abissal de mortos, enfim, um caos sem precedente. Mas o abalo psicológico tende a crescer e preocupar ainda mais. E se manifesta das maneiras mais diversas. Busco refúgio em Augusto dos Anjos:

Não enterres, coveiro, o meu Passado,
Tenha pena dessas cinzas que ficaram;
Eu vivo d'essas crenças
Que passaram,
E quero sempre tê-las ao meu lado.

...

Ai! Não me arranques d'alma este conforto!
Quero abraçar o meu Passado morto
dizer adeus aos sonhos meus perdidos."

Tenho ouvido relatos pungentes, dilacerados, emocionados, preocupantes.

Uma pessoa infectada, mesmo apresentando sintomas leves, reconhece que a angústia tomou conta dela. Homem forte, acostumado ao enfrentamento das dificuldades sem se abalar, viu-se tomado de angústia e tristeza com choros frequentes e incontroláveis. Outro, mais velho, sereno e recatado, deparou-se assomado de profunda ansiedade sempre ao cair da tarde, como que com medo da chegada da noite. Percebeu que os dois meses que passara internado em um leito de UTI o tiraram do prumo.

Político experiente, acostumado com os duros embates no Parlamento, fragiliza-se ao falar da perplexidade de se sentir tão vulnerável. E o tempo na UTI consolidou um sentimento de indignação: "Por que comigo?" Como se fosse possível decodificar as preferências desse vírus maldito. Outro não se contém de medo por ter que se isolar dentro de casa sem saber se infectou o resto da família. Como característica comum tem a voz embargada, o soluço contido, o medo do futuro, certa raiva travestida de indignação e um vazio abissal frente ao caos e ao desconhecido.

Ainda teria outros exemplos de situações dramáticas, de mortes inclusive, mas meu olhar se fixa num silêncio ensurdecedor dos "eus" que estão à procura de um encontro interior. De uma segurança. A perplexidade frente ao desconhecido assola a humanidade. Quem dá a régua agora é a forma como cada um enfrenta as vicissitudes, esse é o sinal do novo tempo. E, claro, como olhar de frente essa desilusão que já habita boa parte de nós? Como fazer da alma um refúgio e não um precipício? E em Pessoa, no *Livro do desassossego*:

O tempo! O passado!

...

Aquilo que fui e nunca mais serei! Aquilo que tive e não tornarei a ter! Os mortos! Os mortos que me amaram na minha infância. Quando os evoco, toda a alma me esfria e eu sinto-me desterrado de corações, sozinho na noite de mim próprio, chorando como um mendigo o silêncio fechado de todas as portas.

O impressionante dado de que no Japão ocorreram 2.153 mortes em outubro por suicídio e 2087 mortes por Covid-19, mesmo com toda a nossa diferença cultural, nos faz olhar para a crise com um olhar não óbvio, mas de incredulidade. É necessário ouvir aquele que, sem se dar conta, perdeu a capacidade de enfrentar o vírus "só" como um desastre com forte potencial de matar, e agora o vê como um risco palpável de propulsor da angústia, do medo, dessas outras mortes mais torturantes e sufocantes. Esse estado de pânico e de medo profundo não pode ser tratado como efeito colateral da doença. O flagelo da alma, outra doença, é uma morte em vida e destrói as pessoas.

Vivemos em um país onde o governo brinca com a vida, ironiza a morte, despreza a ciência, não prioriza a vacina, nega a gravidade e até a existência, pasmem, da pandemia. Se a morte, 173 mil mortos, que é algo físico e palpável, não sensibilizou esses bárbaros, imagine as cicatrizes da alma. Essas não serão sentidas e certamente serão motivos de escárnio. São essas chagas invisíveis que nos assombram. Precisamos ler T.S. Eliot:

Nós somos os homens ocos
Os homens empalhados
Uns nos outros amparados
O elmo cheio de nada.
Ai de nós!
...
Fôrma sem forma, sombra sem cor,
Força paralisada,
gesto sem vigor;
...

Do reino em sombras da morte
A única esperança de homens vazios.
...
Entre o desejo
E o espasmo

Entre a potência
E a existência
Entre a essência
E a descendência
Tomba a sombra.
...
Assim expira o mundo
Não com uma explosão
Mas com um suspiro.

Que país sairá desse momento de incredulidade, medo, angústia profunda? Cada um de nós envolto por um manto invisível de incerteza e sem espaço para um enfrentamento. Sem coragem para o choro público. O medo da morte, do desemprego, da solidão, todos esses medos sempre afligiram o homem e, de uma forma ou de outra, já são enfrentados e incorporados ao cotidiano. Mas é bom que tenhamos um olhar para essa angústia indefinida. Que não tenhamos medo de assumir nossas fragilidades e fraquezas.

Que neste momento a solidariedade e a empatia sejam nossas companheiras e que o desnudar interior possa nos revelar e nos acudir. A tortura íntima pode deixar sequelas que superam as já conhecidas mazelas. E essas sombras podem se materializar e formar muros intransponíveis entre as pessoas. O pior, talvez, é que a melhor maneira de superar ou tentar minimizar essa dor silenciosa, a forma mais simples, esteja justamente nas restrições impostas pela pandemia: o abraço, o aperto de mão, o beijo.

Vamos então reinventar o afeto! Vamos criar uma maneira também silenciosa, se preciso, de dizer o amor e expressar a amizade. A solidariedade pode ser a vacina para essa outra praga. E essa não depende da ciência, não precisa da conscientização dos bárbaros, depende somente de nós. Vamos nos permitir.

Essa postura vai definir, em boa parte, o mundo que vai sair desse caos. O abraço que aperta e acalenta, mesmo sem toque, pode ser real, pois é um abraço que acolhe as profundezas de nós mesmos. Eu me remeto à sensibilidade de Sophia de Mello Breyner no poema "Ausência":

Num deserto sem água
Numa noite sem lua
Num país sem nome
Ou numa terra nua
Por maior que seja o desespero
Nenhuma ausência é mais funda do que a tua.

4/12/2020 — Poder 360

Matriz e filial: as implicações da invasão ao Capitólio no Brasil

Bates-me e ameaças-me,
agora que levantei minha cabeça esclarecida e gritei:
"Basta"!
Armas-me grades e queres crucificar-me
agora que rasguei a venda cor-de-rosa e gritei:
"Basta"!
...
Esvazia-me os olhos e condena-me à escuridão eterna....
— que eu, mais do que nunca,
dos limos da alma,
me erguerei lúcida, bramindo contra tudo:
Basta! Basta! Basta!

Noémia de Sousa

O Brasil deixou há tempos de ser o país do futuro. Transitou brevemente como uma potência em ascensão e ancorou no presente como um país que tem sido pária internacional. Sem credibilidade, sem respeito, sem charme, sem crédito, sem voz. Passamos a ser motivo de chacota e de desprezo em praticamente todas as áreas. Com um presidente sociopata, corrupto, genocida e profundamente ignorante, rodeado por uma família medíocre e por milicianos, o país começou a fazer água depois de ficar à deriva.

Um dos pontos que acalentava o sonho brega dessa família, que envergonha a todos nós que sabemos distinguir o que é ridículo, era a pretensa proximidade com o fascista laranja que ainda governa os Estados Unidos. Não confundir o laranja artificial do Trump com os laranjas que enriquecem e sustentam a família presidencial brasileira. Tudo me remete ao "Poema Sujo", de Ferreira Gullar:

Um rio não apodrece do mesmo modo que uma perna
— ainda que ambos fiquem
com a pele um tanto azulada —
nem do mesmo modo que um jardim.
...

E como nenhum rio apodrece
do mesmo modo que outro rio
...
Mesmo porque
para que outro rio
pudesse apodrecer como ele
...
e misturasse seu cheiro de rio
ao cheiro de carniça
e tivesse permanentemente a
sobrevoá-lo
uma nuvem de urubus.

No dia 6 de janeiro, parte dos americanos do norte deram um grito de liberdade contra a supremacia branca. No Estado da Geórgia, tradicionalmente racista e supremacista, um candidato democrata negro, Raphael Warnock, fez história e derrotou a bilionária republicana Kelly Loeffler. E essa eleição, que dá a maioria aos democratas no senado norte-americano, mandou um sinal para o grupo do futuro presidiário Trump. Esse recado foi sentido em Washington D.C. À tarde, um bando de supremacistas brancos invadiu o Capitólio e mostrou ao mundo o lado folclórico desses americanos de quinta categoria, incultos, dominadores, despreparados, opressores e prepotentes. A América profunda ocupou o Congresso.

Foi impagável ver o Congresso norte-americano tomado por um bando de arruaceiros, sem nenhuma qualificação. E o melhor foi ver os poderosos soldados e guardas americanos, acostumados a invadir Congressos mundo afora, serem humilhados por um bando de idiotas, convocados e insuflados por um Trump com viés bolsominion, sem propósito senão a baderna como bandeira de resistência. Patético. Trump e Bolsonaro se merecem. São ridículos. Leio Drummond no poema "*À Mesa*":

Como pode nossa festa
ser de um só que não de dois?
Os dois ora estais reunidos
numa aliança bem maior
que o simples elo da terra.
Estais juntos nesta mesa
de madeira mais de lei
que qualquer lei da república.
Estais acima de nós,
acima deste jantar
para o qual vos convocamos
por muito-enfim — vos queremos e, amando, nos iludirmos
junto da mesa
vazia

Mas é bom que tenhamos a dimensão do que aconteceu e não falemos em golpe, no sentido literal da palavra. De golpe os Estados Unidos entendem muito. Sabem exatamente o que é e como fazer. É nítido que foi um claro atentado à democracia. Um acinte, um escárnio. Foi um golpe na credibilidade de um governo em agonia. Um golpe no líder de extrema direita desmoralizado e a caminho do fim, mas longe de ser um golpe na estrutura do país. Por mais bizarro que sejam os Estados Unidos, aqueles desmiolados que invadiram o Capitólio não chegaram a representar qualquer risco de ruptura institucional. Foi trincado o verniz que mantinha uma fachada democrática para aqueles que acreditam em democracia norte-americana. Isso não significa que nosso atabalhoado presidente, nosso Trump de araque, não vá tentar um golpe no futuro para se manter no poder e livrar da prisão ele e seus familiares.

No momento em que o mundo, perplexo, aturdido, acompanhava o vexame pela mídia internacional, o governo brasileiro resolveu disputar, de maneira tupiniquim, um espaço no vexame. Em rede nacional, o general que ousa, em plena pandemia, ostentar o título de ministro da Saúde tentou explicar o que esses acéfalos farão para assegurar ao brasileiro o direito à vacina*ção*. O pronunciamento foi a cara do governo: pífio, desconectado, sem dar segurança de quando efetivamente começará e qual o programa que nos dará um norte na vacinação. Deviam ler Pessoa no *Livro do Desassossego*:

E quando a mentira começar a dar-nos prazer, falemos a verdade para lhe mentirmos. E quando nos causar angústia, paremos, para que o sofrimento nos não signifique nem perversamente prazer...

O presidente genocida insiste que a melhor vacina é ser infectado e pegar o vírus para conseguir a imunidade de rebanho. Pouco importa a ele e a seu bando quantos terão que morrer para isso. Afinal, vacina, máscara, lavar as mãos e outras precauções recomendadas pela ciência são coisas para boiolas e maricas. Se os 250 mil brasileiros que morreram, número ainda subdimensionado, fossem atletas e machos como o servo do Trump, não teriam morrido.

Nesta semana, ao me referir à prisão da deputada britânica Margaret Ferrier, que viajou de trem entre Glasgow e Londres, estando infectada pelo *vírus e tendo consciência disso, questionei, num artigo chamado "Teje Preso", por que o Brasil não toma nenhuma atitude digna em relação a e*sse presidente genocida. Um presidente que cultua a morte, que despreza todas as regras da ciência, que nega a existência do vírus, que desdenha do uso da máscara afirmando que diminui a oxigenação no sangue e, pior, que usa o poder do cargo para fazer pregação pública contra a vacina. Ainda assim, o brasileiro assiste a tudo calado e inerte.

A quantidade de mortos, os hospitais superlotados, o cansaço dos agentes de saúde, esgotados e sem força, tudo ronda o nosso imaginário e nos alcança de forma acachapante. Sinto uma densa nuvem a nos envolver a todos, nuvem que ora nos sufoca e tira a visão, ora parece nos embalar em um sopro de esperança. Não é possível que tanta dor, tanta angústia, tanto medo, não vão nos fazer ir além.

Se a necessidade de enfrentar esse vírus que nos mata e este verme que nos governa não nos move, significa que a barbárie ganhou. Se a premência desse embate com destemor, seriedade científica, responsabilidade e determinação não nos levar a promover o *impeachment* desse fascista genocida, nós não teremos feito jus a uma sociedade minimamente solidária, justa e igual. Seremos cúmplices desses que optaram pelo esgoto e pelo desprezo à dignidade.

O grito de liberdade contra a supremacia branca que saiu da Geórgia e o vexame que ecoou no Capitólio têm que ajudar a romper aqui os nossos grilhões. Nunca esperei nada desses americanos do norte, nem dos republicanos e tampouco dos democratas. Mas o ridículo deles me serve se aqui, ao meu lado, eu sentir o tremor que se faz presente nas pessoas quando saímos da opressão rumo à liberdade. Já passou da hora de levarmos o nosso país e a nós mesmos a sério. É se encontrar em Rainer Maria Rilke:

Escuridão, minha origem,
amo-te mais que a chama
que é limitada,
porque só brilha
num círculo qualquer
fora do qual ninguém a conhece.
Mas a escuridão tudo abriga
figuras e chamas, animais e a mim,
e ela também retêm
seres e poderes.
E pode ser uma força grande
que perto de mim se expande.
Eu creio em noites.

8/1/2021 — Poder 360

A hora e a vez do Congresso

O pasmo que me causa a minha capacidade para a angústia. Não sendo, de natureza, um metafísico, tenho passado dias de angústia aguda, física mesmo, com a indecisão dos problemas metafísicos ...

...

Nenhum problema tem solução. Nenhum de nós desata o nó górdio; todos nós ou desistimos ou o cortamos.

Fernando Pessoa, *Livro do desassossego*

Poxa, outro artigo sobre *impeachment!* Até parece com as centenas de notas de apoio ou repúdio que proliferam nos grupos de WhatsApp para os mesmos leitores. É verdade, esse é um dos papéis que cabe ao cidadão numa sociedade democrática. Eu não tenho a chave dos cofres públicos para impressionar os congressistas e, se a tivesse, não usaria. Me resta a palavra, então escrevo. O que a advocacia me deu de mais precioso ao longo de 40 anos de profissão foi ter voz. E essa é a minha forma de resistir.

Há algum tempo, em virtude das dezenas de atos desairosos desse fascista que ocupa a Presidência da República, pediram que eu escrevesse sobre a viabilidade de um processo de *impeachment*. Neguei-me a fazer um artigo nesse sentido. Entendo que não devemos e não podemos banalizar o instituto do *impeachment*. Defendo que, em uma democracia que se preze, a alternância de poder é saudável e só fortalece as instituições. Quem perde nas eleições se organiza e tenta, depois de quatro anos, ocupar novamente o poder pelo voto. Simples assim. Recorro sempre a Rainer Maria Rilke:

Aceita tudo o que te acontece,
o belo e o terrível.

É só andar.
Nenhum sentimento é estranho demais.
Não deixe que nos separem.
Perto está a terra que chamam de vida.
Tu a reconhecerás pela sua gravidade.
Dá-me a mão.

Mesmo sabendo de todas as barbáries praticadas por esse genocida e seu grupo, eu ainda acreditava ser possível apostar numa normalidade democrática. É claro que o *impeachment* também faz parte da normalidade, pois é uma expressa previsão constitucional, mas sem dúvida é uma opção traumática. Nos últimos tempos, porém, os abusos se acumularam de maneira constrangedora. Viramos pária e chacota internacional. E repito, como dizia Nelson Rodrigues, "os idiotas perderam a modéstia". E recrudesceram na sandice, no escárnio às instituições, no desprezo aos sentimentos humanitários.

O presidente é sádico. Escolheu um grupo de indigentes intelectuais que não tem nenhum compromisso com qualquer vestígio de humanismo ou ato civilizatório. No meio da crise das vacinas, o fantoche que ocupa o cargo de ministro da Saúde disse ser difícil estabelecer tratativas com a Índia por causa do problema com o fuso horário! Meu Deus, é muita humilhação! Em um programa de televisão, o presidente da República, ele próprio, dá a surpreendente notícia de que um de seus ministros está produzindo a vacina. Fantástico! Todos os laboratórios do mundo, todos os cientistas, todos os médicos, enfim, toda a inteligência do mundo que estava dedicada ao descobrimento, ao aperfeiçoamento, ao estudo da cura do vírus. E nosso presidente comunica que em breve um ministro dele vai mostrar uma vacina feita por ele. O apresentador pergunta, perplexo, onde o ministro está trabalhando na vacina. O presidente responde não saber e manda perguntar ao ministro.

É muito desprezo pela vida, muito desdém com a dor, muita ausência de solidariedade. É pura maldade, doença, barbárie, sadismo. Num momento em que se discute a falta das vacinas e o aumento vertiginoso do número de mortos por absoluta negligência do governo, que não cuidou de priorizar a compra, o presidente tenta encontrar motivos para distrair a nação do que é realmente sério e faz chacota, usando palavrões, sobre leite condensado, chicletes e alfafas. Não dá mais, chega, basta!

O *impeachment*, como sabemos todos, é um processo político-jurídico. Mesmo quando está configurada a prática do crime de responsabilidade, ainda é necessário que estejam também presentes as condições políticas. É assim o rito constitucional. Até por isso, defendi a necessidade de discutirmos a hipótese do crime comum, que entendo ter ocorrido mais de uma vez. Mas os fatos se precipitaram. Mesmo com todas as naturais dificuldades, sinto estar maduro o momento para o *impeachment*. Sei que o presidente, com sua absoluta não responsabilidade com a ética e despreocupação com a coisa pública, está com os cofres abertos para impedi-lo. Também acompanho os estudos que afirmam que, sem movimento nas ruas e sem a perda da popularidade abaixo de 20%, o *impeachment* não passa. Mas, penso, essa é a análise fria em tempos normais. E o imponderável? E o momento teratológico que vivemos? E as milhares de mortes que poderiam ter sido evitadas? E as dores insuperáveis das pessoas abandonadas? E a falta de oxigênio que tirou o ar das pessoas, o ar real de quem precisou, e o ar que alimenta a lucidez de todos os que acompanham o filme de terror que virou o Brasil?

Esses monstros estão brincando com a vida, estão rindo da tristeza, estão ridicularizando a dignidade das pessoas. Será que ainda assim o critério para o impeachment será aquele frio do "toma lá dá cá"? Será que o político brasileiro virou também esse sádico desprovido de qualquer viés humanitário? Aqui não cabe nenhuma discussão entre esquerda, direita, centro. É civilização e barbárie. É humanismo ou bandidagem. Vamos convocar o Congresso e votar o impeachment. Cada um responderá pela sua postura. Volto a Augusto dos Anjos, em "Tristeza de um quarto minguante":

...
Diabo! Não ser mais tempo de milagre!
Para que esta opressão desapareça
vou amarrar um pano na cabeça
Molhar a minha fronte com vinagre.

...
Então dois ossos roídos me assombraram...
— Porventura haverá quem queira roer-nos?!
Os vermes já não querem mais comer-nos
E os formigueiros já nos desprezam.
...
Porque, longe do pão com que me nutres
Nesta hora, oh! Vida que a sofrer me exortas
Eu estaria como as bestas mortas
Penduradas no bico dos abutres!

O Poder Judiciário é um poder inerte, só age quando acionado. O Supremo Tribunal não tem faltado ao país nessa hora. O ministro Ricardo Lewandowski tem honrado a toga nesse momento de desespero. Agora, vamos testar o Legislativo. Sempre defendi que o presidente Rodrigo Maia agia bem ao não colocar para votar os inúmeros pedidos de *impeachment*. Sabemos que, sem a maioria necessária para aprovar o impedimento, o presidente da República sairia fortalecido. Mas esse seria o argumento racional para uma época de alguma normalidade. Não é o nosso caso agora. Esse genocida nos tirou o ar, colocou uma venda nos olhos dos brasileiros, sufocou não só os portadores do vírus, mas até mesmo crianças que morrem à míngua sufocadas pela ignorância que ele e o grupo dele representam.

Existe uma linha invisível que me separa, e separa boa parte dos brasileiros, quero crer, da maioria desses facínoras. O presidente optou, deliberadamente, pela necropolítica. No início, politizou o vírus, desprezando a ciência e afrontando à inteligência. Legou-nos mais de 250 mil mortos. Agora, levou a ideologia para as relações internacionais na questão da vacina. Isolou o país. Uma densa nuvem vai sufocar mais e mais o brasileiro. O presidente tem se tornado uma poeira tóxica que impede qualquer um de respirar.

O pior é que se fôssemos escolher, tecnicamente, qual dos 64 pedidos de *impeachment* que dormitam na Presidência da Câmara, poderíamos pegar qualquer um, quase aleatoriamente. São inúmeros os crimes de responsabilidade por ele cometidos. Em recente matéria no *Estadão*, ouvidos vários especialistas a respeito do crime de responsabilidade, impressionou que cada professor trouxe em sua respectiva análise a tipificação de um crime diferente do outro. Isso é uma catástrofe, pois apresenta o presidente como um *serial killer* em matéria de crime de responsabilidade. Se fosse escolher um, o que torna mais urgente a votação do impedimento, eu citaria o destacado pela grande professora Gabriela Araújo: os crimes contra os direitos fundamentais, especialmente o direito à vida.

Basta a certeza que temos hoje de que o presidente teve oportunidade de comprar um número considerável de vacinas e optou, de forma deliberada e criminosa, por comprar hidroxicloroquina e cloroquina, contrariando toda a recomendação científica. Há que se apurar o que existe por trás dessa conduta criminosa, leviana e irresponsável. Na realidade, a postura do chefe do Executivo na pandemia tem que encontrar um freio e esse limite tem que ser imposto por outro poder constituído. Ou o crime comum, no Supremo. Ou o *impeachment*, no Congresso. Ocorre que, mesmo no crime comum, o Congresso terá que ser ouvido. Logo, o *impeachment* é o caminho que resgata a dignidade do povo brasileiro.

Soube que a Covid internou a cartunista Laerte na UTI. Internaram a inteligência, a ironia, a irreverência, o humor. Também recentemente, nesses tempos angustiantes, amigos resolveram abandonar a vida, deliberadamente, sem sequer se despedirem. O que nos resta é resistir, até em homenagem aos que se foram. E acreditar na resistência. Em honra aos que também acreditavam, mas foram vencidos. Como ensinou o poeta Eduardo Galeano:

> *"A utopia está no horizonte. Me aproximo dois passos, ela se afasta dois passos. Caminho dez passos e o horizonte corre dez passos. Por mais que eu caminhe, jamais alcançarei. Para que serve a utopia? Serve para isto: para que eu não deixe de caminhar."*

Por isso, sigo escrevendo.

28/1/2021 – Poder 360

A humanidade ultrajada

Sou mais velho que o Tempo e que o Espaço, porque
sou consciente. As coisas derivam de mim; a Natureza
inteira é a primogênita da minha sensação.
Busco — não encontro.
Quero, e não posso.

Fernando Pessoa, *Livro do desassossego*

Quando o desastre da eleição para presidente desse fascista se concretizou, recordo-me bem, uma profunda desesperança se abateu sobre boa parte do povo brasileiro. Uma tristeza indescritível. O Brasil estava dividido. Profundamente dividido. As nossas preocupações eram, entre outras, as pautas dos costumes, da cultura e da economia. Enfim, sabíamos que todo o horror e o baixíssimo nível vistos no período eleitoral viriam prestigiar o armamento e a falta de prioridade social.

Boa parte de nós tinha a impressão de haver sido vítima da máquina implacável das notícias falsas, das armações sem limites, dos tais algoritmos das redes sociais que impunham verdades ou mentiras, que faziam e desmanchavam realidades, transformando-as em ilusões; de que estávamos sendo tragados pelos mentores dos bastidores, onde se criava um mundo irreal para nós, mas absolutamente verdadeiro para a máquina de eleger populistas nesse movimento que se iniciou nos anos 2000 na Itália. Como já constatava Giuliano Da Empoli, no livro *Os Engenheiros do Caos*, citando Woody Allen: "Os maus, sem dúvida, entenderam alguma coisa que os bons ignoram".

Mas o espírito democrata que habitava em nós teimava em afirmar que essa era a regra do jogo, que a alternância de poderes consolida a democracia formal, que nós, humanistas, nos fortaleceríamos com as provações e adversidades. E fomos acompanhando, perplexos, o desmonte de todas as estruturas que sustentavam o Estado: o desmantelamento do SUS, a falência deliberada da política cultural, a entrega indecente das florestas e de toda a área ambiental, o sucateamento das pesquisas, o abandono da ciência e das universidades, enfim, uma política de terra arrasada para extirpar qualquer pensamento digno de ser chamado de raciocínio. Um show de horror. Uma humilhação.

Tem sido assustador acompanhar as políticas desenvolvidas pelos ministros do governo. Tétricos. Pessoas saídas de um esgoto profundo, das mais obscuras trevas, do lodo. Lembro-me da vergonha que passávamos, ao viajar para fora do país, pelo baixo nível do presidente e da sua equipe.

E ainda tínhamos que aguentar as pessoas mais improváveis no nosso dia a dia. Estúpidos de extrema direita, ou simplesmente estúpidos, sem nenhuma formação humanista, que tinham orgasmos múltiplos com o inimputável falando no tal cercadinho na frente do Alvorada. Era uma fase em que ainda se fazia essencial adotarmos certas atitudes, principalmente sair de grupos de WhatsApp e evitar certos ambientes, pois os fascistas estavam com vontade de arrotar a ignorância acumulada.

Reconheço que teve um lado bom nisso tudo: depuramos as relações, bloqueamos os fascistas deslumbrados, cortamos vínculos com aqueles incentivadores da violência, da barbárie e que se travestiam de democratas. Foi uma necessária libertação, que me remeteu ao grande Manuel Bandeira, no seu "Poética":

Estou farto do lirismo comedido
Do lirismo bem-comportado.
...
Não quero mais saber do lirismo que não é libertação.

Mas, quis o destino que, no meio desse desastre de um governo fascista, como se fosse pouco, tivéssemos que encarar uma pandemia, a mais grave crise sanitária da história. E aí o fascista inculto se esbaldou. Viu a chance de se fortalecer como mito.

Com uma personalidade incapaz de qualquer reflexão, ou de ouvir quem quer que seja, o presidente resolveu enfrentar, fisicamente, individualmente, o vírus da Covid. Minha impressão é que ele é tão primário a ponto de, num primeiro momento, resolver provar que podia, ele próprio, acabar com o vírus. Não é possível tanta política negacionista, tanta desumanidade, tanta deslealdade à dor do próximo.

O presidente se superou. Fez da morte seu canto de guerra. Da hipocrisia, sua arma de iludir. Do sadismo, sua pretensa superioridade. E da maldade e desprezo à dor do outro, sua marca pessoal. Ao imitar numa live o desespero de uma pessoa com falta de ar pela infecção do vírus, ele se despiu da condição de ser humano. Não só se rebaixou aos ídolos dele, torturadores que venera, mas também disse a todos nós que somos cúmplices se não reagirmos.

O *impeachment* virou um jogo de figurinhas repetidas. Todos, de alguma forma, já se manifestaram no sentido de que o impedimento é inevitável. Hoje em dia, aquela divergência familiar já é rara. Ninguém quer dividir as mãos sujas de sangue com um genocida. Ninguém quer se identificar com um presidente que acaba de ser apontado por uma comissão de especialistas em Direito, criada pelo Conselho Federal da OAB para analisar e sugerir medidas no enfrentamento da pandemia, como uma pessoa que deve ser responsabilizada pelos crimes de homicídio e lesão corporal por omissão imprópria. E por crime contra a humanidade, segundo o artigo 7º do Estatuto de Roma.

É claro que tal proposta ainda não foi votada e aprovada pelo Conselho Federal, mas já está devidamente sacramentada pela comissão, graças à coragem e à independência intelectual dos juristas membros do grupo, que cumpriram o papel que lhes cabia: Carlos Ayres Britto, Miguel Reale Júnior, Siqueira Castro, Clea Carpi, Nabor Bulhões, Geraldo Prado, Marta Saad e José Carlos Porciúncula. Tive a alegria de fazer parte da comissão, como um gesto de generosidade do presidente Felipe Santa Cruz.

A proposta elaborada foi técnica e comprovou que o histórico de negação deliberada na compra das vacinas, entre outras condutas, caracterizou a omissão penalmente relevante. O presidente tinha o dever de zelar pela saúde pública do brasileiro, como garantidor desse bem jurídico, e, ao contrário, optou por violar esse direito.

Ao abandonar a população à própria sorte, fundando uma verdadeira República da Morte, inclusive tentando impedir que outras autoridades tomassem medidas indispensáveis, o presidente revelou ser responsável por ataques generalizados e sistemáticos contra o povo brasileiro. A imputação de crime contra a humanidade por ofensa ao artigo 7º do Estatuto de Roma dá a dimensão da nossa catástrofe.

Espero que essa dimensão do nosso desamparo tenha servido para uma reflexão sobre o monstro que preside o Brasil. Felizmente, já encontro poucos bárbaros a apoiar esse responsável por cerca de 350 mil mortos. Quase todos nós fomos atingidos, sob o prisma pessoal, com o maldito vírus. Cada um faz sua ponderação e, é interessante, encontra uma maneira de enfrentar esse maldito vírus fora dos espaços tradicionais.

Está chegando a hora de saber quem tem uma postura cristã, uma visão que prioriza a humanidade e o amor ao próximo, ou que se posiciona pela morte e pelo fascismo. Nunca na história recente da humanidade foi tão fácil definir o comportamento das pessoas. Não há erro. Não há como ter dúvidas. É um raciocínio, por incrível que pareça, binário.

Quem é a favor da vida? Quem apoia a priorização da ciência? Quem coloca a vacina como prioridade absoluta? Quem acredita no isolamento e no uso de máscara como base de tudo? O contrário é o que é: apoia o culto à morte, apoia esse presidente fascista, genocida, bandido.

Homenageio o filósofo Unamuno na guerra civil espanhola, quando o franquista general Millan Astray deu o grito, na Universidade de Salamanca, "Viva la muerte!", ele respondeu de pronto:

> *Às vezes o silêncio é melhor do que mentir.*
>
> ...
>
> *Mas não convencerá. Pois para convencer precisará do que lhe falta: a razão e o direito em sua luta.*

Agora é uma definição simples. É entre a barbárie e a vida, nem é mais uma possível controvérsia com a ciência. É uma definição de vida, de caráter. Ou é bandido, fascista e assassino, no mínimo por omissão, ou é resistente a essa tragédia que se abateu sobre nós. Todos nós! Vale lembrar, de Ernst Toller:

Estamos todos vinculados ao mesmo jogo pelo destino.
Estamos todos unidos pela criatura de mil anos de tortura.
A compulsão das trevas rodopia através das marés para todos nós.
Oh, maldição dos limites!
As pessoas odeiam sem escolha!
Tu, irmão da morte, vai conduzir-nos juntos.

16/4/ 2021 — Poder 360

Mentiras desavergonhadas

A verdade é inconvertível, a malícia
pode atacá-la, a ignorância pode
zombar dela, mas, no fim; lá está ela.
Winston Churchill

Se o caos dos dias atuais pudesse ser explicado por algum especialista em desgraça e ele ousasse escrever sobre o Brasil, certamente seria tido como um profundo pessimista ou um arquiteto das trevas. O Brasil é indescritível. Um acúmulo exorbitante de maldades faz com que o país esteja à deriva, à beira de um naufrágio.

Para muitos, a debacle já veio com a implementação da política fascista e negacionista que nos legou, até o presente momento, 431 mil mortos pela pandemia. Entre os sobreviventes, 14,4 milhões de brasileiros estão desempregados e perto de 33 milhões estão no trabalho informal. Somos um país de dimensões gigantescas, com uma desigualdade brutal e desumana. E temos um sistema político cruel e corrupto que surpreende a todos. Viramos chacota mundial e pária internacional.

A estrutura que levou à Presidência da República um grupo que não tem a dimensão do país deve e tem que ser repensada. E, o pior, é um bando sem preparo, sem escrúpulos e sem limites. A mentira passou a ser a grande arma nacional. O elo de unidade dos que estão no governo é a mentira despudorada, que nem sequer causa constrangimento. Vale lembrar-nos de Ferreira Gullar:

Se Narciso se encontra com Narciso
e um deles finge
que aí outro admira

(para sentir-se admirado),
o outro
pela mesma razão finge também
e ambos acreditam na mentira.
...
E se o outro é como ele, outro Narciso,
é espelho contra espelho:
o olhar que mora reflete o que admira num jogo multiplicado
em que a mentira de
Narciso a Narciso
inventa o paraíso.
...
O espelho embaciado,
já Narciso em Narciso
não se mira:
Se torturam
Se ferem
Não se largam
Que o inferno de Narciso
É ver que o admiravam de mentira

A mediocridade eliminou quase totalmente a produção intelectual no Brasil. Viramos um país do óbvio, das mensagens de cinco linhas, da falta de reflexão e dos discursos no cercadinho na frente do Palácio. Mas, para todos nós que resistimos, é importante delinear os espaços de enfrentamento da barbárie.

O desmonte deliberado de todas as áreas anuncia tempos ainda mais desesperadores. O completo abandono da ciência, da educação, da saúde e de todas as bases de um país justo foi se concretizando a passos largos.

E numa disputa surda entre a vida e a morte, entre as luzes e o obscurantismo, o país vai tentando se posicionar enquanto o governo trata de saquear a nação à luz do dia. É uma política deliberada de sucateamento. Não são poucos os que hoje entendem que erraram e que o apoio a esse grupo miliciano indica uma forte sensação de ruptura institucional. Mas ainda existe uma parcela considerável que não acredita no vírus, que defende que a terra é plana e que nós é que somos imbecis, não eles, todos cúmplices dessa tragédia humana. Tudo isso remete-me ao grande Candido Portinari, pintor e poeta:

Loucos os homens cospem lama
Sobre as flores e as criancinhas.
Quando começaram? Sem cílios
E as retinas mortas continuam
As espadas de água e as terras
Fendidas escorrendo-nos dentro.
Vozes feias e malditas
Perseguindo-nos. E as luzes e as folhas?
Eles não caem não se levantam
Não vão e não vêm. Não são.
Pesadelos? Dementes espaventados fogem...

Mas o grupo que comanda o Brasil optou por governar um país imaginário. A mentira individual leva a uma série de deformações que pode causar constrangimento a quem tem responsabilidade, mas que é a arma dos que estão atualmente no poder. A questão é que, neste momento, a mentira coletiva passou a ter um espaço e uma força que orienta o destino do país. Os mentirosos passaram a acreditar nas versões criadas e um fio tênue entre realidade e ficção tem dado mais espaço a esse mundo imaginário. Imaginário, mas com efeitos reais catastróficos. A narrativa teratológica substitui a realidade com a simplicidade que leva boa parte das pessoas a se sentir representada. Os idiotas, já disse Nelson Rodrigues, perderam a modéstia. A reflexão e a crítica viraram artigos de luxo.

Reconhecer o nível de insanidade dessas autoridades é importante para definir como combater a selvageria.

É um governo no qual o ministro da Casa Civil tem o desplante de tomar a vacina escondido, com medo da reação do presidente da República. Um general se escondendo de um capitão de araque. Uma vergonha alheia.

Outro general da ativa, que ocupou o Ministério da Saúde sem sequer saber o que era o SUS, mente em rede nacional sem nenhum pudor. Não existe uma inteligência emocional ou uma estratégia que não seja o deboche. O ex-ministro disse que o presidente nunca o desautorizou a comprar vacinas e é desmentido por inúmeros vídeos. É muita desfaçatez. É aquele limite do mundo ficcional que aparentemente essas estranhas criaturas criaram para elas.

O problema é que as consequências das alucinações coletivas, vividas por essas autoridades, são suportadas pelo cidadão real. As mentiras que os sustentam e que os fazem viver numa bolha repercutem no dia a dia do brasileiro. No caso, as vacinas não foram compradas por ordem expressa do comandante dos asseclas.

E a guerra ideológica que alimenta esses pigmeus intelectuais faz com que, neste momento, não exista produção do imunizante no Brasil por falta de insumo. Sem vacina comprada e sem insumo para produzir no território nacional. Tudo documentado, filmado. Mas, no mundo imaginário vivido por esses governantes, nada aconteceu. Eles são a própria mentira. Confundem-se com ela. Vivem dela.

E o desesperador é que, nas poucas vezes que cumprem o que falam, que dizem a verdade, a realidade é também desastrosa. O ministro do Meio Ambiente, na reunião ministerial de 22 de abril, presidida pelo presidente da República, esclareceu que o plano dele era aproveitar que a mídia e as atenções de todos estariam voltadas para a pandemia e "passar a boiada", promover uma "baciada" de mudanças de regras ligadas à proteção ambiental para satisfazer a sanha predatória dos grupos que apoiam o governo.

Essa é a nossa sina. Viver entre o delírio do mundo imaginário onde a mentira é o ponto de união dos medíocres e a infeliz realidade de um país sucateado e entregue. E a realidade, da qual não podemos fugir, é que o Brasil virou um país triste, perigoso, sem luz.

O oxigênio que falta aos milhares de infectados, entregues muitas vezes à própria sorte, é o mesmo que devemos desesperadamente buscar para nos dar forças ao enfrentamento. Não podemos deixar de resistir. Vamos lutar contra o mundo falso e imaginário e vencê-lo no mundo real. Até porque não nos deram outra opção. Melhor socorrer-nos do sonhador D. Quixote: "Mudar o mundo, meu amigo Sancho, não é loucura, não é utopia, é Justiça!"

21/5/2021 – Poder 360

O resgate das nossas cores e do afeto

Uma mão fria aperta-me a garganta e não me deixa respirar a vida. Tudo morre em mim, mesmo o saber que posso sonhar. De nenhum modo físico estou bem. Todas as maciezas em que me reclino têm arestas para a minha alma. Todos os olhares para onde olho estão tão escuros de lhes bater esta luz empobrecida do dia para se morrer sem dor.

Fernando Pessoa, *Livro do desassossego*

É muito interessante observar a reação das pessoas quando se tem que lidar com a lógica dos fascistas negacionistas. Esses assassinos em potencial, cúmplices do extermínio, têm o desplante de criticar o uso de máscara, chegando ao cúmulo de dizer que elas aumentam o número de infectados. Sem nem ruborizar, gostam de pregar a necessidade da aglomeração, ridicularizando o isolamento.

São críticos fundamentalistas das vacinas e ainda receitam, e dizem tomar, cloroquina e tudo o mais que os amantes da imunização por rebanho apregoam. São os que aplaudem e entram em delírio com as sandices ditas pelo presidente da República ao desaprovar as orientações dos organismos internacionais da área da saúde. Um show de horrores deprimente.

Esse é o perfil dos apoiadores do governo Bolsonaro, um presidente que está sendo responsabilizado por especialistas das áreas médicas e da advocacia pela morte de milhares e milhares de brasileiros pela omissão. A responsabilidade criminal é evidente.

A sociedade espera, ansiosa, a manifestação do senhor procurador-geral da República, que é quem constitucionalmente tem o direito e o dever de decidir sobre a apresentação da denúncia perante o Supremo Tribunal Federal. Várias entidades representativas fizeram sua parte e apresentaram o pedido de abertura do processo criminal, mas a palavra final é da Procuradoria-Geral da República.

Entre os advogados, amadurece a ideia, já proposta por mim meses atrás, de ajuizar queixa-crime subsidiária, ante a inércia do procurador-geral, para pedir a responsabilização criminal do presidente. Depois de dizer isso numa live, recebi muitas manifestações de parentes de pessoas que morreram pelo abandono na crise sanitária com a intenção de serem os autores para a provável ação penal.

Da mesma maneira, há uma tremenda expectativa sobre o relatório da CPI (Comissão Parlamentar de Inquérito) da Covid, realizada pelo Senado, que deverá apontar vários crimes de responsabilidade do presidente e seu bando. Nesse caso, o relatório tem que ser encaminhado à Câmara dos Deputados para a abertura da discussão sobre o afastamento do presidente.

A decisão de encaminhar ou não a proposta de impeachment para a votação pelo plenário da Câmara cabe, regimentalmente, ao presidente da Casa. Também nessa situação, como no caso da denúncia ao Supremo Tribunal, é necessário discutir os poderes imperiais do presidente da Câmara e do procurador-geral. É bom lembrar que a CPI da Covid só foi instalada após uma decisão do ministro Barroso, do STF, que foi provocado pela inércia do presidente do Senado.

Todas essas relevantes e cruciais questões deságuam num debate oportuno e responsável: deve o cidadão sair às ruas para exigir um pingo de dignidade por parte do presidente da República, propondo a imediata retirada desse grupo de extrema direita do poder?

Será um grito, um apelo e um pedido desesperado pela vida contra a barbárie e as mortes desenfreadas. Mas, entre nós, com consciência das dores, nossas e dos outros, a discussão sobre participar ou não das passeatas de protesto é densa e sem resposta pronta. Vale nos amparar na genial Clarice Lispector: "Renda-se, como eu me rendi. Mergulhe no que você não conhece como eu mergulhei. Não se preocupe em entender, viver ultrapassa qualquer entendimento"

A coerência da pregação pela necessidade do isolamento nos mantém em casa. Não somos bolsonaristas irresponsáveis, mas ficar em casa na companhia de 450 mil mortos é inquietante, frustrante e nos enche de profunda indignação. É como se nossa falta de ação representasse qualquer hipótese de concordância com a barbárie. Chega uma hora que a indignação já não cabe nos limites das nossas casas.

É na saudade e na certeza de que eles, os 450 mil que se foram, rondam nossas vidas que a hipótese de estar nas ruas em 29 de maio, próximo sábado, toma corpo.

A sensatez nos faz discutir caso a caso. Se a opção for ir às ruas, é imperioso tomar todos os cuidados. As caminhadas Brasil afora já se iniciam com a presença, em todas elas, dos quase meio milhão de brasileiros que foram tragados pela postura desumana, covarde e cruel desse governo, representante e cultor da morte. Mesmo numa cidade pequena do interior, onde se consiga reunir apenas 100 pessoas no protesto, é bom cada um saber que existe uma presença invisível, a qual nos acolhe e nos abraça, daqueles brasileiros que foram vencidos pelo vírus e pela omissão criminosa do governo e que acompanham os protestos silenciosamente.

Como estou vacinado, estarei nas ruas, com máscara e respeitando o distanciamento, em solidariedade aos que não estão mais aqui e em protesto contra a barbárie. Entendo que o isolamento é necessário para enfrentar a cepa indiana, mas a democracia e as ruas são necessárias para vencer a cepa miliciana. Mas entendo e respeito os que optarem pela coerência da não presença. Cada um continuará a encontrar uma maneira de mostrar seu apoio e, ao mesmo tempo, seu descontentamento. Sabemos que é um ato pela vida e que os bolsonaristas nem sequer entenderão.

Como ficou evidente na CPI, esses irresponsáveis se alimentam da mentira e criaram um mundo imaginário no qual vivem. Fazem um papel ridículo, mas não se constrangem. Até para sentirem vergonha precisariam ter algum vestígio de humanidade, de integridade. Só se sente ridículo quem tem alguma noção do que é ser ridículo. Deveriam ler Manuel Bandeira, no "Poema do Beco":

O que importa a paisagem, a Glória, a baía, a linha do horizonte?
O que eu vejo é o simples beco.

Não estaremos nas ruas por eles, os cúmplices do extermínio, mas pelo sonho de ter de volta uma vida digna. Sabemos todos que a pandemia é gravíssima e que milhares de mortes aconteceriam de qualquer maneira pelo vírus traiçoeiro. Só não queremos ter qualquer responsabilidade pela omissão, pelo escárnio com a ciência e pela falta de solidariedade ao não ver a dor do outro pelos olhos de quem sofre.

E como tenho dito, ainda irei na manifestação de verde e amarelo para mostrar a esses infames que eles querem nos roubar tudo: a esperança, o humor e até a nossa identidade, mas que continuaremos a resistir. Somos muito maiores do que esse rasgo de obscurantismo que se abateu sobre o Brasil.

Por isso mesmo, cabe a cada um de nós responder com o solene desprezo que eles merecem. Vamos vencer essa praga que cultua o vírus. Já nos levaram muito, saquearam o país destruindo as instituições, seja na saúde, seja na educação ou na cultura. Mas marcharemos de mãos dadas, simbolicamente, com os que partiram e daremos aquele abraço afetuoso como se a saudade pudesse materializar o afeto.

Com o pensamento no poema "Ausência", da grande poeta Sophia de Mello Breyner:

Num deserto sem água
Numa noite sem lua
Num país sem nome
Ou numa terra nua
Por maior que seja o desespero
Nenhuma ausência é mais funda que a tua.

28/5/ 2021 – Poder 360

Baixo clero: golpe baixo

Até cortar os próprios defeitos pode ser perigoso. Nunca se sabe qual é o defeito que sustenta nosso edifício inteiro.

Clarice Lispector

É humanamente impossível escrever uma crônica diária sobre o Brasil. O realismo fantástico tem que se adaptar para acompanhar o grau de fantasia da realidade. O inimaginável ocupa contornos de realidade e fragmentos dos sonhos parecem se materializar. Os sonhos se rendem a pesadelos macabros.

Enquanto o Brasil se firma no primeiro lugar em número de mortos na pandemia, o governo fascista e genocida insiste em criar hipóteses de golpes institucionais, de fake news, para desviar o foco da tragédia sanitária. O número de óbitos pela Covid, nas últimas 24 horas nos 11 países onde mais morreram pessoas assusta: 3.780 mortos no Brasil, 3.662 nos outros 10.

É estarrecedor! A falta de um enfrentamento científico, o desprezo à ciência, o culto à morte, a falta de empatia, a gestão criminosa da crise nos levou ao fundo do poço.

E, enquanto choramos nossos mortos e tentamos nos solidarizar com o povo brasileiro na tragédia que nos domina, ainda é necessário enfrentar e dissecar a aguda crise política no momento dramático. O ministro da Defesa é demitido, assim como os chefes militares das Forças Armadas. E isso vindo de um capitão golpista que foi expulso do Exército. Uma crise que só não se torna fatal pela seriedade e pelo espírito democrático e patriótico dos comandantes militares. Mais uma vez o irresponsável do capitão que ocupa a Presidência tenta fragilizar as instituições com o intuito de assumir um poder despótico e tirano.

Numa outra tentativa de golpe branco, como a que foi intentada na subleitura fascista do artigo 142 da Constituição Federal, ao dizer que as Forças Armadas eram o poder moderador, o líder do PSL tenta emplacar um projeto de lei dando a Bolsonaro poderes de assumir o lado ditatorial com o autoritarismo absoluto.

A tentativa de ter o controle pleno dos servidores civis e militares, inclusive dos policiais, aponta o rumo da nova investida de quebra da institucionalidade. A já conhecida opção de capturar as polícias militares nos estados é uma das sementes do golpe.

Não podemos esquecer que os comandantes das Forças Armadas que foram substituídos tiveram a honradez e o espírito público de não aceitar se misturar com a milícia e os grupos de extermínio. Se essa união tivesse ocorrido, o Brasil deixaria de ser uma democracia e veria instalada a barbárie institucionalizada como projeto de poder.

Ao mesmo tempo, o braço fascista na Câmara se revela na presidente da CCJ (Comissão de Constituição e Justiça e de Cidadania), a deputada Bia Kicis, que ousa disseminar fake news sobre a morte de um PM na Bahia e incitar um motim da Polícia Militar. Se o Congresso Nacional se desse ao respeito, ela seria cassada pelo Conselho de Ética.

Vamos canalizar todas nossas energias para viabilizar as vacinas. Como prioridade absoluta, como regra, como mantra. Vamos insistir naquilo que foi negado pelo capitão cultor da morte e priorizar as máscaras e o isolamento social.

E, em silenciosa homenagem a todos os que sofrem neste momento na solidão dos corredores, dos quartos ou das UTIs dos hospitais, vamos nos unir em pensamento e, os que acreditam, em oração. Todos nós já perdemos alguém querido ou estamos com uma pessoa amada sofrendo sem ar, sem esperança, sem um abraço ou um afago amigo. Vamos nos prometer resistir para enfrentar o vírus, priorizando a vida. Mas, depois, vamos estar atentos para o enfrentamento do verme.

Ninguém pode nos tirar o direito de representar nossa dor, nossa indignação, nossos mortos contra esse governo fascista e assassino. Que a densa nuvem que hoje sufoca os que estão infectados pela irresponsabilidade criminosa da falta de vacina se torne ainda mais impenetrável quando chegar a hora do enfrentamento com os bárbaros. Homenageando Ulysses Guimarães: "Traidor da Constituição é traidor da pátria. Temos ódio à ditadura. Ódio e nojo".

1/4/2021 — O Dia-IG

Vida e juventude perdidas

Morremos de morte igual, mesma morte severina:
que é a morte de que se morre de velhice antes
dos trinta, de emboscada antes dos vinte,
de fome um pouco por dia.
João Cabral de Melo Neto, *Morte e vida Severina*

No Brasil de hoje, todos nós morremos um pouco a cada dia. A morte se apresenta não somente quando é a morte morrida, que nós fomos treinados para sofrer e resistir. Ela sempre foi sofrida e dolorida, mas, em regra, havia o direito a um rito de despedida que fazia a dor ir se ajeitando para que a gente não morresse junto.

A morte sempre foi tratada com a dignidade que acompanha o mistério, o desconhecido, o medo. E, salvo nos desastres, cada um encontrava um jeito de conviver com a inevitável e inexplicável dor da perda. Mas era um direito do cidadão sentir a dor, até para respeitá-la. Até isso o governo que cultua a morte tem negado ao brasileiro.

Num dia em que se registram 4.195 mortos, um óbito a cada quase 20 segundos, totalizando 336.947 mortes, o país já é responsável pelo maior número de mortos entre todos os países, representando mais de 1/3 do total no mundo. E, sem medo de errar, é necessário apontar a responsabilidade direta do presidente da República por boa parte das mortes.

É inegável que, no meio da catástrofe da crise sanitária internacional, teríamos muitos mortos. Mas essa é uma visão isenta, técnica, jurídica e de especialistas da área de saúde. A condução da crise por esse presidente fascista, irracional e genocida é responsável pelo número excessivo de óbitos.

Os números abissais já bastariam para justificar nossa revolta cívica e humanitária contra o monstro que desonra o cargo, tripudia com a dor, despreza o sentimento de abandono do povo brasileiro. Sem precisar relembrar as inúmeras manifestações sádicas, grosseiras, perversas e doentias que já fazem parte do anedotário nacional. Mas o que ele pessoalmente, com vontade livre e deliberada, usando do seu poder de presidente da República, fez em relação à vacina é de uma indignidade revoltante.

Em maio de 2020, optou por ficar fora da aliança para aderir à produção dos imunizantes. No mês de julho, decidiu não comprar 160 milhões de doses da CoronaVac. Em agosto do mesmo ano, rejeitou a proposta da Pfizer de 70 milhões de doses. Não é só indigno, é crime! Crime comum e de responsabilidade. Boa parte dos infectados teria se livrado do vírus se a vacinação começasse meses antes. A falta angustiante do ar para os doentes, seja nos corredores, seja nos quartos ou UTIs dos hospitais, tem que estar na conta desse irresponsável.

A dor do que vi e vivi não me dá a isenção de julgar, mas, também, não me permite a covardia da omissão. Ao mal causado aos que sofrem a dor da perda, ou o sofrimento dilacerante da doença traiçoeira, devem ser adicionados os danos colaterais que afligem todos. A adolescência perdida em um tempo de solidão que há de marcar uma geração inteira. A falta indelével do contato físico, ou mesmo visual, que permite o aflorar da sexualidade, o despertar do desejo, o exercício do jogo do amor e da paixão. Os porres com os amigos e a perda da desculpa dos intelectuais que diziam preferir a solidão, por timidez ou falta de jeito. A solidão agora iguala todos, é de todos.

No meio do desespero, tento encontrar luz e ar e vejo que as palavras escritas passam a ter um valor diferenciado. Fora do mundo físico, os livros, a poesia e as histórias passarão a ocupar mais espaço. Os fascistas, que nos tiraram o ar, a alegria, o toque amoroso e a vida, não vencerão! Eles detestam a luz, têm ódio à cultura e vivem do esgoto. Entretanto, um cenário em que as pessoas estão castradas do contato físico permite momentos de reflexão. É claro que, no mundo binário desses bandidos, o limite é o das frases de efeito, de poucos toques, e das fake news. Mas vamos inundá-los de literatura, pois morrerão à míngua.

Não nos rendamos à estratégia dos bárbaros. Vamos lembrar de Foucault:

> *O risco de morrer, a exposição à destruição total, é um dos princípios inseridos entre os deveres fundamentais da obediência nazista, e entre os objetivos essenciais da política. (...) É preciso que se chegue a um ponto tal que a população inteira seja exposta à morte.*

8/4/2021 — O Dia-IG

Assassino

Almoça a podridão das drupas agras,
janta hidrópicos, rói vísceras magras,
e dos defuntos novos incha a mão...
Ah! Para ele é que a carne podre fica,
e no inventário da matéria rica,
cabe aos seus filhos a maior porção!

Augusto dos Anjos, *O Deus verme*

É muito difícil viver em um país onde a maioria do povo escolheu eleger um fascista, que tem orgulho de ser o que é, para a Presidência. Um homem que durante sua vida, e especialmente na campanha, esmerou-se em cultuar o terror, em fazer apologia à tortura e aos torturadores, em ridicularizar as minorias, em praticar com denodo o racismo, em falar com asco dos quilombolas, em tentar humilhar as mulheres, enfim, em ser um tipo desprezível.

Há que se reconhecer, porém, que ele nunca mentiu. Homem com uma inteligência rasa e sem a menor preocupação cultural, chegam a ser constrangedoras as suas manifestações sobre a cultura. O presidente procurou, no escatológico, o seu espaço político. Ridicularizar os outros, tripudiando com a honra e a inteligência alheias, era o que dava o contorno e a definição de força política. Pregava, deliberadamente, por um país racista, segregador, machista, misógino, em boa parte, com a cara dele.

Mas, quis o destino, o que já era um desastre se transformou em catástrofe. Esse inepto, irresponsável, ignorante enfrenta hoje a maior crise sanitária de todos os tempos com a pandemia do coronavírus, ocupando a cadeira de presidente da República. Uma tragédia.

Homem com espírito pequeno, complexado, com mania de perseguição, com graves e evidentes distúrbios sexuais, sem nenhum respeito dos líderes internacionais, sem noção do que realmente ocorre no mundo, resolve apostar nas questões mais absurdas, levando o país a um isolamento absoluto e a um caos generalizado. Viramos párias internacionais e o número de mortos inviabiliza qualquer análise racional do atual quadro sanitário no Brasil.

A discussão sobre a necessidade do *impeachment* passou a ser uma conversa de quase todas as rodas virtuais. Os crimes de responsabilidade se apresentam aos borbotões. Qualquer estudante de direito consegue apontar dezenas de crimes de responsabilidade que poderiam levar ao *impeachment*. Mas esse é um processo político-jurídico e, embora os crimes teimem em se apresentar, o Congresso se fecha e resolve tutelar o inepto e mantê-lo meio morto vivo, mas sem afastá-lo. A divisão do poder falou mais forte que o interesse nacional.

Já em março de 2020, no site Migalhas e em várias outras manifestações para a imprensa, posicionei-me sobre a necessidade de responsabilizar esse presidente por crime comum e contra a humanidade. Mesmo ciente das dificuldades de falar em homicídio, sentia a necessidade de verbalizar a realidade e mostrar para o cidadão que estávamos diante de um criminoso.

Dessa vez, o destino resolveu desfazer, para mim, em parte, a peça que tramara. Vejo-me nomeado pelo Conselho Federal da OAB para uma comissão especial de juristas, sem ser jurista, mas junto a nomes que honram o mundo jurídico. E os meus colegas dão, tecnicamente, o contorno do crime cometido pelo presidente da República: homicídio e lesão corporal por omissão imprópria. Além do crime contra a humanidade.

É o que importa. A necessidade do *impeachment* já está na boca de todos. E é preciso usar a palavra correta para esse crime: homicídio. Isso tem relevância ímpar perante a Corte Internacional

Os grandes Ayres Britto, Miguel Reale Júnior, Siqueira Castro, Clea Carpi, Nabor Bulhões, Geraldo Prado, Marta Saad e José Carlos Porciúncula fizeram história ao assinar a acusação. Eu dei sorte de estar ao lado deles!

A descrição técnica das condutas impressiona ao mostrar que, tivesse o presidente cumprido o seu dever constitucional, teria evitado a morte e as lesões corporais produzidas pela Covid em milhares de pessoas. É o que se chama de probabilidade próxima da certeza. Ao descumprir, dolosamente, o dever constitucional de proteção ao bem jurídico da saúde pública, no contexto da gravíssima crise sanitária, o presidente "elevou o risco juridicamente proibido" de morte para um grupo indeterminado de pessoas. E estudos científicos apontam a responsabilidade direta do presidente, por omissão, em mais de 150 mil mortes de brasileiros.

Os fatos impressionam. Mesmo alertado por cientistas, o presidente, deliberadamente, optou por boicotar as vacinas ao impedir a compra em diversas circunstâncias. E, ainda, acionou o Supremo para impedir que os governos estaduais decretassem medidas restritivas. Politizou o vírus, vulgarizou a vida, desdenhou da dor. Riu da miséria humana a ponto de imitar em sua live semanal uma pessoa doente com falta de ar. Sádico. Mau. Mesquinho.

E a imputação de crime contra a humanidade, previsto no Estatuto de Roma, é uma coragem da Comissão, ainda que simbólica. Mesmo sabendo ser difícil a condenação, sigo perseguindo essa pecha de homicida. E ser um homicida, por crime contra a humanidade, dá a dimensão exata da tragédia humana a que esse presidente submeteu o nosso povo.

Tivesse esse cidadão a consciência dos seus crimes, já que parece alheio a tudo ao cultuar a morte, ele morreria, a cada momento, por falta de ar, agonizando com os milhares de mortos que são o resultado direto da sua incúria.

Para nós, resta a certeza da necessidade de criminalizar a conduta desse que, ao desprezar a vida, humilhou, especialmente, parte da população que mais sofre com a tragédia, o negro, o pobre, o que não consegue ter assistência médica. O sucateamento do SUS deveria servir como qualificadora, mas meus doutos colegas de comissão não topariam. Recorro à terna Cecília Meireles: "Eu não dei por esta mudança, tão simples, tão certa, tão fácil: em que espelho ficou perdida a minha face?".

15/4/2021 — O Dia-IG

Serial killer: impeachment já

A natureza é a diferença entre a alma e Deus.
Tudo quanto o homem expõe ou exprime é uma nota
à margem de um texto apagado de todo. Mais ou
menos, pelo sentido da nota, tiramos o sentido que
havia de ser o do texto; mas fica sempre uma dúvida,
e os sentidos possíveis são muitos.

Fernando Pessoa, *Livro do desassossego*

Quando Bolsonaro assumiu a presidência e começou a fazer exatamente aquilo que havia prometido a vida toda — apologia à tortura, misoginia, perseguição às minorias, tentativas de fechamento do Congresso e do Supremo, desarme da cultura, do meio ambiente, dos direitos humanos e um elogio à barbárie institucionalizada, enfim, sendo ele na essência, só que com poder —, comecei a receber vários pedidos para escrever sobre o *impeachment*. Neguei todos.

Entendo que é muito grave a banalização de um instituto extremamente traumático. O Brasil demonstrou certa maturidade ao passar por duas destituições em tão pouco tempo. E no último, até o vice-presidente que assumiu, em raro momento de sinceridade, reconheceu que foi um golpe. Não restam dúvidas de que não houve crime.

O afastamento do presidente da República se dá por um processo político-jurídico no qual as condições políticas são o maior vetor da definição da oportunidade. Um governo forte e poderoso no Congresso não se preocupa com a hipótese de *impeachment*. Um governo fraco e impopular, mas que seja corrupto e tenha entregado suas vísceras aos grupos que dominam o Congresso, também não se preocupa. Recorro ao mestre Rainer Maria Rilke:

Mas a escuridão tudo abriga,
Figuras e chamas, animais e a mim,
E ela também retém
Seres e poderes.
E pode ser uma força grande que perto de mim se expande.
Eu creio em noites.

As tessituras das inteligências que pensam dominar o país, muitas vezes, não passam nem perto do termômetro existente num pequeno grupo que coloca a água para ferver ou que resolve servir um chá gelado. O *impeachment* não é um jogo para amadores. E quem bota a banca está sempre na posição de regular as apostas. Mas, como em todo jogo, existem o imponderável, a surpresa, as traições e, principalmente, os interesses que mudam de lado.

Quando Bolsonaro resolveu assumir, orgulhosamente, que ele é o senhor da morte, o cultor da dor, o responsável pelo caos que o país enfrenta na crise sanitária, o gozador brincalhão da desgraça alheia e o autor, como um *serial killer*, de crimes de responsabilidade em série, ficou claro que o *impeachment* era uma necessidade. Urgente.

É bom nos guiarmos com a poeta mexicana Juana Inês de La Cruz:

Toda opinião sua é insana;
Pois a que mais se recata,
Se não vos admite, é ingrata,
Se vos admite é leviana.

Nem me manifesto aqui sobre a extensa série de crimes comuns que dormitam na Procuradoria-Geral da República e que também serviriam de pretexto para o afastamento do cargo. O que me impressionou foi a capacidade oceânica de cometer crimes de responsabilidade.

Com base na obviedade, comecei a escrever, a levantar a questão em debates e a me pronunciar, afinal, sobre a verdadeira necessidade de afastar o presidente. Mesmo sabendo da quase impossibilidade, mas cumprindo um papel de resistência e, principalmente, de alerta. A série de crimes de responsabilidade perpetrados leva a um descrédito quase absoluto dos outros Poderes responsáveis pelo equilíbrio constitucional. Um presidente da República que se porta como o atual é um desafio às instituições.

Nesse meio tempo, resolvemos enfrentar a máxima de que só existe a possibilidade de *impeachment* se a popularidade do presidente estiver muito baixa, sem o apoio do famoso "centrão", com milhões de pessoas nas ruas e amparo da grande mídia, enfim, temos um caso acadêmico de impedimento.

E por que então lançar uma campanha ousada, corajosa e oportuna de um "superpedido" de *impeachment*? Impressiona o leque de apoio de diferentes matizes. Vários partidos políticos e muitas entidades assinam o pedido, uma representação que impressiona pela detalhada descrição de, pelo menos, 23 crimes de responsabilidade definidos na Constituição.

É o primeiro caso, no mundo, de um presidente da República que se porta como um *serial killer* em matéria de *impeachment*. Os argumentos jurídicos estão sobejamente demonstrados. Nem nos cabe aprofundar. Qualquer estudante de direito, ou alguém do povo, pode citar alguns casos clássicos de crime cometido pelo presidente. O que me fez assinar o pedido de *impeachment* como advogado, atendendo ao convite dos craques Mauro Menezes e Marco Aurélio Carvalho, é a certeza de que nós todos precisamos ter um lado na história.

Nós estamos esgotados. O Brasil chegou à beira do precipício e se jogou. Moram comigo, de maneira silenciosa, mais de 500 mil brasileiros que foram vencidos pelo tratamento criminoso do vírus. Acompanha minha angústia um indeterminado número de pessoas que choram a falta desses 500 mil, sem contar os que ficaram sequelados e os que vivem uma dor indefinida. Foi por eles que eu assinei.

Tenho escrito, há tempos, sobre a necessidade de rever os poderes imperiais dos presidentes dos Três Poderes, especialmente o do presidente da Câmara, que pode dar prosseguimento, ou não, ao pedido de *impeachment*. Todo o grande trabalho realizado pela CPI será jogado numa lata de lixo; chique, lata de ouro, mas que não restará nenhuma efetividade. Ainda assim, assinei como advogado. Tem momentos na vida de cada cidadão que não se joga somente com as cartas que estão postas. É necessário se apresentar à vida, não agachar na hora do tapa.

Esse pedido de *impeachment* é uma oportunidade que estamos nos dando de ser felizes. Se for difícil ser feliz, nós teremos tido a chance enorme de ter tentado. Para mim, vale a vida. Volto-me a Octavio Paz, no poema "Visitas":

Através da noite urbana de pedra e seca
O campo entra no meu quarto.
Estende braços verdes com pulseiras de pássaros,
Com fivelas de folhas.
Leva um rio à mão.
O céu do campo também entra,
Com o seu cesto de joias acabadas de cortar.
E o mar senta-se ao meu lado,
Estende a sua cauda branquíssima no solo.
No silêncio brota uma árvore de música.
Na árvore pendem todas as palavras formosas
Que brilham, amadurecem e caem.
Na minha testa, uma caverna onde mora um relâmpago.
Porém, tudo se povoou com asas.
Diz-me: é deveras o campo que vem de tão longe,
Ou és tu, são os sonhos que sonhas ao meu lado?

2/7/2021 — Poder 360

Parte 3

CUMPRIR A CONSTITUIÇÃO: UM ATO REVOLUCIONÁRIO

Apesar da diferença de idade, minha amizade com Kakay vem desde o seu tempo de estudante e líder estudantil na Universidade de Brasília. Suponho ter sido eu o responsável por sua primeira atuação na tribuna do Supremo Tribunal Federal, quando o nomeei advogado dativo de um jovem acusado de participação na aventura de estudantes que pretendiam invadir um quartel de Buenos Aires; sua extradição era pedida pela Argentina.

Essa teria sido uma das primeiras vitórias do Kakay, codinome dado ao jovem Almeida Castro que, até hoje, a imprensa acrescenta a qualquer notícia sobre ele. Desconheço outro advogado que tenha levado o seu apelido a acompanhar qualquer notícia sobre ele, após o seu nome de batismo.

Na vitoriosa advocacia, Kakay tem sido cidadão atuante em prol da democracia, seja no exercício profissional, seja no invejável estilo de sua pena em qualquer escrito.

—

J. P. Sepúlveda Pertence, *jurista,*

ex-presidente do STF

É como se, num passe de mágica, nós ultrapassássemos com segurança o círculo de giz imaginário que nos aprisiona. Isto é Kakay: advogado, jurista, escritor, cronista e artista multimídia que consegue fazer com brilhantismo a ligação transcendental entre a política, a liberdade e a poesia. Kakay é testemunha ocular da história; porém, nunca como ESPECTADOR e sempre como PARTICIPADOR, com coragem e destemor defendendo as causas da justiça social-humana/cultural e artística. Kakay traz com ele o valor no que somos. O saber o que somos. E o amor pelo que somos.

Neville d'Almeida, *cineasta*

Coletar provas sem driblar a Constituição

Acostuma-te à lama que te espera!
O Homem, que, nesta terra miserável,
Mora entre feras, sente inevitável
Necessidade de também ser fera.

Toma um fósforo. Acende teu cigarro!
O beijo, amigo, é a véspera do escarro,
A mão que afaga é a mesma que apedreja.
Augusto dos Anjos, *Versos íntimos*

Há três anos, a 6ª Turma do Superior Tribunal de Justiça, ao julgar o habeas corpus 76.686, que sustentei oralmente, anulou as provas colhidas na Operação Sundown por falta de fundamentação nas interceptações telefônicas e pelo enorme prazo de mais de dois anos de duração das escutas. A Constituição Federal e a lei determinam que toda decisão há de ser fundamentada e, no caso da interceptação, há um prazo legal de 15 dias de duração, prorrogável por mais 15.

Essa operação, conduzida pelo Ministério Público Federal de Curitiba, investigava integrantes da família Rozenblum, sócia do grupo Sundown, mediante interceptação telefônica e de dados. No âmbito dela foram efetuadas prisões e houve busca e apreensão nos escritórios das empresas e residências, assim como sequestro de todos os bens dos envolvidos.

Na oportunidade, o ministro Nilson Naves declarou que aquele era o mais importante caso na área criminal julgado pelo Superior Tribunal de Justiça. A decisão anulou várias condenações e mais de três dezenas de procedimentos.

O noticiário daquela época encarou a questão como se o tribunal tivesse desprezado o trabalho da Polícia Federal, do Ministério Público e do juiz de primeiro grau apenas pelo fato de o Supremo Tribunal de Justiça ter tido a coragem de fazer cumprir a lei e a Constituição. Simples assim!

Após esse julgamento, vários outros se deram na mesma linha e determinaram a retirada, por imprestável, da prova avaliada como ilícita, seja por abuso da polícia, seja por desmandos do Ministério Público ou por falta de zelo dos juízes no trato com a Constituição.

Agora, nova decisão da mesma turma do Supremo Tribunal de Justiça é criticada, como se não fosse obrigação dos ministros fazer cumprir as leis e a Constituição. Conforme tem sido amplamente veiculado na imprensa, esse tribunal anulou as provas colhidas na Operação Faktor, que investigava Fernando Sarney, defendido pelo advogado Eduardo Ferrão.

Costumo dizer que as pessoas, no geral, se portam como se estivessem num jogo de máscaras: quando veem um poderoso, um rico ou um político sendo preso ou processado, regozijam-se, são tomadas por um frenesi íntimo indizível e inconfessável. Pouco importa se foram desrespeitados os direitos fundamentais. Veste-se a máscara da hipocrisia, da desfaçatez.

Contudo, a vida dá, nega e tira. E pode ser que um dia, nas curvas que ela faz, a desgraça de uma injustiça bata à porta daquele que desprezou os mais elementares princípios de direito — e o próprio, ou alguém da sua família, se veja às voltas com uma arbitrariedade.

Aí o cidadão veste a máscara do devido processo legal, do direito à ampla defesa, do contraditório. Clama-se daí em diante por justiça e para que sejam cumpridos os preceitos constitucionais.

Mas há algo mais grave, que merece a reflexão de todos. Quando a Polícia Federal e o Ministério Público praticam abusos, acatados por juízes voluntariosos, isso é muito mais do que uma injustiça contra o cidadão investigado; há grave ofensa à credibilidade dos tribunais, pois se passa a impressão de que são temperantes e protetores dos poderosos, quando, na verdade, estão fazendo cumprir a Constituição.

Sempre é bom lembrar as palavras do ministro Marco Aurélio Mello, do STF: "É o preço que se paga para viver num Estado democrático de direito, e é módico."

6/10/2011 — Folha de S. Paulo

Uma verdade encomendada

Um profundo abismo separa a interpretação política da realidade técnica de uma investigação.

Quando fui procurado pelo ex-ministro (dos Esportes) Orlando Silva, ele foi categórico ao afirmar que não havia hipótese de aparecer qualquer fiapo de prova, indiciária que fosse, contra ele, pois jamais teria cometido irregularidade alguma. Naquele momento, uma denúncia vazia e irresponsável já havia tomado ares de verdade no noticiário nacional.

O denunciante, embora desqualificado, espalhou no ar penas e plumas da calúnia, com a fluidez da inconsequência. Quando isso acontece, é impossível ao homem de bem repor integralmente sua honra. É uma tragédia!

O então ministro, em defesa, foi às autoridades competentes e acionou o procurador-geral da República para que este investigasse os fatos.

E, em seu nome, desafiei a quem quer que fosse apresentar prova que ligasse o ministro do Esporte a qualquer ato ilícito. O delator foi à Polícia Federal, entregou documentos e fitas e ressaltou que absolutamente nada ligava o ministro diretamente às denúncias, o que foi confirmado pelo delegado responsável pela investigação.

Nos últimos anos, a Procuradoria-Geral da República tem adotado uma atitude que me parece serena e prudente: quando toma conhecimento de uma denúncia, oferece à autoridade a oportunidade de se explicar, antes da abertura de um inquérito.

No caso concreto, o procurador-geral Roberto Gurgel houve por bem, em vez de determinar a apuração prévia dos fatos, requerer a abertura de inquérito no STF. E o fez com base em representações assinadas por deputados de oposição, desprovidas de documentos ou quaisquer outras provas, apenas com cópias de reportagens jornalísticas.

O principal interessado em uma investigação séria, célere e eficiente é o próprio Orlando Silva. Por isso mesmo, cuidei de ressaltar à ministra Carmem Lúcia, relatora do feito, a importância de permitir o acesso da imprensa ao inquérito, para demonstrar que nada existe contra o ministro.

Mas a leitura política é outra, e é avassaladora: o Supremo Tribunal investigava o ministro!

É necessário prudência nessa hora. Não me cabe comentar o viés político, mas o cidadão, qualquer que seja ele, não pode ficar refém de julgamentos antecipados, de interpretações oportunistas.

Ora, no Estado de direito, o primeiro direito do cidadão, por paradoxal que possa parecer, é o de ser bem acusado, com uma acusação definida e precisa.

Contra o ex-ministro não pesa nada no inquérito cuja abertura ele requereu. É dever do homem público colocar-se à disposição para prestar todo e qualquer esclarecimento e apoiar a investigação, mas é necessário que os princípios da presunção de inocência, da ampla defesa e do devido processo legal sejam preservados.

O massacre moral e a antecipação de culpa não servem à democracia, só fazem com que voltemos às trevas do obscurantismo, só servem a uma briga política insana, que arrasa os mais comezinhos princípios de direito.

Quando se pede para cumprir a Constituição Federal, aguardando-se as conclusões da investigação, pede-se pouco, apenas que se dê ao investigado o mesmo tratamento que almejaríamos receber em uma situação idêntica. Ninguém está acima da lei, e a investigação é necessária, mas permitir que se comece a investigação pela execução da pena, com execração pública, implica inverter e desprezar as conquistas garantistas duramente consolidadas.

Em nome desse princípio, proponho que acompanhemos a investigação, mas sem conclusões antecipadas, sob pena de se instalar a barbárie e o extermínio moral.

É preciso deixar que a verdade apareça, não que se imponha sobre o Estado de direito uma verdade encomendada.

27/11/2011 – Folha de S. Paulo

Os novos guardas da esquina

É fácil trocar as palavras, difícil é interpretar
os silêncios! É fácil caminhar lado a lado,
difícil é saber como se encontrar

Fernando Pessoa

Sou de uma época em que se dizia que deveríamos nos preocupar com o "guarda da esquina". Esse conceito se popularizou com o episódio ocorrido em 1968, quando o então vice-presidente, Pedro Aleixo, ao questionar os termos do AI-5, ponderou ao presidente Costa e Silva: "Presidente, o problema de uma lei assim não é o senhor nem os que com o senhor governam o país. O problema é o guarda da esquina".

Agora, estamos piores do que antes; o guarda da esquina continua a nos preocupar e nós temos a figura execrável do "tira hermeneuta". Tenho alertado que a principal figura do processo penal brasileiro hoje é o que chamo, em homenagem ao grande advogado Luís Guilherme Vieira, de tira hermeneuta. É aquele policial que "analisa" e "interpreta" as escutas telefônicas.

Na luta contra o crime organizado, é claro que as interceptações telefônicas são um grande instrumento de investigação, às vezes essenciais. Mas só às vezes. Daí a excepcionalidade de que se revestem as autorizações judiciais de escuta, apesar da quantidade absurda, ilegal e inconstitucional de grampos que observamos no cotidiano da advocacia.

A interceptação virou regra, não se cumpre o exigido e previsto na lei de regência. Ao contrário, tornou-se norma de aplicação automática, ao que parece. Mas o pior é que nem sequer se cumpre o rito legal de ampla defesa para aferir o que de fato foi objeto de escuta. Não se permite, na maioria das vezes, o acesso pleno às gravações, não se faz a necessária degravação para que possamos sair da armadilha do resumo feito pelos tiras hermeneutas.

Eles escutam as gravações por horas, dias, semanas, meses, anos e, no dia a dia, fazem resumos do que pensam que ouviram e do que julgam ter entendido. Todos estamos sujeitos a essas interpretações. Prisões são pedidas, vidas são violentamente expostas na mídia, ações penais são propostas, enfim, vários institutos incorporados à vida civilizada são desprezados no cotidiano das interceptações telefônicas.

Os princípios da presunção de inocência, da privacidade, do devido processo legal, da ampla defesa são solenemente ignorados.

Poderia mencionar vários exemplos do meu cotidiano na advocacia, mas prefiro escolher um em especial, justamente um caso em que não advogo: o da professora de filosofia Camila Jourdan. Esse caso ganhou destaque na mídia depois de ela ter sido acusada de suposta líder de uma "quadrilha armada" responsável por ações violentas em protestos. Conforme investigação, após a interpretação de uma escuta telefônica, a polícia carioca concluiu que o filósofo russo Mikhail Bakunin, mestre teórico da anarquia, seria um agitador, um subversivo, alguém a ser investigado, segundo compreendeu um tira hermeneuta.

É humilhante ver o estado de ignorância do Estado responsável pela investigação. O tira não tem a obrigação de conhecer Bakunin, mas a estrutura acusatória do Estado tem, sim, a obrigação de fazer esse filtro antes de lançar acusações. Ficamos submetidos ao arbítrio, à ignorância, à má-fé, à violência.

Enfim, dá até para citar Bakunin, é uma anarquia! Mas não nos termos propostos por ele, pois aí já seria querer muito deste Estado autoritário e invasivo.

Só quero lembrar que num país de grampos sem freios e sem medidas, sem controle razoável pelo Judiciário, quando se grampeia alguém, não se escuta só o próprio investigado, mas todos aqueles que conversaram com ele, pessoas quaisquer de casa, do escritório, do celular. E todos, indistintamente, serão objeto da interpretação de um tira hermeneuta.

É claro que esses que nos investigam de forma indevida não têm noção do mal que fazem à democracia. É como dizia Bakunin: «Não há nada tão estúpido quanto a inteligência orgulhosa de si mesmo.”

10/8/2014 – Folha de S. Paulo

Dois pesos e uma medida

Aperfeiçoa-te na arte de escutar, só
quem ouviu o rio pode ouvir o mar
Leão de Formosa

A sensação é de frustração. Tínhamos uma oportunidade fantástica de discutir um tema relevante quando fomos tragados pela passionalidade. O assunto é fascinante: pondera dois direitos constitucionais, o da informação e o da intimidade.

Ao contrário do que tem sido publicado, é o direito à informação, e não à liberdade de expressão, que está em jogo. Este último, mais amplo, abrange falar o que se pensa e se tem coragem de dizer, respondendo pelo excesso nos termos da lei. Cada um sabe a dor e a delícia de dizer o que quer!

O direito à informação é o que se aplica às biografias. O biógrafo se informa para contar o que julga ser verdade sobre o biografado. Se inventar, é ficção, não biografia.

Importa discutir quem é o destinatário do direito contraposto. Quem deve ter preservada sua intimidade e em quais limites. Há três classificações: o agente público, o cidadão com notória exposição e o anônimo.

Julgamos ter o direito de saber como se porta o agente público no afã de exercer certo domínio psicológico e ideológico sobre ele, exigindo-lhe coerência entre sua vida e seu discurso. Isso não significa que precisamos saber suas impotências.

O cidadão-celebridade ocupa um lugar no imaginário nacional, e o público tem o direito de saber o que lhe deu notoriedade, seja ele um cantor, seja um ator, um jornalista. Fora dessa hipótese, o direito à intimidade desse cidadão deve ser mais preservado do que o do agente público.

Quanto ao anônimo, que não buscou ou não conseguiu notoriedade, pouco resta a dizer, pois não se vê no rol dos possíveis biografados e mantém preservado seu direito à intimidade, no mais amplo aspecto.

Qualquer ponderação entre esses direitos (informação e intimidade) que lance a um plano menor a conquista fantástica de preservação da vida íntima é mesquinha, injusta e reducionista.

Pessoas sérias brincam com lugares-comuns tipo "afasta de mim este cale-se", ou "é proibido proibir". Emperram uma reflexão necessária. Muitos que clamam pelo direito à informação (traduzido em escrever e vender biografias) circunstancialmente defendem o respeito à intimidade, quando lhes convém.

Não existe direito absoluto, nem à informação, nem à intimidade. Nessa ponderação é que podemos testar o que molda o caráter e a têmpera de cada um. Sou contra qualquer hipótese de censura prévia. Quero, no entanto, poder recorrer ao Judiciário para reparar prejuízos, impedir danos, ou mesmo garantir o direito de informar e ser informado.

Um exemplo ajuda a refletir. Imagine uma mulher que tenha sido sequestrada e submetida a sevícias sexuais. Libertada, e preso o seu algoz, ela leva no íntimo dois dramas: o flagelo de ter sido violentada e o medo feroz de ver exposta tal vilania.

O sequestrador tem o direito de publicar os sórdidos detalhes, verdadeiros, desse horror? O direito à informação é absoluto? Se você concorda que seria um ultraje, mesmo sendo um caso extremo, me garante o direito de discutir o assunto.

Eu sou, e cada um é, dono da sua verdade e vontade. O Judiciário dará a palavra final caso a caso. Não é real, como se tem afirmado, que os defensores do direito à intimidade pretendem instituir uma nova lei. Esse discurso não passa de marketing. O que se quer é garantir o livre exercício do direito à liberdade de expressão, de informação e também à intimidade, seja um agente público, seja uma celebridade ou um anônimo.

Todos têm o direito de ser prepotentes e incoerentes, mas passionalidades exageradas cansam. Vamos ouvir e nos posicionar, mas com delicadeza e respeito. Lembro o querido Pessoa, na pessoa de Pessoa: "Arre, estou farto de semideuses"!

19/10/2013 — Folha de S. Paulo

A ousadia dos covardes

Em junho, quando a Procuradoria-Geral da República pediu a prisão do ex-presidente José Sarney, de pronto toda a comunidade jurídica constatou que era um absurdo. A prisão foi negada, mas a divulgação do pedido causou enormes dissabores. A quem interessava aquele vazamento?

Como o pedido era inepto, alguém resolveu vazá-lo não apenas para constranger, mas para tentar transformá-lo em fato consumado.

Em nome de Sarney, protocolei duas petições: uma para apurar se algum agente público teria ajudado naquela gravação criminosa e covarde feita pelo ex-presidente da Transpetro Sérgio Machado, base para o pedido de prisão do ex-presidente; outra para pedir que se apurasse o vazamento criminoso. Não sabemos se alguma medida foi tomada.

Agora surge esse novo vazamento, também criminoso, de um suposto anexo de delação premiada, que visa nitidamente constranger o ministro do STF Dias Toffoli e, de forma mais ampla, o Poder Judiciário.

A revista *Veja*, responsável por divulgar no fim de semana a informação de que Toffoli foi mencionado em delação premiada do empreiteiro Léo Pinheiro, afirmou, após ouvir advogados, ex-ministros e procuradores, que o suposto conteúdo não permite crer na existência de indícios de delito. Qual é a razão, portanto, de existir um anexo no qual não há indicativo de conduta ilícita? Apenas constranger, ser vazado, criar um fato consumado.

A Procuradoria-Geral da República tem condições de apurar quantas e quais pessoas tiveram acesso ao documento, já que tais fatos são sigilosos e devem estar na órbita de poucos. E mais: se não há indícios de crime, pode ter havido eventual abuso de autoridade na lavratura do mencionado anexo.

A quem interessa vazar que o ministro Toffoli teria sido citado em um anexo de delação premiada, ainda que sem nenhum tipo de irregularidade? É fundamental saber se o nome do ministro apareceu espontaneamente no relato.

Corre a história de que alguns investigadores, não raro, pedem que sejam mencionadas pessoas do Poder Judiciário nos depoimentos, como condição para a celebração de acordos. Será mesmo que existe esse direcionamento criminoso para tentar atacar e enfraquecer nossos juízes? Seria um escândalo.

A Procuradoria-Geral da República suspendeu a delação de Léo Pinheiro, ex-presidente da empreiteira OAS. Isso passará a valer para todas as delações que foram vazadas? É incompreensível imputar a responsabilidade da divulgação à defesa, pois é justamente a ela que menos interessa tal coisa.

Todos queremos o enfrentamento da corrupção, mas, se o fizermos sem o respeito às garantias constitucionais, sairemos deste embate como um país punitivo e obscurantista. Só o respeito à Constituição garantirá um futuro melhor.

O país inteiro merece saber como se dão esses vazamentos. São dirigidos, criminosos, visam impedir a independência do Poder Judiciário, inibir os juízes. Antes atingiam políticos e empresários; agora seus autores perderam completamente a vergonha — como diria Nelson Rodrigues, "os idiotas perderam a modéstia" — e ousam encurralar um ministro da Suprema Corte.

Esperemos que essa ousadia encontre limite na independência e na soberania do juiz, seja ele de primeiro grau, seja ele da mais alta corte do país.

Nós, advogados, continuaremos a acompanhar e, se for o caso, a denunciar os abusos. É sempre bom lembrar Bertolt Brecht e seu poema "Os Medos do Regime": "Um estrangeiro, voltando de uma viagem ao Terceiro Reich/Ao ser perguntado quem realmente governava lá, respondeu/O medo."

"Por que temem tanto a palavra clara?", pergunta-se Brecht.

24/8/2016 — Folha de S. Paulo

Jabuti não sobe em árvore: quem está por trás do movimento contra o STF

Os degraus metálicos caem nas noites
Os vigilantes avançam pelos pátios sem descanso.
Oh, cada batida é um tremendo fardo,
Que nos pressiona com garras afiadas...
Esse hálito morto arrepia-nos.

Ernst Toller

O país vive um momento de angústia e perplexidade. Uma sensação de estar à deriva, sem um comando e sem rumo.

Em um sistema presidencialista, é natural que o cidadão, ainda que discordando de uma ou outra política adotada pelo governo, acompanhe o dia a dia sem maiores sobressaltos, ora apoiando, ora discordando das políticas públicas ditadas pelo presidente e por sua equipe. E o melhor: muitas vezes, o tempo passa sem nem sequer a pessoa se lembrar do governo. A vida tem um ritmo próprio; as lutas pela sobrevivência, pelos amores, pela manutenção dos negócios, pela paz social, pela harmonia, mesmo entre os adversários políticos, fazem o dia a dia fluir.

No Brasil, vivemos um caos. A angústia de enfrentar a pandemia, drama e tragédia que mobilizou o mundo, uniu-se à perplexidade de estarmos sendo governados por um genocida. Em todo o mundo, as pessoas se uniram aos governantes com o objetivo comum de fazer o enfrentamento do vírus. Em meio a tanta desolação, é possível vermos países que lograram empreender um trabalho sério, científico, técnico de resistência ao coronavírus.

O presidente politizou o vírus. Parece que estamos no meio de um pesadelo, de um pandemônio. Presidido por um homem com rara crueldade e profunda ignorância, o país se lança mais e mais no abismo. O presidente se cercou de pessoas do seu nível intelectual, ministros que envergonham a todos e que nos expõem ao ridículo internacionalmente.

Se não fosse o fato de estarmos no meio da maior crise sanitária das nossas gerações, o que nos restaria seria esperar o fim do mandato presidencial para fazer o enfrentamento deste governo assassino nas urnas. Mas o descalabro faz com que a sociedade tenha de se posicionar para não permitir a sina funesta que este governo impõe a todos.

Neste momento de grave crise institucional, é importante acompanharmos todos os movimentos do tabuleiro de xadrez que virou o país. Nossos olhos devem voltar-se para a estabilidade dos poderes constituídos. Com um Executivo absolutamente inepto, irresponsável, insano e genocida, cresce a importância dos Poderes Legislativo e Judiciário.

O Legislativo, mesmo com o mar revolto, tem-se mostrado responsável e faz o necessário enfrentamento aos desmandos de um presidente déspota. Nossos olhos se voltam mais firmemente, nesta hora, para o Poder Judiciário.

Esta semana começou o julgamento da ADPF (Arguição de Descumprimento de Preceito Fundamental) 572, na qual se discute a constitucionalidade da Portaria GP 69/2019, que instaurou o Inquérito 4781. Em boa hora, o partido Rede Sustentabilidade ajuizou essa ADPF, pois permitirá uma manifestação definitiva do plenário da Corte sobre esse inquérito. Uma ação que deveria prestar-se a uma profunda discussão sobre o sistema acusatório, além de outros questionamentos de altas indagações jurídicas, vai servir para o Judiciário fazer o papel de dar um basta na clara tentativa de certo grupo de desestabilizar o país.

A pretexto de alegar, cínica e falsamente, que o que se pretende é o exercício do fortalecimento da livre liberdade de expressão, grupos fascistas e golpistas assacam contra a estabilidade democrática. Ao se insurgirem, tais grupos, contra o livre funcionamento do Poder Judiciário, com ataques vis aos ministros do Supremo, aos familiares, ao Tribunal e à democracia, enfim, esses grupos pretendiam e pretendem romper o sistema democrático. Insidiosos e de maneira coordenada, cuidam de solapar as bases que sustentam o equilíbrio entre os poderes.

E criam tentáculos, buscando criar falsas discussões jurídicas. Encontram quem se preste a defender, numa subleitura vulgar do artigo 142 da Constituição Federal, que as Forças Armadas são um poder moderador. Assim, pregam a hipótese de um mirabolante golpe constitucional, proposição absurda já muito bem rechaçada pelo ministro Roberto Barroso, com profundidade e fina ironia, ao chamar tal raciocínio de "terraplanismo constitucional". Nas palavras de Charles Baudelaire: "O mais belo estratagema do Diabo é nos persuadir de que ele não existe".

É certo que são muitas e respeitadas as posições de quem critica a hipótese de o inquérito ter sido aberto por determinação do presidente da Corte, ministro Dias Toffoli, que também determinou a distribuição para um dos ministros. Questiona-se o papel do Ministério Público, como *dominus litis*, na condução do inquérito.

São muitas e sérias as indagações que movem o mundo jurídico neste momento crucial. O brilhante, corajoso e profundo voto do ministro Edson Fachin, que, citando, entre outras, as lições do professor Lenio Streck, manifestou-se pela legalidade e pela constitucionalidade do inquérito, com pequenos reparos que não afetam a higidez do trabalho, parece ser um norte a trazer uma expectativa de segurança jurídica.

Duas coisas nos dão a certeza da seriedade de tão necessária investigação. Primeiro, os necessários e oportunos esclarecimentos do ministro Alexandre de Moraes, relator do inquérito questionado, dando conhecimento de que o Ministério Público Federal — por seu chefe, o procurador-geral da República Augusto Aras, que oficia na Corte — tem mantido estreito acompanhamento do andamento dela. Segundo, o imprescindível acesso, a ela, dos advogados de defesa dos investigados. "A verdade é inconvertível, a malícia pode atacá-la, a ignorância pode zombar dela, mas, no fim, lá está ela".

A sustentação oral do dr. Augusto Aras foi oportuna, destemida e independente, honrando o Ministério Público Federal. Sempre defendi que o ministro e presidente, Dias Toffoli, agiu dentro de suas atribuições e em ótima hora, resguardando a dignidade do Supremo Tribunal e, enfim, do próprio Poder Judiciário. Agiu com desassombro e madura coragem.

Certamente, o Pleno vai discutir qual deve ser o papel do relator Alexandre de Moraes na hipótese, muito possível, de uma ação penal. Defendo que sua Excelência, conduzindo a investigação com o rigor que o caso requer, não deva participar da fase do julgamento da ação, nos moldes do juiz de garantia.

Mas não podemos deixar de apoiar o enfrentamento desses grupos fascistas, desses gabinetes do ódio, que se organizaram, com forte apoio político e financeiro, para desestabilizar a democracia. Como bem acentuou o ministro Fachin: "São inadmissíveis, no Estado democrático de direito, a defesa da ditadura, a defesa do fechamento do Congresso ou a defesa do fechamento do Supremo Tribunal Federal. Não há liberdade de expressão que ampare a defesa desses atos. Quem quer que os pratique precisa saber que enfrentará a justiça constitucional de seu país, quem quer que os pratique precisa saber que este Supremo Tribunal Federal não os tolerará".

Recorro, mais uma vez, à poesia, com Clarice Lispector:

Liberdade é pouco. O que eu desejo ainda não tem nome.

Enquanto eu tiver perguntas e não houver respostas, continuarei a escrever.

11/6/2020 — Poder 360

Prisão preventiva e indignação seletiva

Deixei de rezar.
Nas paredes
rabiscadas de obscenidades
nenhum santo me escuta.
Deus vive só
e eu sou o único
que toca a sua infinita lágrima
Deixei de rezar.
Deus está numa outra prisão.

Mia Couto

Depois da espetacularização do processo penal, da força midiática das grandes operações e da cobertura pela imprensa dos julgamentos, debater as importantes questões penais ou constitucionais deixou de ser algo para especialistas, professores, estudiosos. Hoje, qualquer um se sente capacitado a discorrer sobre temas de alta complexidade com a leveza e profundidade de uma lâmina d'água.

Chega a dar certo constrangimento; às vezes, vergonha alheia. Assuntos que foram objeto de amadurecimento profissional, de discussão acadêmica, são decididos sob o pálio das paixões de ocasião sem o menor pudor. Nos dias de hoje, nestes tempos estranhos, o advogado criminal já se acostumou a ter como fonte de informação os jornalistas quando quer saber o que se passa em alguns processos. Há verdades e teorias científicas sendo construídas, ou destruídas, com uma velocidade incompatível com qualquer reflexão. Deveriam ler Pessoa, no *Livro do desassossego*:

Reconheço hoje que falhei, só pasmo, às vezes, de não ter previsto que falharia. Que havia em mim que prognosticasse um triunfo? Eu

não tinha a força cega dos vencedores ou a visão certa dos loucos...
Era lúcido e triste como um dia frio.

Se até alguns ministros da Corte Suprema ousam dizer que devem votar "ouvindo a voz das ruas", e não segundo a Constituição, imagine o que essas "ruas" não dizem.

A situação dos presídios brasileiros pode contar com o silêncio criminoso e cúmplice de alguns formadores de opinião, mas é uma tragédia a ser escondida, camuflada todos os dias pelos moralistas de plantão.

É o Brasil midiático de costas para o Brasil real. Uma passada de olhos, rápida que seja, nos resultados dos mutirões feitos pelo CNJ (Conselho Nacional de Justiça) nos presídios deveria frear esse ímpeto assassino e vulgar do "punitivismo" desenfreado em nome de uma falsa efetividade. Cidadãos, pessoas presas por meses a fio sem nem sequer o início de um processo regular. Um homem mofando numa cela fétida 18 meses depois de ter sido absolvido por falta de assistência do Estado. Causa náusea a nossa realidade. Náusea retratada pelo grande Castro Alves:

Senhor Deus dos desgraçados!
Dizei-me vós, Senhor Deus,
Se é loucura... se é verdade
Tanto horror perante os céus?!

Indivíduos que estão em celas onde, para dormir, para deitar-se, é preciso esperar que outros presos desocupem o chão. Muitos desses aprisionados estão lá por um tempo muito maior do que a pena que o Estado lhes impôs. Ou mesmo enjaulados sem ter contra si nem sequer uma acusação formal deduzida. Nem estou a falar de presos provisórios, sem culpa formada, mas de falta de processo formalizado. Prisões sem prazo, um prazo para dar qualquer réstia de esperança para um homem que perdeu a mais completa noção do que é direito, do que é dignidade.

Nada disso causa qualquer indignação aos "homens de bem" desta sociedade desumanizada e mesquinha. Os lixos humanos amontoados nas celas sujas sem que o Estado cumpra minimamente sua parte não existem na pauta dos que julgam ser a voz da sociedade. As outras vozes, as dos que estão mudos, amordaçados, não conseguem ser ouvidas nem dentro nem fora dos muros. O cheiro que entranha a alma dos presídios não passa das grades que separam o horror da paz social aqui de fora. Uma paz de cemitério envolta num denso manto que serve para cobrir os gritos e manter um silêncio ensurdecedor. Os imensos grupos de invisíveis, de desafortunados, de mulheres e homens sem existência digna nada mais são do que estatística, números a serem manipulados quando for do interesse. Leio Miguel Torga:

Não há refúgio, e o terror aumenta.
É tal e qual o drama aqui na sala:
A luz da tarde em agonia lenta,
E a maciça negrura a devorá-la.
Dor deste tempo atroz,
Sem refrigério:
Eis os degraus do inferno que nos restam:
Morrer e apodrecer no cemitério
Onde os fantasmas, como eu, protestam.

Sabe o que esse bando ridículo de semideuses, de "homens de bem" certamente falam de nós? Algo assim: Quem são esses "desinformados", "excêntricos", "humanistas de araque", "garantistas de ocasião", que ousam discutir no Parlamento o direito de exigir que o Estado Juiz tenha que aferir se a prisão preventiva ainda tem justificativa de ser, de continuar, de 90 em 90 dias?! Quem são esses "baderneiros" que ousam lembrar que o cidadão, quando preso, perde a liberdade, mas não perde os demais direitos inerentes à pessoa humana? Pessoa? Humana? Como ousam falar que a base de todo processo penal e constitucional é a dignidade?

Como exigir do poderoso Poder Judiciário, com seus palácios, sua enorme estrutura de assessores, carros, passagens, férias duplas, diárias, tempo disponível para aferir se o Zé das Couves pode já estar preso por muito mais tempo do que o previsto, ou se o motivo que fundamentou a prisão há 90 dias não existe mais e a liberdade se impõe? Mas como exigir de um promotor e de um juiz que cumpram a lei e averiguem a necessidade de manter a prisão se eles necessitam de tempo para conseguir novas prisões?

E o país para, ridiculamente, e se concentra em tentar tirar do Estado a obrigação mínima de ter algum controle sobre os que estão sob a sua custódia. Recentemente, o CNJ reconheceu que determinado presídio estava fora de controle e que o Estado não sabia sequer o número de presos sob sua responsabilidade. Tudo isso enquanto cabeças decapitadas serviam, literalmente, de bolas para um macabro jogo de futebol. Mas os "homens de bem" se mostram indignados não com a barbárie, não com as pessoas esquecidas dentro do sistema, enjauladas por um tempo sem limite, por um tempo perdido, mas por uma norma que visa racionalizar a desgraça.

Difícil manter qualquer esperança na humanidade. Na verdade, quem fala em humanidade somos nós, aqui do lado de fora das grades; lá dentro esse é um conceito já esquecido. Socorro-me de Rainer Maria Rilke:

Tira-me a luz dos olhos, continuarei a ver-te.
Tapa-me os ouvidos, continuarei a ouvir-te.
E, mesmo sem pés, posso caminhar para ti,
E, mesmo sem boca, posso chamar por ti.
Arranca-me os braços e tocar-te-ei com meu coração
como se fora com as mãos...
Despedaça-me o coração, e o meu cérebro baterá
E, mesmo que faças do meu cérebro uma fogueira,
Continuarei a trazer te no meu sangue...

A discussão sobre tirar do Estado a obrigação simples e necessária de reavaliar, fundamentadamente, a necessidade da manutenção das prisões preventivas a cada 90 dias, como prevê o artigo 316 do Código de Processo Penal, só interessa ao crime organizado que domina os presídios e precisa de permanente mão de obra. Serve também para ressuscitar mortos-vivos que aproveitam para trazer outros temas na onda "punitivista". Enquanto esses temas tão sérios e fundamentais forem discutidos sob o calor dos holofotes, a superficialidade midiática e a passionalidade, nós estaremos consolidando a morte diária, física, das pessoas do sistema penitenciário que já se esqueceram do que é dignidade e esperança. Resta-nos Mário Quintana:

Se as coisas são inatingíveis... ora!
Não é motivo para não querê-las...
Que tristes os caminhos,
se não fora a presença distante das estrelas!

16/10/2020 — Poder 360

Cortina de fumaça

Assim eu quereria meu último poema
Que fosse terno dizendo as coisas mais simples e menos intencionais
Que fosse ardente como um soluço sem lágrimas
Que tivesse a beleza das flores quase sem perfume
A pureza das chamas em que se consomem os diamantes mais límpidos
A paixão dos suicidas que se matam sem explicação.

Manuel Bandeira, *O último poema*

No dia em que as vacinas contra a Covid-19 acabaram em cinco capitais e em várias outras cidades, em que a transmissão do vírus volta a subir e, pelo 28º dia seguido, a média de mortos fica acima de mil no país, os grandes assuntos que dominam a imprensa são a prisão de um deputado fascista que ninguém nem sequer sabe o nome, a eliminação do Nego Di do BBB e outros temas que emolduram a realidade brasileira. É claro que ninguém aguenta mais falar só sobre a angústia de ver a morte rondando, a tristeza do isolamento dos que levam a ciência a sério, o desespero do pânico que acomete os infectados, mas, convenhamos, alguma coisa está fora da ordem.

O tal deputado foi preso por atentar contra a estabilidade democrática em vídeos gravados de baixíssimo nível, nos quais profere xingamentos, uma fala completamente sem nexo, faz ameaças de morte às autoridades e prega o fechamento do Supremo Tribunal Federal e a volta do AI-5 (Ato Institucional n. 5), entre outras barbaridades. Opa, quem é mesmo o autor de tantos impropérios, absurdos e crimes? Ufa, é um deputado troglodita e não o líder dele, o presidente da República.

Na verdade, posso pressupor que o tal deputado está se espelhando no comportamento do chefe do Executivo para angariar simpatia e popularidade. Por sinal, é instigante que, sempre que os índices da pandemia se tornam mais dramáticos, surjam histórias diversionistas para o Brasil "esquecer" o vírus, as mortes, o descaso nos hospitais, a falta de programa para o combate da doença. Como se fosse possível esconder o caos, a tragédia. Mas isso é um fato e parece ser uma estratégia. Lembro-me do poeta Luiz Gama, no soneto "Ao Mesmo":

Silêncio, ó charlatão! Nem mais um passo,
Que levo-te a vergalho, à palmatória,
Transformo-te num burro, e mais não faço.

O próprio deputado preso parece fazer parte dessa estratégia. Não é crível alguém ser tão bizarro, tão tosco, atrasado, agressivo e preconceituoso. Na verdade, sabemos que é possível e até conhecemos em quem ele se espelha, mas que país merece isso em meio a uma pandemia? Vou repetir para não parecer falso: a vacina está acabando no Brasil. O país que tinha um dos melhores sistemas públicos de saúde do mundo, com uma capacidade de vacinar todos os brasileiros em tempo recorde, teve o SUS sucateado. Nossas instituições de pesquisa na saúde, orgulho internacional, foram abandonadas por falta de investimentos e prioridade.

Nossa estratégia de enfrentamento da pandemia foi entregue a um general que presta subserviência a um capitão negacionista. As ofertas de compra de vacinas foram negligenciadas, e a prioridade foi adquirir a cloroquina. Nós não temos vacina em meio à maior crise sanitária dos últimos séculos. E não temos por opção do governo que entendeu que as recomendações dos cientistas, dos médicos, da OMS (Organização Mundial da Saúde), enfim, eram meras opiniões e não precisariam ser seguidas. Ou por razões financeiras, cumpre investigar.

É necessário prestar atenção no que disse o fundador e primeiro presidente da Anvisa sobre a capacidade instalada no país para enfrentar a necessidade de vacinar a população. O Brasil tem estrutura para administrar 3,04 milhões de vacinas contra Covid-19 por dia. Ou seja, se contarmos a vacinação apenas nos dias úteis, 20 dias por mês, temos capacidade de vacinar 60 milhões por mês. Em um momento de pandemia, é claro, a vacinação pode ser ininterrupta, o que garantiria 90 milhões de brasileiros vacinados por mês. Já teríamos vacinado todas as pessoas em território nacional.

É bom deixar claro que isso não ocorreu única e exclusivamente por causa da falta de política séria do governo no enfrentamento da crise sanitária, por não ter adquirido a vacina. Os responsáveis por esse quadro são as autoridades federais, a política negacionista e a campanha feita contra a vacina. Logo, são responsáveis diretos pelo excesso das mortes, pelo desastre econômico, pelas angústias que marcaram a ferro e fogo as almas do nosso povo.

Fique registrado que é gravíssimo um deputado pregar a volta da ditadura, o fechamento do Supremo, ameaçar ministros da Suprema Corte, ofender os poderes constituídos, bradar pelo retorno do AI-5 e dos anos de chumbo. Mas, convenhamos, isso é o que o presidente da República fez e faz diversas vezes. A novidade é a agressividade com que foram tratados os ministros do Supremo, na mesma linha de boçalidades do chefe dele, sendo que o chefe vomita também contra o Congresso Nacional.

Mas, enquanto debatemos o risco para as instituições de um deputado desconhecido e medíocre, o líder dele passa um projeto de armamento que faz corar de inveja os grandes países armamentistas. Não é só um projeto para segurança pessoal, é uma proposta de armar a população e, segundo especialistas, abastecer o crime organizado e a milícia com a facilitação de compra de armamento via mercado legal. É a privatização da segurança pública. Os que sobreviverem ao vírus não escaparão das armas.

No ano passado, a população comprou 32 milhões de projéteis, a mesma quantidade que as forças de segurança pública. De acordo com estatísticas, o número superou em 143% o quantitativo de munições do Exército, o que reforça minha tese de o governo confiar e apostar mais na milícia, na segurança privada e nos seus seguidores do que nas Forças Armadas. E devemos ter em mente que o nível intelectual desse grupo é parecido com o do deputado que foi preso por imitar o líder. Ou seja, estamos armando verdadeiros assassinos em potencial. Assassinos da democracia, da vida civilizada, da coisa pública, das relações respeitosas, da vida em sociedade, enfim.

Imagine o que é a pessoa se preparar ao longo da vida para ser ministro do Supremo, para enfrentar as grandes indagações jurídicas e os grandes embates nacionais e, de repente, ter que se relacionar com um presidente da República completamente fora da realidade e, pior, conviver com ameaças vulgares, mas graves, de políticos, com ou sem mandato, a serviço de um fascismo institucionalizado. Bestas-feras sem nenhum critério, sem nenhuma hipótese de diálogo. Um governo de extraterrestres cujas propostas não suportam nenhuma análise crítica, nenhuma discussão intelectual, nenhuma hipótese de reflexão. A agressividade desse deputado, o idiota da vez, é tão vulgar, tão repulsiva, que dá náusea perder tempo com ele.

Eu sei que temos que discutir os limites e a legalidade da prisão, os contornos do flagrante, as consequências para o devido processo legal da ordem de prisão ter partido do ministro sem o pedido do Ministério Público, tudo grave e fundamental para o Estado democrático de direito, mas cansa. A mediocridade é acachapante. O nível das agressões beira as pornochanchadas, e nós nos transportamos para a boca do lixo, sem, é claro, o charme dos nossos filmes da época. Faz-me lembrar do velho Mário Quintana, em "Emergência":

Quem faz um poema abre uma janela,
Respira, tu que estás numa cela abafada, esse ar que entra por ela.
Por isso é que os poemas têm ritmo
para que possas profundamente respirar.
Quem faz um poema salva um afogado.

E, enquanto tentamos fazer com que os poderes constituídos mantenham uma harmonia constitucional, o país mergulha num precipício sem paraquedas e sem ter ideia do fundo do poço. Humilhante ver as filas de infectados para tentar conseguir um lugar no hospital, sem nenhuma perspectiva de combate sério do vírus. Neste momento, 2,32% da população do Brasil já recebeu a primeira dose da vacina. Insignificantes 2,32%. Criminosos esses números. E nós temos que tentar respirar um ar que já falta ao país nessa tentativa de uma resistência à mediocridade.

A nossa falta de ar, ao menos, nos permite ainda assim seguir em frente, mas a falta de ar que vem da falta de responsabilidade no trato com a crise sanitária não, essa falta de ar mata. E nós todos temos responsabilidade por esse dramático estado de coisas. Não podemos deixar crescer muros que nos separem. Muros de pedra ou de indiferença. A política desses fascistas ergueu muralhas, cavou fossos e construiu alçapões. Tudo para que não façamos o necessário enfrentamento do endurecimento brutal que eles estão instalando.

Eles são como placas de gordura nas nossas veias. São como um véu turvo que desce no cristalino e impede a visão, cegando-nos a todos. São como o vazio das madrugadas de segunda-feira nas cidades do interior, em que só sobram os coretos vazios sem a algaravia dos passantes. Uma solidão doida. Um silêncio ensurdecedor.

Esse deputado caricatural não deveria tomar nosso tempo, mas ele significa nossa derrota. É na mediocridade dele que esse governo se ampara com milhões de seguidores, tanto que ele desestabiliza as estruturas democráticas com seu ataque às instituições. Ele não, claro, mas o que ele significa, o que ele representa.

Fazer a resistência democrática dentro do Judiciário e dentro do Parlamento torna a democracia mais forte. Mas é necessária uma resistência interior, uma busca, quase fuga, de um espaço sem esse massacre diário de tanta banalidade. A coragem de não levar tão a sério essa avalanche de idiotices, a sensibilidade de priorizar o contrário do que está posto e rir desses seres bizarros, incultos e banais. Sem isso, nós acabamos ficando parecidos com eles, e aí não terá valido a pena. Recorro a Paul Éluard, nos últimos versos do imortal soneto "Liberté":

Em meus refúgios destruídos
Em meus faróis desabados
Nas paredes de meu tédio
Escrevo teu nome

Na ausência sem mais desejos
Na solidão despojada
E nas escadas da morte
Escrevo teu nome

Na saúde recobrada
No perigo dissipado
Na esperança sem memórias
Escrevo teu nome

E ao poder de uma palavra
Recomeço a minha vida
Nasci pra te conhecer
E te chamar
LIBERDADE.

19/2/2021 — Poder 360

A novena e o capitão

Estou sentindo uma clareza tão grande
que me anula como pessoa atual e comum:
é uma lucidez vazia, como explicar?

...

Estou por assim dizer
vendo claramente o vazio.
E nem entendo aquilo que entendo:
pois estou infinitamente maior que eu mesma,
e não me alcanço.
Além do que:
que faço dessa lucidez?

Clarice Lispector, *A lucidez perigosa*

A vida, que está sempre a nos surpreender, e o fato de convivermos, bem ou mal, com as surpresas, definem um pouco quem somos nós. Durante anos, dediquei-me a enfrentar a grande fraude ao sistema de justiça que foi perpetrada pelo bando coordenado pelo ex-juiz Sergio Moro e seus asseclas, os procuradores da República membros da Força-Tarefa de Curitiba. Relatei isso no meu artigo "Pode isto, Doutor Judiciário?", publicado no último dia 12 de março. O julgamento sobre a suspeição do ex-juiz, discussão que se deu na 2ª Turma do STF, terminou poucos dias depois, 23 de março, e o resultado foi humilhante para o bando. Confesso que me vi e me reconheci em várias passagens dos votos que desnudavam as farsas.

Ficou comprovado o que venho pregando há anos: a criminosa prostituição e corrupção do sistema de justiça, bem como uma intencional manipulação, com objetivos políticos, dos processos criminais que tramitavam na 13ª Vara de Curitiba. A parcialidade do ex-juiz e, por consequência, do grupo com ele conluiado deu margem à anulação do processo do ex-presidente Lula.

A gravidade dos fatos que vieram à tona não deu alternativa à Corte Suprema a não ser declarar a parcialidade de Moro. Na verdade, a nulidade se impôs. O Supremo Tribunal Federal entendeu que o então juiz Moro usou a força da toga, desonrando-a, para agir politicamente contra o ex-presidente, em uma ousadia que só a certeza do apoio da grande mídia e a perspectiva de assumir o poder poderiam explicar.

Juridicamente, não há dúvida de que todo e qualquer processo em que seja parte o ex-presidente Lula, no qual tenha havido condução pelo ex-juiz, há de ser declarado nulo. Nulidade absoluta, sem nem sequer aproveitamento de qualquer ato que tenha o dedo parcial e criminoso do juiz. É preciso ler Boaventura de Sousa Santos, no poema "O touro confessa-se":

O sangue derramado não regressa
nem se aproveitam
para as sobremesas da morte
pedaços do medo
sempre difíceis de juntar.

A decisão do Supremo é de tal maneira significativa que impõe reflexão sobre uma série de consequências. Uma delas diz respeito à necessidade de apurar a responsabilidade, civil e criminal, de todos os atores envolvidos na farsa. Não é crível que um juiz instrumentalize o Judiciário, que membros do Ministério Público desonrem tão significativa instituição, todos visando assumir um poder ainda maior, e sejam simplesmente considerados parciais.

Ora, se aceitaram mercadejar a toga e os altos cargos, parece evidente a necessidade de dar uma resposta à sociedade, à instituição do Ministério Público e ao Poder Judiciário. Desnecessário dizer que a maioria esmagadora dos agentes públicos é proba, séria e compromissada com a ordem constitucional. Os fatos estarrecedores que vieram à tona mostram, à saciedade, o intuito político do grupo e a falta absoluta de escrúpulos.

Ocorre que tal comprovação e julgamento se dão no momento mais crítico e crucial da história do país. O grupo do juiz parcial teve como estratégia de poder eleger o atual governo. Ou seja, esse presidente irresponsável, culpado pela morte de boa parte das vítimas da Covid-19, é filho legítimo do bando que foi considerado parcial. A tal motivação política que embasou a fundamentação dos votos dos ministros para declarar a nulidade revela-se exatamente no apoio e no congraçamento dos grupos do ex-juiz e do capitão.

Vejam as trapaças da sorte e as artimanhas da vida! A atual crise sanitária é de tal monta que o mais rumoroso caso, talvez do mundo, de obstrução do sistema de justiça tem que ficar em segundo, terceiro ou vigésimo plano. Nada pode ser mais importante do que fazer o impeachment, interditar, processar criminalmente, fazer novena para a renúncia, ou seja, retirar democraticamente o presidente da República do cargo.

Longe de ser uma questão política, partidária, ideológica, é uma definição de sobrevivência. Por isso, o discurso, forte e oportuno, do presidente da Câmara, Arthur Lira, alerta que tudo tem limite e que a Casa do Povo acendeu o sinal amarelo. Lembra ainda que, mesmo fatais e amargos, a Constituição Federal tem os remédios para o enfrentamento da tragédia. Cumprir os ritos e a ordem constitucional é verdadeiramente colocar o povo brasileiro acima de tudo.

Trata-se de uma definição de sobrevivência. Chegamos a 3 mil mortos por dia, mais de 300 mil mortos oficiais. O Brasil hoje é responsável por um quarto das mortes pelo vírus no mundo! Uma tragédia. Um escândalo. Uma dor sem fim ao ver corpos empilhados em corredores de hospitais, covas abertas como se fosse uma praça de guerra, pessoas sem ar buscando por aparelhos e tubos de oxigênio que a incompetência e a má-fé deixaram de providenciar. Todo esse show de horror está amparado na necropolítica e no culto à morte, que são a base teórica do governo que nos mantém à deriva.

Vivemos uma tempestade perfeita, um sistema político falido que se alimenta de uma sociedade assassina e hipócrita. Um amontoado de egoístas querendo manter seus privilégios, mesmo em tempos de guerra. Falta honradez para entender a dimensão da tragédia. Falta humanidade para chorar a perplexidade, o medo, a angústia. E dimensionar o tamanho da dor de pessoas muito próximas, que são nossas dores íntimas e que nos aniquila.

Tudo mais tem que ser para depois da tragédia. Apurar as responsabilidades para que o caos não se eternize. Mas, agora, cuidar da crise sanitária. Nada compensa a perda de uma pessoa amada. O relato dramático e diário dos mortos abandonados à própria sorte, que não tiveram uma despedida digna. O crescente medo, que já supera a angústia de passar a fazer parte da estatística em um hospital, ou o pavor de entrar em um tubo sem luz, sem ar, sem afeto, que é o que simboliza o desconhecimento da doença, têm que nos fazer ser maiores do que somos.

Em nome da vida e, também fortemente, numa aposta contra o sofrimento dos milhares abandonados à própria sorte, vamos exercer a solidariedade antes e acima das paixões e das definições políticas, vamos engolir o verme para vencer o vírus. Inspiro-me no nosso Caeiro brasileiro, Manoel de Barros: "Tenho uma confissão: noventa por cento do que escrevo é invenção; só dez por cento é que é mentira".

Vamos tentar enxergar através das espessas e turvas nuvens que nos cegam. Vamos respirar o ar tênue, escasso, que nos deixa ofegantes, e dividir uma lufada de ar fresco. Vamos estender as mãos para um abraço imaginário, mas que, ainda assim, conforta.

Enfim, vamos acreditar que tentar humanizar os bárbaros e conviver com as forças do obscurantismo pode ser a única maneira de fazer a travessia. Numa guerra tradicional eu não toparia tal concessão. Na angústia dilacerante do isolamento, eu, mesmo sem me reconhecer, vejo o melhor de mim na entrega pela sobrevivência do outro. Muito antes da minha vontade de viver, pulsa a necessidade de ver a vida que habita no outro tomando corpo, forma e cores.

E uma espécie de sonho, torpor ou ilusão vem me aconchegar e dizer que não é justo eu comemorar a vitória fantástica do resgate do sistema de justiça se o cidadão para o qual esse sistema foi pensado está morrendo sem ar e sem esperança por causa de um sistema político fascista, negacionista e sádico. Em nome da vida, do respeito e do direito a uma morte digna, eu me rendo e busco a saída possível, mesmo sem ter interlocutores que entendam o que significa dignidade, solidariedade, empatia e justiça.

Confesso que vou tentar. E amparar-me em João Cabral de Melo Neto, na "Psicologia da composição":

Saio de meu poema
como quem lava as mãos.
Algumas conchas tornaram-se,
que o sol da atenção
cristalizou; alguma palavra
que desabrochei, como a um pássaro.
Talvez alguma concha
dessas (ou pássaro) lembre,
côncava, o corpo do gesto
extinto que o ar já preencheu;
talvez, como a camisa
vazia, que despi.

26/3/2021 — Poder 360

Impeachment: 321.886 assinaturas

Aprendi com as primaveras a
deixar-me cortar e a voltar sempre inteira.
Cecília Meireles

Por mais que queiramos ter qualquer átimo de otimismo, a realidade brasileira nos sufoca, nos deprime e nos faz perder a esperança de qualquer saída civilizada. Nenhum país presidencialista resiste a um presidente despreparado, genocida, sem compromisso com a nação, com a humanidade, com a vida. É um encontro infeliz de graves distúrbios.

Não estamos mais discutindo ideologia, visão de mercado, definições sobre religião ou costumes. O embate é sobre um pensamento de culto à morte, de desprezo às instituições, de profunda ignorância sobre a importância da ciência no combate à epidemia, enfim, sobre o caos e um arrematado fascista que quer destruir o Estado. Não podemos mais perder tempo debatendo questões laterais. A história há de cobrar dos omissos, dos cúmplices, dos aproveitadores, dos canalhas.

Alguns pontos hão de ser insculpidos em bronze, para que cada um se posicione.

O primeiro é que o presidente optou pela morte. Ao se posicionar ideologicamente contra a vacina, contra o isolamento social, contra o uso da máscara, ele optou por matar o povo brasileiro. Deve ser responsabilizado por homicídio, não apenas por crimes contra a saúde pública. Nem me refiro à correta hipótese de levá-lo às barras do Tribunal Penal Internacional, mas, sim, aqui mesmo. No país em que ele escolheu, deliberadamente, matar os concidadãos. Não é possível a passividade covarde como resposta. Basta ler Miguel Torga, em *Penas do purgatório*, no verso “Princípio”:

Não tenho deuses. Vivo
Desamparado.
Sonhei deuses outrora,
Mas acordei.
Agora
Os acúleos são versos,
E tacteiam apenas
A ilusão de um suporte.
Mas a inércia da morte,
O descanso da vide na ramada
A contar primaveras uma a uma,
Também não me diz nada.
A paz possível é não ter nenhuma.

Em segundo lugar, a relevância de nossa resistência às inúmeras tentativas de golpe institucional. Como o presidente tem um raciocínio raso, limítrofe, nossa tendência, no início, era desprezá-lo. Era apenas um folclore. Mas, agora, ele é presidente da República e, embora inepto, tem o cargo.

Por diversas vezes ousou contra as instituições, acenou com rupturas. Como ninguém o leva a sério, nada foi feito. Mas foram inúmeras as tentativas de subverter a ordem constituída. Poderíamos citar a subleitura fascista do artigo 142 da Constituição, numa tentativa burlesca de colocar as Forças Armadas como poder moderador.

É impossível não termos presentes as incontáveis vezes que, pessoalmente, o presidente se insurgiu contra o Supremo Tribunal Federal e pregou o fechamento do Congresso Nacional. Inclusive com a ousadia de zombar das Forças Armadas ao ir pessoalmente à frente do Forte Apache, como é conhecido o Quartel General do Exército, propor a volta do AI 5, o afrouxamento da quarentena, o fechamento do Congresso, o golpe militar. Tivesse esse presidente, inepto e sem prestígio, qualquer poder junto às Forças Armadas e já estaríamos sob o jugo de uma ditadura.

E, agora, temos a proposta golpista do líder do PSL de ampliar a "mobilização nacional". Na realidade, uma tentativa de ter o comando dos servidores civis e militares, inclusive, e principalmente, das polícias civis e militares para gestar o golpe. Nos últimos tempos, todos nós alertamos sobre a tentativa de fortalecimento desse governo, desprezado pela inteligência das Forças Armadas, numa aproximação criminosa com as polícias militares.

Repito, ainda que sujeito a críticas: as Forças Armadas brasileiras, forças do Estado e não do Governo, mantiveram a nossa independência e soberania ao não se alinharem com a milícia e o crime organizado. Esse será um marco quando formos estudar a história destes tempos estranhos. Vamos nos lembrar de Bertolt Brecht, no poema "Os esperançosos":

Pelo que esperam?
Que os surdos se deixem convencer
E que os insaciáveis
Devolvam-lhes algo?
Os lobos os alimentarão, em vez de devorá-los!
Por amizade
Os tigres convidarão
A lhes arrancarem os dentes!
É por isso que esperam!

É importante termos em mente que a estrutura fascista se instalou em todo o governo. Nem vamos perder tempo com bizarrices como Ernesto, Pazuello, Damares, Moro, Salles. O que deve nos mobilizar é o fato de a deputada que preside a CCJ, principal Comissão da Câmara, Bia Kicis, ter usado o prestígio do cargo para tentar incitar um motim na PM da Bahia, por meio de fake news. E o Conselho de Ética da Câmara não se dá ao respeito de abrir um processo de cassação do mandato.

Mas há algo a ser enfrentado, apesar de esse governo genocida nos distrair com a morte, nos aniquilar com a dor da tragédia. Insensível e sádico, ele joga com a nossa fragilidade, com o fato de sermos humanos, de sofrermos. Mas devemos começar a desnudar a nossa dor. Ontem foi mais um dia marcante, vejamos o quadro dos oito países com mais mortes em apenas um dia. É chocante. É humilhante. É revoltante.

1º Brasil	**3.769**
2º Estados Unidos	**921**
3º Polônia	**621**
4º México	**577**
5º Itália	**501**
6º Índia	**468**
7º Ucrânia	**421**
8º Rússia	**383**

Ou seja, o Brasil é responsável por 3.769 mortes diárias pelo Covid, enquanto os outros 10 países, juntos, somam 3.892.

Eis a nossa sina e nossa luta: tentar de todas as formas manter vivos os que estão sofrendo sem ar nos hospitais. Vamos promover uma espécie de respiração boca a boca usando o coração amoroso como instrumento. Brincar com a vida e tentar entrar, como anjos, nos ambientes austeros e tristes das UTIs, dos corredores, dos quartos nos hospitais. Olhar de cima, como se fôssemos mágicos, como se numa lufada de carinho e amor fosse possível acariciar os que estão solitários no isolamento obrigatório.

O fascista assassino não permite o isolamento aqui na sociedade, mas o vírus nos impõe o isolamento nos hospitais. O infectado está isolado no seu leito, sem o afeto e o carinho de um beijo, de um abraço. Mas o genocida segue pregando que o isolamento é desnecessário. Não há crise política que supere esse desastre do vírus coordenado pelo verme. Na política, nós ainda temos como resistir, oferecendo-nos ao combate no fortalecimento das instituições. Na necropolítica, nossa saída não pode ser apenas conviver com a morte, é preciso enfrentá-la e derrotá-la. Invocando o poeta chinês Li Po, em um escrito do ano de 601, traduzido por Cecília Meireles:

> *Esse grande floco de neve é uma garça branca que acaba de pousar no lago azul.*
>
> *Imóvel, na extremidade de um banco de areia, a garça branca observa o inverno.*

2/4/2021 — Poder 360

Saramago e Eldorado do Carajás

Perdi muito tempo até aprender que não se guarda as palavras, ou você as fala, as escreve, ou elas te sufocam.

Clarice Lispector

Hoje, o massacre que matou 19 trabalhadores sem-terra em Eldorado do Carajás completa 25 anos. Quase nada mudou no Brasil. Os trabalhadores continuam sendo mortos, e isso é o que nos interessa enfrentar e o que nos mobiliza. A sociedade ainda parece desprezar a gravidade da questão da terra. São tantas as demandas de enfrentamento do fascismo diário que corremos o risco de não nos engajarmos com a devida força e o comprometimento necessário nessa importante matéria.

À época, foi decidido que deveríamos fazer um júri simulado para denunciar internacionalmente o massacre. O júri foi formado e o seu presidente era o grande José Saramago. O Ministério Público foi representado pelo ex-procurador-geral da República, Cláudio Fonteles. Os jurados eram pessoas ilustres, como Marina Silva, Marcelo Lavenère, Paulinho Delgado, entre outros.

A OAB indicou-me como advogado do "réu", o estado do Pará. Tarefa inglória. Aceitei e prometi a mim mesmo dar ao "réu" uma defesa digna.

Na ocasião, reunimo-nos no auditório Petrônio Portela, no Senado Federal, para o júri simulado. O mundo estava de olho no júri.

Na noite anterior, em um jantar no meu restaurante, o mítico Piantella, o mestre Saramago me questionou: "Ouço falar bem do senhor, qual vai ser sua linha para essa impossível defesa?" E eu, respeitosa e atrevidamente, respondi: "Mestre, eu só advogo quando tenho tese. Vou ganhar". Ele, com certa perplexidade, riu. Não sei se comigo ou de mim.

Começou o júri, e a plateia era quase integralmente de trabalhadores. A maioria não entendia muito — e com razão — que aquele ato era um júri simulado. Era uma denúncia do abuso e do assassinato dos trabalhadores. Eu era hostilizado e vaiado como advogado do "réu", o estado do Pará.

A acusação massacrou o meu "cliente". A plateia aplaudia fortemente. Quando havia referência à defesa, eu era vaiado. Um clima verdadeiro estava instaurado num júri simulado.

Passaram a palavra para a defesa, o que é um ato sagrado. Em meio às vaias, eu pedi que me ouvissem. E, de forma respeitosa — pois os trabalhadores são respeitosos —, o silêncio se fez. Em seguida, procedi à defesa do "meu cliente".

A minha argumentação era técnica.

Quem matou os trabalhadores de Eldorado do Carajás foi a falta da reforma agrária. O responsável constitucionalmente por essa reforma era e é o governo federal. Logo, quem deveria estar no "banco dos réus" não era o governo do Pará, mas, sim, o governo federal. Em última análise, o então presidente Fernando Henrique Cardoso.

Silêncio no auditório. Tensão. Eu havia feito uma das defesas mais emocionadas da minha vida. Com a permissão criativa que a defesa tem constitucionalmente.

De repente, a plateia começou a aplaudir de pé e gritou a minha tese. Era um brado pela reforma agrária, que nunca veio. Uma homenagem aos mortos que seriam reproduzidos milhares de vezes pela desigualdade. Lembro-me de ser, talvez, o primeiro advogado a ir a Rio Maria, indicado pelo grande Márcio Thomaz Bastos, para enfrentar os fazendeiros. E, por sugestão do padre Ricardo, dormir no banheiro e ver o quarto onde eu dormiria ser atingido por 12 tiros!

Na verdade, o que eu guardo com carinho, e até emoção, foi o jantar com Saramago quando ele me ofereceu um brinde. Mais ou menos dizendo que tinha ficado emocionado de ver a defesa, usando argumentos jurídicos, priorizar os direitos humanos, o direito à vida. Enfim, tudo aquilo que a gente tem feito ao longo dos anos. A certeza de que nós não fazemos nada perto do que faz o MST. Mas a vida é assim. Se o Saramago se espantou com nossa postura, eu penso: vale a pena continuar na luta.

Miro-me na escrita de Mia Couto: "Nenhuma palavra alcança o mundo, eu sei. Ainda assim, escrevo".

17/4/2021 — O Dia-IG

É a hora do Senado

Sou um homem comum
de carne e de memória
de osso e esquecimento.
...
Sou como você
feito de coisas lembradas
e esquecidas
...
Mas somos muitos milhões de homens
comuns
e podemos formar uma muralha
com nossos corpos de sonho e margaridas.
Ferreira Gullar, *Homem comum*

Muito triste ver o que aconteceu com o Brasil. O país perdeu a sua essência. Deixou a alma se esvair e, neste momento, ronda como um moribundo sem rumo e sem identidade. Não há quem, no mundo, nos respeite. Viramos pária internacional e motivo de chacotas. Quando a cara do país passa a ser o humor macabro, ou escrachado, ou mesmo o desprezo e a pena, é porque o poço chegou ao fundo.

Num país presidencialista, a força, até simbólica, do presidente da República é muito significativa. Quando nos defrontamos com um inepto, sádico, cultor da morte, profundamente ignorante, inculto e banal a presidir o país no meio da maior crise sanitária de todos os tempos, a catástrofe se faz presente.

E os exemplos de barbárie vão se acumulando e testando a capacidade de indignação e reação das pessoas. O descaso com a inteligência, com o cuidado ao próximo, o desdém com o pensamento do outro, tudo passa a ser a regra do dia a dia. Recorro, mais uma vez, a Miguel Torga no poema "Reminiscência", no livro *Penas do purgatório*:

Prossegue o pesadelo.
Feliz o tempo, que não tem memória!
É só dos homens esta outra vida da recordação.
E tão inúteis certas agonias
Que o passado distila no presente!
Tão inúteis os dias
Que o espírito refaz e o corpo já não se sente!
Continua a lembrança dolorosa nas cicatrizes.
Troncos cortados que não brotam mais
E permanecem verdes, vegetais, no silêncio profundo das raízes.

Um general da ativa que é ministro-chefe da Casa Civil diz, sem vergonha, numa reunião do Conselho de Saúde Suplementar, que tomou a vacina contra a Covid-19 escondido para não contrariar o chefe dele, o capitão que preside o país! E as pessoas não têm tempo de ficar perplexas.

Vejam que piada de péssimo gosto: um homem que ocupa um posto relevante na estrutura de poder assume que agiu como uma criança medrosa e, para vergonha de todos, diz que não tornou público o ato de se vacinar pois o chefe dele não gostaria. E deixa claro que foi escondido por orientação do Palácio do Planalto.

Ou seja, o fascista que ocupa a presidência, negacionista, que não comprou as vacinas nas diversas vezes em que as teve oferecidas pelos inúmeros laboratórios, que pregou a não necessidade de isolamento, que criticou o uso de máscara, sádico, também proíbe a imunização aos seus subordinados, ou a publicização do ato de vacinar, em clara ofensa a todas as normas da ciência.

A cada dia surge um fato grave para evidenciar a necessidade de aprofundar as investigações sobre a ação ou omissão do presidente no seu desiderato de matar parte do povo brasileiro. Em 1999, em um programa de televisão, o então deputado, medíocre e despreparado, arrotava a plenos pulmões que o Brasil só avançaria "fazendo um trabalho que o regime militar não fez. Matando uns 30 mil".

Sim, a proposta desse militar frustrado era matar 30 mil brasileiros. Como presidente da República, ele acaba de ser responsabilizado pelo Conselho Federal da Ordem dos Advogados do Brasil pela morte, por omissão, de pelo menos 150 mil brasileiros, num momento em que os óbitos, resultantes direta e indiretamente da irresponsabilidade dele, chegam ao alarmante número de 400 mil pessoas.

Mas a prepotência dos grupos de apoio ao governo segue protagonizando cenas de terror explícito. O uso indiscriminado da Lei de Segurança Nacional, com o intuito evidente de perseguir intelectuais, jornalistas e estudantes, é uma das partes visíveis do ataque fascista, à luz do dia, como estratégia para amedrontar os que ousarem criticar os abusos.

Parece evidente a reação orquestrada pelos apoiadores do presidente Bolsonaro para impedir que ocorra o impeachment ou o afastamento por crime comum. Isto sem considerar o silêncio sufocante que vem do Tribunal Superior Eleitoral sobre o processo, que se espera ser logo concluído.

Essa reação do governo, desorganizada e até infantil, parece chegar a um limite de máxima tensão. A criação da CPI da Covid desestabilizou de vez as hostes governistas. O próprio governo fez um levantamento dos possíveis caminhos a serem investigados, como num reconhecimento prévio de inúmeros crimes e ilegalidades. Uma espécie de delação não premiada para impedir certos depoimentos. Ou, talvez, uma tentativa de desvio de foco de alguns senadores, que o Palácio achava serem simples linhas auxiliares do Planalto. O desvio de foco, a princípio, atrapalhou e ditou os rumos a serem seguidos. Existe a máxima de um velho político mineiro: "Eu vou até a beira da cova, segurando a alça do caixão, mas não pulo dentro".

O que vislumbramos é uma CPI que se inicia com material para preparar o relatório final. E, claro, os investigados, via defesa técnica e apoios políticos, esmeram-se em manter a investigação o mais distante possível de certa família que ocupa a "casa de vidro".

É necessário que, até em solidariedade aos milhões de brasileiros que perderam um familiar, um amigo, um conhecido, estejamos atentos. Há uma clara intenção de usar a CPI como uma cortina de fumaça, como uma maneira de investigar sem chegar ao responsável principal. Variantes nas investigações começam a encontrar outros focos. Não vamos nos dispersar. Vamos lembrar de Augusto dos Anjos, no poema "O morcego":

A Consciência Humana é este morcego!
Por mais que a gente faça, à noite, ele entra
Imperceptivelmente em nosso quarto!

O oxigênio que faltou nos hospitais e nos pulmões dos infectados, amontoados em UTIs lotadas, a falta de ar que fez milhares de brasileiros agonizarem em razão da ausência de planejamento do Estado gestor, toda essa agonia deve e tem que ser transformada em força para cobrar resultado dessa CPI. E que seja uma investigação rápida, como está sendo a propagação do vírus pela incúria, principalmente, do presidente da República.

O Supremo Tribunal Federal não tem faltado ao país neste momento trágico. Quando acionado — pois o Judiciário é um poder inerte e só age se instado —, tem feito seu papel nesta conjuntura, em que o país está à deriva. O ministro Ricardo Lewandowski atuou como verdadeiro ministro da Saúde nas situações mais agudas.

Agora, os olhos do país se voltam para o Congresso Nacional, especialmente para o Senado Federal. A história será implacável na cobrança de atitude de cada senador. Aos omissos, aos canalhas e aos covardes estarão reservadas as covas rasas para abrigar suas reputações. Poderão continuar a desfrutar as pompas e galas do poder, mas a cumplicidade os marcará a ferro quente. Não esqueceremos. Haveremos de honrar cada dor que não foi extravasada em sua plenitude; cada humilhação nas filas eternas de hospitais; cada desespero por não poder dar o último abraço no ritual de partida; cada angústia sofrida em silêncio, ou em choro contido, na solidão fria das UTIs.

Senhores senadores, honrem os mandatos que o povo lhes conferiu. E lembrem-se de Bertold Brecht no poema "Os medos do regime":

> *À vista do poder imenso do regime, de seus campos de concentração e câmaras de tortura.*
> *De seus nutridos policiais,*
> *Dos juízes intimidados ou corruptos,*
> *De seus arquivos com as listas de suspeitos*
> *Que ocupam prédios inteiros até o teto*
> *Seria de acreditar que ele não temeria uma palavra clara de um homem simples.*
> *Mas este Terceiro Reich lembra*
> *A construção do assírio Tar, aquela fortaleza poderosa que, diz a lenda, não podia ser tomada por nenhum exército,*
> *mas que através de uma única palavra clara, pronunciada no interior,*
> *Desfez-se em pó.*

30/4/2021 — Poder 360

Uma CPI em defesa dos que se foram

Todos somos iguais na capacidade para o erro e para o sofrimento. Só não passa quem não sente; e os mais altos, os mais nobres, os mais previdentes, são os que vêm a passar e a sofrer mais do que previam e do que desdenhavam. É a isto que se chama a Vida.
Fernando Pessoa, *Livro do desassossego*

O Brasil é um país onde não se pode sofrer em paz. Quando nos entregamos à dor das quase 430 mil mortes pela pandemia, na vã ilusão de que nada mais pode nos tirar do sério, ainda nos deparamos com uma chacina que vitimou 28 pessoas na favela do Jacarezinho, no Rio de Janeiro. Não é possível organizar minimamente nossa cabeça para enfrentar a realidade brasileira. A realidade supera sempre qualquer hipótese de fantasiar a vida.

E, óbvio, a desgraça nunca vem sozinha, ela traz consigo todas as mazelas parasitárias. No caso, vêm a fome, o desemprego e a desesperança. O país pelas tabelas e com uma enorme possibilidade de ver, no dia a dia, as fossas se aprofundarem. E a vida tendo que seguir adiante, mantendo aparência de normalidade para não desistirmos de vez.

Os refúgios naturais continuam nos acolhendo, o aconchego amoroso familiar, uma tese arrojada parida no isolamento, umas conversas instigantes em *lives* diversas, a poesia como companheira e amante, enfim, um desvio do caos para resistir. Uma tentativa de preservar certa normalidade para justificar a existência. E, aqui e acolá, gritos de socorro são emitidos em uma linguagem sensorial que interessa a quem quer entender. E vinho. E mais poesias.

No meio das diversas tentativas de encontrar caminhos que nos mantenham na estrada, decidimos que acompanhar a CPI da Pandemia é uma porta a ser mantida aberta para sairmos do abismo, que parece ser, neste momento, o leito natural do Brasil. E, aí, é necessário reconhecer: o país se supera. Recorro ao eterno Mia Couto, no poema "Estrada de terra na minha terra":

Na minha terra
Há uma estrada tão larga
Que vai de uma berma a outra.
Feita tão de terra
Que parece que não foi construída
Simplesmente, descoberta.
Estrada tão comprida
Que um homem
Pode caminhar sozinho nela.
É uma estrada
Por onde não se vai nem se volta
Uma estrada
Feita apenas para desaparecermos.

Alguns senadores, ainda na ânsia indômita de agradar ao poder, continuam defendendo a cloroquina, com exemplos bizarros e infantis. Seria até cômico, mas é criminoso. Uma deputada estranha invade o Senado e pronuncia impropérios desconexos, provavelmente para alguma gravação de propaganda, e o mais dramático é o nível dos depoimentos dos agentes públicos. Felizmente, não os depoimentos técnicos, mas os políticos são de fazer corar os santos de igreja.

A impressão que resta é que, como vivem em um mundo irreal onde os 430 mil mortos são números e não pessoas, onde a falta de vacina é uma criação da esquerda, onde a necessidade de isolamento social e do uso de máscara é uma criação comunista, eles podem mentir, podem omitir. O papel ridículo que fazem não lhes atinge, pois desconhecem a força do sentir-se ridículo.

E, fora do âmbito da CPI, o país segue sua sina rumo ao precipício e à barbárie. A discussão sobre a chacina leva, cada vez mais, à hipótese de execução sumária com mortes planejadas. O espectro da milícia ronda de maneira macabra. E a operação, dita como exceção, é agora alvo de investigação de uma força-tarefa criada pelo Ministério Público para apurar os abusos. Vale lembrar Manuel Bandeira no poema "Noturno do morro do encanto":

Este fundo de hotel é um fim do mundo!
Aqui é o silêncio que tem voz.
...
Ouço o tempo, segundo por segundo,
Urdir a lenta eternidade.
...
Falta a morte chegar.... Ela me espia,
Neste instante talvez, mal suspeitando
Que já morri quando o que eu fui morria.

O governo Bolsonaro continua como se estivesse num parque de diversões: presidente passeia de moto, aglomerando sem máscara; realiza live imitando uma pessoa com falta de ar em cena constrangedora que demonstra absoluta falta de empatia ou solidariedade; faz críticas ao seu ex-ministro da Saúde, chamando-o de canalha, em clara jogada de marketing eleitoral.

O mais grave, porém, é a notícia de ter acabado o IFA (Ingrediente Farmacêutico Ativo) chinês no Brasil, o que significa que as vacinas deixarão de ser fabricadas. A imputação, gravíssima, é que as críticas do governo brasileiro à China fizeram com que o país revidasse. O governador de São Paulo, João Doria (PSDB), expressamente imputou a falta dos insumos ao mal-estar diplomático causado pelas agressões do governo ao país fornecedor.

Na prática, o país não precisaria de uma CPI para investigar a responsabilidade criminal e os inúmeros crimes de responsabilidade por parte do presidente da República e sua equipe. É cruel e sádico que os crimes continuem sendo cometidos mesmo durante as investigações, em claro acinte ao Senado, ao Congresso e, principalmente, ao povo brasileiro. Mas a CPI é instrumento necessário para que a investigação se dê cercada de todos os direitos e garantias constitucionais. É assim que se opera em um Estado democrático de direito.

Essa poderosa força de investigação e de fiscalização dos atos do Executivo tem poderes inerentes ao Judiciário e ampla liberdade para apurar e propor mudanças legislativas. É chegada a hora de o Legislativo voltar a ocupar o espaço que é dele em um regime democrático. A excessiva criminalização do poder político, fenômeno que está na base da ascensão do proselitismo fascista de extrema direita, debilitou as bases de um Congresso altivo e independente.

Com a debacle e o desnudamento do grupo fascista que assumiu o vácuo de poder, é chegada a hora do resgate da independência do Legislativo. Uma CPI bem trabalhada, levada a efeito com seriedade e dignidade, que seja técnica e minuciosa no enfrentamento dos crimes cometidos pelos agentes públicos, inclusive, pelo presidente da República, deverá resgatar a autoestima do congressista que se orgulha da política e que sabe o espaço que ela ocupa na manutenção do equilíbrio democrático.

Para tanto, é necessário que todos nós acompanhemos e participemos. E é hora de encontrarmos mecanismos para cobrar das autoridades constituídas. Um relatório bem fundamentado por todas as provas que estão até agora evidenciadas, e as que surgirão inexoravelmente, deve cumprir o duplo papel: dar o pontapé para o impeachment e servir de sustentáculo para a formalização de uma acusação criminal.

Cabe a nós criar mecanismos jurídicos e legislativos para que o presidente da Câmara apresente ao plenário da Casa o pedido de impeachment e para que o procurador-geral da República cumpra seu papel constitucional ao apresentar ao Supremo Tribunal Federal uma fundamentada denúncia.

Não é pouca coisa, mas é o que merecem os milhões de amigos, pais, filhos, primos, enfim, todos os que sofreram e choraram as dores infinitas das perdas de quase 430 mil brasileiros. E é uma doce homenagem aos que se foram, vencidos pelo vírus, mas também pela incompetência, pela irresponsabilidade, pela falta de seriedade e pelo uso político do vírus. Banditismo mesmo. Devemos isso a nós, mas, principalmente, devemos a eles. No ensinamento do velho Li Po, na tradução de Cecília Meireles:

No momento em que se afastava da praia
O barco que me conduzia,
eu ouvi — eu, Li Po — uma canção de dilacerante doçura.
O mar já tinha mil pés de profundidade,
Mas o afeto que te fez cantar por mim,
Wang-Luen,
era ainda mais profundo.

14/5/2021 – Poder 360

Um grito de resgate

"O poeta é um fingidor
Finge tão completamente
Que chega a fingir que é dor
A dor que deveras sente.

Fernando Pessoa

O Brasil virou um país cansativo. Parece que o único assunto é a necessidade de resistir ao governo que cultua a morte e despreza qualquer racionalidade. Perdemos, aos poucos, nossa veia lúdica, a capacidade de sermos simplesmente felizes, sem culpa. Uma pequena parcela de certa irresponsabilidade tem que fazer parte do dia a dia. Não dá para sermos, o tempo todo, absolutamente responsáveis e preocupados com o destino que teima ser mais do que errático. Somos um país que se perdeu, como um navio à deriva em um mar revolto.

A cada dia um descompasso. Um exemplo: a maioria das pessoas que vai prestar depoimento na CPI não tem compromisso algum com a verdade. A mentira virou a tônica, como um gesto de identidade nacional dos fascistas, ou dos seguidores dos bolsonaristas. É claro que nem todos são fascistas, mas fazem parte da ala dos passistas, dos apoiadores, dos que puxam a corda para manter a realidade distante. Como se realmente existisse um mundo paralelo, imaginário, habitado por esses seres estranhos. Mesmo o assunto sendo a vida humana, o que somos obrigados a ouvir é muito constrangedor.

E é muito difícil discutir com quem não tem comprometimento com a realidade. Como dialogar com quem acredita que a Terra é plana, que tomar vacina é coisa de comunista e que a ciência não deve ser levada em consideração? Não estamos enfrentando uma visão diferente sobre o papel do Estado no atual contexto. A discussão não é sobre direita, centro ou esquerda. Somos confrontados nas questões existenciais. Básicas. Esses bárbaros estão fazendo uma política de terra arrasada. E ainda têm um grande apoio popular.

No dia 29 de maio, embora assumindo uma contradição em termos, um enorme número de brasileiros foi às ruas marcar uma posição a favor da vida. Nós, que insistimos, como um mantra, na necessidade de usar máscara, de manter o isolamento, de não aglomerar, de lutar pela vacina, vimo-nos compelidos a soltar um grito para que fôssemos ouvidos. Uma voz que estava travada, engasgada e adormecida. Ainda que com máscara e respeitando a distância possível, foi meio estranho. Entendo os que optaram por não sair. A coerência deles só faz aumentar o meu respeito. Mesmo já tendo sido vacinado, eu me identifico mais com os que protestaram em um silêncio de recolhimento. Contudo, foi importante darmos uma cara ao nosso enfrentamento.

E, como escrevi aqui, fui de verde e amarelo como sinal de que esses imbecis não podem usurpar nossas cores, como já fizeram com nossa alegria e com nossos sonhos. É preciso estarmos nas ruas e nos espaços públicos, para que, de certa forma, possamos materializar nossa esperança de ter o país de volta. É como se, num passe de mágica, nós ultrapassássemos, com segurança, o círculo de giz imaginário que nos aprisiona. Um resgate do menino que existe em cada um de nós.

Não tenho dúvida, só saímos às ruas pela consciência plena de que o governo desse verme mata mais do que o vírus. Estamos no meio da tempestade perfeita, sendo tragados por ela. O que mata é a negação, é o desprezo solene pela ciência, é a politização da pandemia. Inevitavelmente, teríamos milhares de óbitos, como ocorreu no mundo todo, mas é necessário demonstrar e apontar que, segundo os especialistas, pelo menos um terço dos que faleceram aqui no Brasil pode ser computado na responsabilidade deste governo.

Certa vez, o presidente, em um dos seus arroubos de ignorância, disse, ao falar sobre o número de mortos, que não era coveiro. Infelizmente, a história está comprovando que ele é, sim, o coveiro. Não só o responsável pelo desmonte do país em todas as áreas, principalmente na cultura, na educação, na saúde e na economia, como também pelo número excessivo de mortes em razão do desastrado enfrentamento da crise sanitária.

Por isso, estamos todos nas ruas, ainda que muitos só simbolicamente. É como se estivéssemos resgatando um país que foi saqueado, que se esfacelou. Ao cantar nossos hinos, ao vestir nossas cores, pode parecer piegas, estamos ocupando um país que é nosso e devolvendo a nós mesmos a capacidade de nos indignar. Essa é uma luta que ninguém pode fazer por nós. E que só depende de nós. Sem medo de sermos felizes.

Vamos nos lembrar de Clarice Lispector: "Embora às vezes grite: não quero mais ser eu! Mas eu me grudo a mim e, inextricavelmente, forma-se uma tessitura de vida".

3/6/2021 – Poder 360

Evidências

Inútil pedir
Perdão
Dizer
Que o traz
No coração
O morto não ouve.
Ferreira Gullar, *O morto e o vivo*

Inevitável não lembrar a famosa frase quando se deu a instalação da CPI: "CPI a gente sabe como começa e nunca sabe como acaba". A experiência indica que isso é uma verdade.

São muitos os poderes de uma comissão. Imagine uma CPI no Senado Federal, conhecido como Casa dos Príncipes da República, com todos os poderes naturais do Poder Legislativo, imbuídos por determinação constitucional, com o acréscimo dos poderes de investigação inerentes ao Poder Judiciário. Pode ser letal. E precisamos levar em consideração o fermento adicional, que é a superexposição midiática. É a tempestade perfeita.

E essa comissão da Covid tem um propósito muito especial: trata-se da apuração sobre um governo fascista e negacionista que terá de ser responsabilizado por, pelo menos, 150 mil mortes por omissão. E, certamente, no decorrer da investigação, outros crimes virão à tona.

No tocante ao crime de homicídio, cabe à CPI definir, tecnicamente, quem deverá ser responsabilizado juridicamente com o chefe, o presidente da República. Que os crimes ocorreram, já está sobejamente comprovado. O que se busca agora é a definição da limitação da coautoria. Lembro-me de Sophia de Mello Breyner, no poema "Velório Rico":

O morto está sinistro e amortalhado
Rodeado de herdeiros inquietos como sombras
Que atormentam o ar com seus pecados.

Desde o início das investigações, todos nós ouvimos que essa é a Comissão Parlamentar de Inquérito mais importante da história do Congresso. Sem entrar no mérito, faço uma reflexão que julgo ser necessária e oportuna.

Todos percebem que a CPI está trabalhando bem e a mil por hora. As provas de diversos crimes se avolumam. Nem adianta ir negando as aparências ou disfarçando as evidências. Mas já está na hora de providenciar as imputações em um relatório bem circunstanciado.

As CPIs de sucesso tendem a ser prorrogadas, e a exposição midiática é o termômetro e o limite. Ocorre que, até hoje, nenhuma Comissão teve como pano de fundo principal tentar impedir a tragédia de quase 3 mil mortos por dia.

É disso que se trata. Neste momento, todos, ou pelo menos as pessoas sérias e humanistas, já têm a certeza científica de que Bolsonaro tem que ser submetido a um processo de impeachment na Câmara dos Deputados e, também, a um processo criminal no Supremo Tribunal. A discussão é quando. Singelamente, recorro a Geraldo Vandré:

Vem, vamos embora,
que esperar não é saber
Quem sabe faz a hora,
Não espera acontecer.

É necessário que as provas dos crimes de responsabilidade e comuns sejam apresentadas de forma segura, robusta e técnica. Os senadores já lograram reunir os requisitos para o que seria o caminho natural: a responsabilização criminal e por crime de responsabilidade do presidente da República e de seus asseclas. Agora, temos que perguntar o óbvio: se já estamos todos a saber dos crimes e quem os cometeu, o que é possível fazer e como? São essas respostas que o Brasil inteiro espera, com a urgência possível.

O anúncio de prorrogação do prazo da CPI é frustrante e preocupante. Não se trata de uma investigação sobre um banco ou sobre uma construtora, na qual até se compreende que a vaidade da exposição midiática tenha um peso na hora de decidir sobre a delonga. Estamos falando de uma CPI que pode efetivamente dar uma contribuição para a história, impedindo que a tragédia sanitária continue desgovernada.

Na prática, o governo já fez uma série de mudanças de rumo em função do que está sendo exposto com a investigação. E isso significa salvar vidas. Cada dia com o presidente da República no poder representa mais 3 mil brasileiros mortos. Já passamos de meio milhão de vidas ceifadas, boa parte com o carimbo oficial do governo Bolsonaro.

Torna-se imprescindível que o relatório, mesmo parcial, seja imediatamente apresentado, antes da prorrogação do prazo, fazendo constar as evidências técnicas para serem encaminhadas ao procurador-geral da República, que analisará eventual responsabilidade criminal, e à Câmara dos Deputados, que cuidará da avaliação de prática ou não de crime de responsabilidade e do impeachment. Só seria possível prorrogar com o objetivo de aprofundamento das investigações se as pessoas parassem de morrer para esperar o resultado.

Ainda teremos um longo embate sobre os poderes imperiais do presidente da Câmara e do chefe do Ministério Público, que decidem sozinhos sobre o destino do relatório apresentado. É necessária uma mudança que permita ao plenário da Câmara se manifestar, bem como um grupo de subprocuradores no caso de omissão do procurador-geral da República.

A hipótese de aprofundar a apuração das gravíssimas suspeitas de corrupção é evidente e deve ser levada em conta. E não se diga, nem como defesa do presidente da República, que não é possível uma investigação dele pela CPI. Parece elementar que a Comissão não pode convocar o chefe do Executivo, e há fundadas dúvidas sobre a constitucionalidade de decretar o afastamento de seus direitos fundamentais. Mas a investigação dos fatos pode seguramente se dar sem nenhum desrespeito aos direitos individuais do presidente.

A depender do andar da carruagem, basta atravessar a Praça dos Três Poderes e o Supremo Tribunal fará a parte dele. É sempre bom ler Miguel Torga, no poema "Denúncia":

Acuso-te, Destino!
A própria abelha às vezes se alimenta do mel que fabricou...
E eu leio o que escrevi
Como um notário o testamento alheio.

A reflexão necessária neste momento é que a prioridade absoluta é salvar vidas. A irresponsabilidade criminosa ao optar por não comprar vacina, a recusa deliberada em priorizar o oxigênio que asfixiou milhares de brasileiros, a pregação negacionista e a priorização de tratamentos sem indicação das autoridades médicas e da ciência, até a existência de um ministério paralelo, sabemos agora, tinham também um interesse financeiro, e isso deve ser devidamente esclarecido. É a velha máxima do processo penal: siga o dinheiro. Mas é imperioso que esses desdobramentos se deem após a apresentação do relatório parcial. Infelizmente, o Brasil e os brasileiros não suportam esperar 2022.

Os Estados democráticos devem naturalmente conviver com a alternância de grupos distintos no poder. Essa é uma das essências da democracia. A renovação pelo voto é uma das principais fontes de fortalecimento do Estado democrático de direito. Mas, no caos para o qual o país foi tragado, não se pode ter a ilusão de simplesmente cumprir os ritos.

Há ao nosso lado, de maneira silenciosa, a presença de mais de 500 mil brasileiros à espera de uma resposta. E não são apenas os que se foram, vencidos pelo vírus e pela irresponsabilidade criminosa do governo. Existem os milhares de sequelados que têm hoje sérias restrições, bem como aqueles sem esperança e sem disposição para o enfrentamento dessa tragédia que virou morar no Brasil. Os fascistas semearam o culto à morte e ainda sequestraram os sonhos de milhares de adolescentes. A resposta a tudo isso não pode ser prorrogada.

Remeto-me ao imortal Fernando Pessoa, no poema "Adiamento":

Depois de amanhã, sim, só depois de amanhã.
Levarei amanhã a pensar em depois de amanhã.
É assim será possível; mas hoje não...
Não, hoje nada; hoje não posso.
...
Amanhã é o dia dos planos.
Amanhã sentar-me-ei à secretária para conquistar o mundo;
Mas só conquistarei o mundo depois de amanhã...

25/6/2021 – Poder 360

O Brasil na UTI

> E amanhã eu vou ter de novo um hoje.
> Há algo de dor e pungência em viver o hoje.
>
> **Clarice Lispector**

Penso que devemos fazer uma discussão necessária.

Conversei há pouco com alguns senadores e vejo que há uma hipótese de suspensão da CPI da Covid durante o recesso de julho. Respeitosamente, eu espero que o Senado tenha conseguido uma liminar para impedir qualquer morte nesse período. Não sei bem quem teria esse poder, mas só assim é possível entender a interrupção dos trabalhos da CPI.

Já disse mais de uma vez, essa não é uma CPI das construtoras, dos bancos, é uma CPI do desastre sanitário que se abateu sobre o país. É necessário apontar os responsáveis por boa parte desses óbitos. Já contabilizamos mais de meio milhão de mortos. E precisamos saber quem ganhou dinheiro com nossa dor.

Há, neste momento, uma expectativa de que os maiores de 60 anos estejam morrendo menos, em razão de um número maior de vacinas aplicadas nessa faixa etária. Mas as novas cepas atingem cruelmente, cada vez mais, pessoas mais novas. E tudo indica que as vacinas só começaram a aparecer no mercado brasileiro, em boa parte, em razão do trabalho da CPI. Ou seja, a CPI salvou vidas!

Não tivesse a CPI desnudado a irresponsabilidade criminosa do governo na omissão dolosa de não compra das vacinas, estaríamos, ainda agora, a discutir se a vacina seria ou não a melhor opção para vencer o vírus.

Hoje, a controvérsia é sobre quem ganhou dinheiro criminosamente com a omissão e com as escolhas de produtos não aprovados pela ciência. É sobre os inúmeros crimes de responsabilidade, como se fosse um *serial killer*, cometidos pelo presidente da República no trato da questão relativa ao objeto da CPI.

Não há espaço para interromper a investigação. Em nome dos mais de 500 mil brasileiros que foram vencidos pelo vírus. Em homenagem aos milhões que sofrem e sofreram essa perda, eu espero que os senadores não façam essa interrupção durante o recesso. Seria como parar um tratamento de um brasileiro infectado pela Covid. Um brasileiro na UTI. O Brasil está na UTI e o Senado sai de férias.

O que se espera é uma investigação séria e objetiva. Mas também rápida. O ideal seria um relatório parcial com a indicação técnica e pormenorizada dos crimes, especialmente os de responsabilidade, e o encaminhamento imediato para a Câmara, Procuradoria-Geral da República e demais autoridades. E o aprofundamento das investigações sobre corrupção e outros temas. Depois discutiremos os poderes imperiais dos que receberão o relatório dos senadores, mas antes vamos cobrar resultado.

O tempo é ontem. Nossas dores e nossas angústias não suportam mais. Não sabemos mais como viver com essa perplexidade. Se o Senado mandar parar o tempo, nós, definitivamente, teremos que deixar de acreditar na política. Tudo tem hora. Até ter hora de parar a hora tem que ter hora.

Todos sabemos das trapaças da sorte que é uma investigação pela CPI. Mas o jogo é jogado. O que não se pode é, no intervalo da partida, um dos times pegar a bola e se retirar. Normalmente, quem faz isso é o dono da bola. No caso dessa CPI, o dono da bola é o povo brasileiro.

E nos socorrendo do grande Augusto dos Anjos no poema "O Morcego":

Meia-noite. Ao meu quarto me recolho.
Meu Deus! E este morcego! E, agora, vede:
Na bruta ardência orgânica da sede,
Morde-me a goela ígneo e escaldante molho.

'Vou mandar levantar outra parede...'
— Digo. Ergo-me a tremer. Fecho o ferrolho
E olho o teto. E vejo-o ainda, igual a um olho,
Circularmente sobre a minha rede!
Pego de um pau. Esforços faço. Chego
A tocá-lo. Minh'alma se concentra.
Que ventre produziu tão feio parto?!
A Consciência Humana é este morcego!
Por mais que a gente faça, à noite, ele entra
Imperceptivelmente em nosso quarto!

4/7/2021 — O Estado de S. Paulo

O silêncio, a CPI e a Constituição

O homem é livre para fazer suas escolhas,
mas é prisioneiro das consequências.
Pablo Neruda

A adaptação da expressão do grande poeta maranhense, "a vida dá, nega e tira", talvez nunca tenha sido tão bem utilizada quanto na discussão sobre o direito ao silêncio em CPI. A politização das sessões levou à flexibilização perigosa dessa antiga e sábia jurisprudência do Supremo. Sob o forte calor dos holofotes, a pressão sobre uma depoente fez calar não apenas a voz da testemunha ou da investigada, mas a voz da Constituição.

O debate sobre se seria testemunha ou investigada daria um capítulo à parte. Como afirmar ser testemunha, e não investigada, uma cidadã que teve suas garantias constitucionais afastadas? O "investigado" é apenas aquele a quem formalmente os senadores querem chamar de investigado?

Em 2005, na CPI dos Correios, os petistas Delúbio Soares e Sílvio Pereira bateram às portas do Supremo Tribunal e conseguiram uma liminar em habeas corpus, concedida pelo então presidente, ministro Nelson Jobim, para terem o direito ao silêncio. O grande advogado Arnaldo Malheiros Filho argumentou que os integrantes da CPI são dados a excessos verbais e que o Judiciário deveria impor limites à Comissão. É disso mesmo que se trata, impor limites. Assim é que funciona a democracia.

Nessa mesma Comissão Parlamentar, o publicitário Duda Mendonça primeiro usou o direito ao silêncio, depois, quando resolveu prestar depoimento — também um direito, claro —, quase levou o país a um impeachment.

Já em agosto de 2015, na CPI da Petrobras, o ex-ministro José Dirceu respondeu 14 vezes: "Por orientação do meu advogado irei permanecer em silêncio". Questionado se queria depor em sessão secreta, o ex-ministro manteve a mesma resposta. E foi dispensado.

Em 2016, na CPI dos Fundos de Pensão, o ex-tesoureiro do PT, João Vaccari, chegou a ser vaiado por fazer uso do direito constitucional ao silêncio.

A discussão tem um fundamento principal e inafastável: a defesa técnica, e somente ela, é que pode decidir o que deve ser respondido. Se a opção for o silêncio, isso terá que ser respeitado pelos investigadores, inquisidores, sejam delegados de polícia, sejam promotores, juízes ou senadores. Por imperativo constitucional. Pelo direito do cidadão de não se autoincriminar. É dela, da Constituição, a responsabilidade.

Cabe a nós cumpri-la. Sem subterfúgios. A linha da defesa, sem dúvida, não precisa ser explicitada; o silêncio é o silêncio e basta. Ora, dirão, mas a critério do inquisidor as perguntas não estão incriminando. Como assim? Ele sabe qual é a linha da defesa, quais são os fatos que podem levar a revelar algo incriminador? Se o cidadão responde a 10 perguntas simples e se nega a responder a uma para não se autoincriminar, ele pode estar dando o caminho das pedras sobre a investigação ou não? Só a defesa técnica pode tomar essa decisão.

Talvez por isso, a recente Lei de Abuso de Autoridade prevê que é crime prosseguir com o interrogatório de "pessoas que tenham decidido exercer o direito ao silêncio". Imagine se um advogado resolve invocar essa lei no plenário da CPI e dizer que um senador está cometendo crime ao continuar perguntando repetidas vezes ao cliente que optou pelo silêncio! O advogado teria que conseguir um advogado para se livrar da prisão. E, observem, não foi a OAB que votou a lei, foi o Congresso Nacional.

É válido o debate sobre a perda do poder de investigar se o silêncio for a regra. É fato que, se todos os investigados contribuíssem, confessassem e entregassem os esquemas, os resultados seriam muito mais promissores e mais rápidos. Era assim com a tortura como método...

Mas num Estado democrático de direito não é assim. Se quiserem mudar, que mudem a Constituição.

Sou um crítico contumaz, direto, leal e duro dos fascistas que são responsáveis por, pelo menos, metade dos 550 mil óbitos durante a pandemia. Quero ver esses assassinos serem responsabilizados pelas mortes. Desde o chefe, o presidente da República, até os membros da organização que tiverem a responsabilidade comprovada. Mas não aceito o argumento de que, em nome dos mortos, devemos afastar as garantias constitucionais. Penso ter autoridade para me opor a esse abuso. Não se enfrenta a barbárie com métodos bárbaros. Para sair dessa tragédia como um país mais justo e solidário, vamos cuidar para que a Constituição seja o amparo também desses fascistas.

Recorrendo ao grande Otávio Paz: "Sem liberdade, a democracia é um despotismo, sem democracia a liberdade é uma quimera".

15/7/2021 — O Dia-IG

Parte 4

DELATO
QUE VIVI

Não é por acaso que Kakay tem tanto êxito e tanto cliente: é por competência. Quando a esta se acrescenta simpatia, tem-se a explicação do sucesso.

—

Fernando Henrique Cardoso,

presidente da República

Kakay eu conheci dando os primeiros passos na advocacia. Dei um empurrão na sua vocação e ele deslanchou e se tornou um grande profissional e até poeta. O Brasil conta com ele.

—

José Carlos Dias,

advogado

Eu fiz três abortos

O búzio e a pérola: aperfeiçoa-te na arte de escutar,

só quem ouviu o rio pode ouvir o mar

Leão de Formosa

Neste momento em que a discussão sobre o aborto entra na campanha pelas portas dos fundos, da hipocrisia, da indigência intelectual e da falta de compromisso com a realidade brasileira, penso ser importante que nós, a dita sociedade formadora de opinião — sim, nós existimos! —, nos manifestemos.

Sou católico e tive uma formação que cumpriu o rito das famílias católicas no Brasil. Por contingências da vida, em três diferentes oportunidades, com três parceiras distintas, há longo tempo, eu me vi impelido a encarar o aborto.

Em nenhuma das três situações eu queria que o aborto fosse feito, mas respeitei, com dor e resignação, a decisão da mulher.

Na primeira, eu era muito novo e sem nenhuma condição financeira.

Vários amigos não tiveram dificuldade em apontar um "aborteiro".

Além da pressão e do sentimento de perda e medo, tivemos de encarar um quarto fétido, no qual as próprias pessoas na fila demonstravam que a hipótese de dar errado era enorme. Durante o procedimento, eu mesmo tive que largar a mão dela, que segurava em solidariedade, para ajudar a terminar o aborto, senão ela teria morrido.

Foi uma recuperação dificílima, traumática, pois ela reteve placenta, inchou muito e sentia dores horríveis. Foi preciso procurar um médico; enfim, um calvário. Nossa relação também foi abortada ali.

No segundo, a companheira tinha boa situação financeira. Optou pelo melhor hospital da cidade, internou-se com seu médico de confiança e saiu no outro dia para trabalhar. Não sei das dores indizíveis do coração dela à época, pois nossa intimidade não chegava a tanto.

Também virou um rosto apagado em minha memória, mas eu ainda carrego comigo essa sombra.

A terceira não podia fazer o aborto em um hospital da cidade, por ser muito conhecida. Nada que uma viagem rápida ao exterior não pudesse resolver.

Agora, vejo que o aborto domina a campanha presidencial.

A pergunta errada, covarde, maldosa e bandida é: "Você é a favor do aborto?" Ora, ninguém, em sã consciência, é a favor do aborto, e não é isso o que está em discussão, salvo para os marqueteiros e os fanáticos religiosos.

O que deve ser motivo de reflexão é a realidade estampada corajosamente pelos grandes veículos de comunicação: cerca de 1,1 milhão de abortos clandestinos são feitos todo ano no Brasil; a cada dois dias, uma mulher é morta ao fazer aborto clandestino; pelos dados do SUS, o que faz presumir que o número seja muito maior, são 200 mortes por ano.

Isso sem contar as que morrem Brasil afora sem nem sequer virarem estatística. Passaram pela rede pública no ano passado, para fazer curetagem, 184 mil mulheres que abortaram clandestinamente e tiveram complicações; em 12 anos, o SUS fez mais de 3 milhões de curetagens no Brasil.

O fato é que uma em cada cinco brasileiras de até 40 anos já abortou e mais de 5 milhões de brasileiras já passaram por esse trauma. É a realidade batendo nas nossas caras e clamando para ser encarada como o que é: um problema, seriíssimo, de saúde pública!

Se os dois candidatos, que honram o Brasil com seus currículos, admitissem em conjunto e ao mesmo tempo essa tese, estariam tirando essa discussão do obscurantismo e projetando um pouco de luz nas trevas que caem e tornam opacas as vidas de tantos brasileiros. Homens e mulheres.

15/10/2010 – Folha de S. Paulo

Angústia e dor

Eu sou como alguém que busca às cegas,
sem saber onde esconderam o objeto que
não disseram o que é.

Fernando Pessoa, *Livro do desassossego*

A angústia tem sido minha doce companheira neste isolamento. Quando se imaginava que a crise iria durar somente alguns dias, os sentimentos de perplexidade, de curiosidade e de certo espanto se instalaram e nós nos preparamos para um breve enfrentamento.

De repente o mundo virou do avesso. O medo passou a habitar nosso dia a dia. Medo do desconhecido, medo da falta de ar, medo da solidão de um quarto de UTI, ou da falta dele, medo de não ter como se despedir de alguém que vai embora, medo de não terminar esse inferno. Mesmo os rituais de passagem, que nos acolhem nas despedidas, nos são negados.

O mestre Miguel Torga, em *Penas do purgatório*, alertava:

Continua a lembrança dolorosa
Nas cicatrizes.
Troncos cortados que não brotam mais
E permanecem verdes, vegetais,
No silêncio profundo das raízes.

A partida de um ser amado sem nosso carinho, sem nossa despedida, sem o toque afetuoso, sem o beijo do adeus, ficou sintetizada naquela imagem do filho palestino sentado na janela de um hospital na Cisjordânia, em um parapeito mínimo, sem poder estar com a mãe no leito de morte. Ele viu da janela, através do vidro, a mãe morrer sem poder tocá-la. Ela o via. Foi a despedida possível.

Todos nós nos sentamos ali com aquele menino por um segundo, todos nós choramos aquela solidão, todos nós nos pegamos a olhar para a janela com o olhar de desespero da mais completa falta de reação, da incredulidade que nos aflige em face do desconhecido.

São espantos, dores, tristezas acumuladas. No início, a perplexidade pela chapada ignorância do presidente e de seus asseclas. Uma perplexidade que se transformou em indignação ao ver essa ignorância se revelar em uma refinada maldade, em mediocridade, em burrice, em descaso. O grupo que dirige o país é abjeto. Desumano. Vil. Desonesto e mesquinho.

O presidente não é digno do cargo, é um ser repugnante, sem escrúpulos, cruel, sem nenhum vestígio de humanidade. Desprezou a vida. Banalizou a dor. Politizou o vírus. Desdenhou da solidariedade. Ele é um nada. Desprezível.

E parte da sociedade age como se não fosse com ela, cúmplice. Deveriam ler Dante na *Divina Comédia*:

Aquele que à inatividade se entregar
deixará de si sobre a terra memória igual
ao traço que o fumo risca no ar
e a espuma traça na onda...

No inferno os lugares mais quentes
são reservados àqueles que escolheram
a neutralidade em tempos de crise.

Mas o vírus cresce, se expande, sem o enfrentamento técnico e científico. Esse hoje é um dilema angustiante. Ninguém suporta mais ouvir os analistas políticos, que estão completamente perdidos, ou os infectologistas repetirem alertas que não são seguidos, ou ouvir os números assustadores dos mortos como se fosse uma gincana macabra.

Enfim, um sentimento de exaustão se instalou. Todos nós perdemos um ente querido, um conhecido, um amigo, ou, pelo menos, acompanhamos o sofrimento de alguém. E tudo emoldurado por uma crise econômica sem precedentes. Com as pessoas sem perspectivas e sem saber como será o dia de amanhã. A descoberta da corrupção instalada no grupo do presidente deixa de merecer a devida repulsa.

O que tem rondado nossas vidas é o mistério da dor, o desconhecido, a proximidade da morte. Para muitos ainda há maneiras de não se entregar ao desalento, à desesperança. Ainda há válvulas de escape, fugas.

Cada um se reinventa como pode. Eu, por exemplo, tenho uma rotina pela primeira vez na vida. Corro, faço ginástica, nado, participo de várias lives por dia, leio, escrevo, trabalho em isolamento. Criei uma recitação de "poesias ao cair da tarde" que me transporta para o mundo lúdico da literatura.

Disse, certa vez, que a poesia é um dique para não transbordarmos, uma pá para recolhermos os escombros, um sonho para as noites em desvario, um disfarce para sermos o fingidor, um mote para distrair-nos do eterno ou simplesmente a companheira de todas as horas.

Assim, faço meu dia a dia na tentativa de não acompanhar as doses diárias de banditismo do governo, para manter certa lucidez. Mas é como se eu estivesse à espera de algo, como se eu soubesse que essa nuvem que nos ronda pode, de repente, se tornar sólida e nos engessar.

E eu represento uma parte ínfima de privilegiados da imensa população brasileira. Boa parte recebe a orientação de lavar várias vezes as mãos sem ter água corrente em casa; a indicação de usar álcool em gel sem ter dinheiro para o gás que proporciona o almoço, e isso quando tem o que fazer no almoço. Ouvem o médico falar sobre isolamento, mas, nas próprias casas, vivem amontoados por falta de espaço.

E um drama especialmente desumano ocorre nos presídios: o cidadão condenado perde o direito à liberdade, mas mantém todos os demais direitos inerentes à pessoa humana. Direitos esses que, nos presídios, não eram respeitados nem antes da pandemia. Agora, instalou-se o caos, a tortura, o inferno. Ora, a base de todo o sistema constitucional no Brasil está calcada na dignidade da pessoa! E não há nada mais indigno do que o sistema carcerário brasileiro.

Todo brasileiro lúcido tem que ingerir e admitir boa dose de hipocrisia para dormir em paz. O silêncio ensurdecedor da sociedade ante o horror dos presídios coloca em xeque nossa condição de sociedade civilizada. Como disse Clarice Lispector: "Todo silêncio tem um nome e um motivo".

É uma civilização circunstancial, covarde, mesquinha. Lutar contra esse estado de coisas é que nos dá algum ânimo.

E lembrar o grande José Saramago no *Ensaio sobre a Cegueira*:

> *O egoísmo pessoal, o comodismo, a falta de generosidade, as pequenas cobardias do quotidiano, tudo isto contribui para esta perniciosa forma de cegueira mental que consiste em estar no mundo e não ver o mundo, ou só ver dele o que, em cada momento, for suscetível de servir os nossos interesses.*

Contra esse silêncio, o grito. Contra a estupidez, a palavra de resistência. Contra o obscurantismo, a poesia. Contra os arbítrios, a Constituição.

E continuemos na luta com a nossa Cecília Meireles:

> *Não seja o de hoje.*
> *Não suspires por ontens...*
> *Não queira ser o amanhã.*
> *Faze-te sem limites no tempo*

14/8/2020 — Poder 360

A omissão e a náusea

Tenho a náusea física
Da humanidade vulgar...
E capricho, às vezes,
em aprofundar esta náusea
como se pode provocar um
vômito para aliviar a vontade de vomitar
Fernando Pessoa, *Livro do desassossego*

Quando a desesperança toma conta de boa parte da sociedade, é um sinal perigoso de necrose do tecido social. A desesperança é algo que deprime a pessoa. E, por ser um sentimento coletivo, tem forte poder deletério. Mas uma sociedade desesperançada é também uma sociedade frustrada, cansada, acuada. E a regra é que quem se sente acuado tende a resistir, a se indignar, a reagir.

É um passo à frente da indiferença, do abandono, que é quando jogamos a toalha.

Nos últimos dias, muitos sinais, em várias frentes, afloraram para impor um clima de acachapante desesperança. Posso estar errado, mas parte da sociedade soube se indignar. Ou, pelo menos, não deixou a desesperança tomar conta.

Recorro a Bertolt Brecht:

Do rio que tudo arrasta se diz que é violento. Mas ninguém diz violentas as margens que o comprimem.

A reação hipócrita, covarde e desesperada do procurador Deltan Dallagnol, usando o poder da força-tarefa para fugir do necessário julgamento pelo Conselho Nacional do Ministério Público, é sinal de um tempo. O lado positivo é ver esse procurador se apegar a todos os direitos que ele antes negava aos advogados, aos réus.

As investigações estão apenas começando, ele ainda vai passar por um longo calvário, administrativo e criminal. Não serão as 41 vezes que ele conseguiu adiar o julgamento no Conselho Nacional do Ministério Público — sim, 41 vezes — ou a tentativa desesperada de levar os casos à prescrição — que ele tanto questionava — que farão com que ele não tenha um encontro marcado com os seus abusos.

O tempo dirá e ele terá direito ao gozo de todas as garantias constitucionais. E também a um pouco de poesia de Miguel Torga:

Guarde a sua desgraça
O desgraçado.
Viva já sepultado
Noite e dia.
Sofra sem dizer nada
Uma boa agonia
deve ser lenta, lúgubre e calada.

Mas, nesse momento, há algo mais grave para ser pensado.

A violência da notícia do reiterado estupro de uma criança de 10 anos, grávida do monstro agressor, levantou uma das questões que envolvem um dos maiores tabus entre o povo brasileiro, o aborto. Mesmo com toda a hipocrisia que envolve o tema, importantes manifestações se fizeram ouvir.

E a reação, também criminosa e destemperada, de grupos fanáticos religiosos, fez o tema tomar ares ainda mais dramáticos.

Mia Couto nos fez refletir:

Na minha terra
há uma estrada tão larga
...
É uma estrada
Por onde não se vai

Nem se volta.
Uma estrada feita
apenas para desaparecermos

Em 15 de outubro de 2010, reta final da disputa eleitoral entre Dilma e Serra, escrevi um artigo na *Folha de S. Paulo*, com o doído título: "Eu fiz três abortos", em que buscava discutir um tema tão pungente quanto delicado. Apontava ali dados que infelizmente só pioraram. E chamava à responsabilidade as autoridades para o assunto.

Sempre considerei que o sexo tem que ser consentido, tanto o homem como a mulher podem dizer não, mas o aborto é uma decisão da mulher. Principalmente é uma decisão da órbita da saúde pública, de responsabilidade do Estado. As indizíveis dores na alma que acompanham tanto o homem como a mulher são nossas, mas a responsabilidade de dar assistência é total do Estado.

Como nos ensinou Manuel Bandeira:

A vida vai tecendo laços
Quase impossíveis de romper:
Tudo que amamos
São pedaços vivos
Do nosso próprio ser.

Penso que a reação destemperada, radical e agressiva de um grupo de fanáticos, inclusive com o franco apoio de parte do governo, trouxe outras luzes para o tema. A exposição cruel e criminosa da criança, por parte desses fanáticos, indignou a todos os que mantêm, mesmo no caos, uma réstia de humanidade. Não se defendem ideias cometendo crimes como os que foram intentados contra quem já era vítima de tão bárbaro abuso.

A questão não é simples, e a sua complexidade exige muita reflexão. Em primeiro lugar, não voltarmos mais ao caso concreto, deixando que a criança e sua família possam ter uma chance de se recompor. Mas sem que a discussão seja esquecida. Esse é um desafio para podermos contribuir para o enfrentamento maduro dessa tragédia. Os números dos estupros de crianças começam a aparecer e nos deixam atordoados, com a súbita impressão de que todos nós fracassamos e que esse vírus, esta pandemia, é um castigo, uma praga. Ainda bem que não acredito nisso, pois, caso contrário, não teria força para resistir.

Há várias maneiras de fazer com que essa tragédia não seja discutida a sério, sem preconceitos, escamoteando a verdadeira importância do tema. De todas, duas são mais perigosas e ambas vêm de orientação religiosa. A primeira, de orientação da Igreja Católica, impõe um dogma que impede qualquer discussão. Insidiosa e silenciosamente, essa fé não permite qualquer debate. A outra, de fundamentalistas evangélicos, que não se furtam a ocupar espaços públicos, até com uma violência mais visível. Ambas, entre outras, dominam a narrativa no Brasil.

Sem ser dono da verdade, ressalto a importância de colocar o tema da saúde pública nesse caldeirão. De alguma maneira, para quem crê, o número de mulheres que são mutiladas, desfiguradas, mortas deve rondar o imaginário dessas pessoas.

Lembremos o velho Eça de Queiroz:

> *O orgulho é uma cerca de arame farpado que machuca quem está de ambos os lados.*
>
> ...
>
> *É o coração que faz o caráter*

Toda tragédia leva a alguma reflexão. Enquanto virarmos as costas para a realidade, nós não avançaremos. Os crimes cometidos contra essa criança, tanto o do estuprador quanto o dos fanáticos religiosos, devem ser enfrentados e repelidos. Ou nós estaremos, por omissão, colocando o pé em um perigoso e invisível círculo de giz. Há uma névoa tênue que envolve todos os omissos; se ela se tornar mais sólida vai tragar a todos nós. Essa névoa primeiro nos tira a voz e depois, a visão. E quando nos tirar o ar, aí será tarde demais.

Recolho-me ao matuto Manoel de Barros:

E aquele que não morou
Nunca em seus próprios abismos,
Nem andou em promiscuidades com seus fantasmas,
Não foi marcado.
Não será marcado.
Nunca será exposto
As fraquezas
Ao desalento
Ao amor
Ao poema

21/8/2020 — Poder 360

Poesia e resistência

— É pecado sonhar?
— Não, Capitu. Nunca foi.
— Então por que essa divindade nos dá golpes tão fortes de realidade e parte nossos sonhos?
— Divindade não destrói sonhos, Capitu. Somos nós que ficamos esperando, ao invés de fazer acontecer.

Machado de Assis, *Dom Casmurro*

Neste momento de isolamento, de angústia, de medo, de perplexidade diante do desconhecido, é natural que cada um encontre um refúgio próprio, uma maneira de não perder um certo fio de racionalidade. É muito interessante ouvir de amigos as mais diversas formas de tentar manter a lucidez. O imponderável tem uma força avassaladora na construção das nossas fragilidades interiores. Nem todos se permitem reconhecer que, muitas vezes, o abismo está mesmo às nossas portas ou, o que é pior, muitos já lutam para ver qual a fundura do fosso. O fosso humano, sabemos, tem muitos fins ou, até, fim nenhum.

Viver permanentemente dentro de um círculo invisível e imaginário pode cobrar muito disso que chamam de sanidade.

É muito impressionante ouvir certos relatos de quem esteve infectado ou perdeu alguém amado para o vírus. A descrição da enorme solidão das UTIs, gélidas, aterrorizantes. A cruel insegurança, que muitas vezes tem o choro como escape ou o soluço contido, é uma característica desse enfrentamento do desconhecido. A experiência do velório virtual, sem poder abraçar os entes queridos, os que vão e os que ficam, impregna em nós uma sensação de derrota da humanidade. Tudo me remete a Sophia de Mello Breyner no poema "Ausência":

Num deserto sem água
Numa noite sem lua
Num país sem nome
Ou numa terra nua
Por maior que seja o desespero
Nenhuma ausência
é mais funda do que a tua

A inércia canalha do governo, ao não tratar seriamente a crise sanitária, pode levar a um sentimento de revolta para alguns, de raiva cívica para outros, de apatia para muitos. Nota-se uma estratégia calhorda de nem sequer ter uma central responsável para a divulgação dos mortos, para não ligar a tragédia da morte a esses abutres. Como se o silêncio os absolvesse. A omissão visa politizar o vírus ainda mais, pois ela possibilita escolher politicamente os "responsáveis" e ganhar com a crise, com o desemprego, com a morte e com a miséria. Ora são os políticos, a OMS, o Judiciário, o Congresso, a imprensa, os cientistas, ora são outros os culpados. Enfim, quem não tem caráter algum não se importa de sujar as mãos de sangue, pois a única coisa que vale é transferir responsabilidade, é se preparar para a reeleição.

É sempre bom buscarmos a poesia, mesmo nessas horas. O grande Edgar Allan Poe assim nos brinda em *O Corvo*:

Que esta palavra nos aparte,
ave ou inimiga!
Eu gritei, levantando.
Volta para a tua tempestade
e para a orla das trevas infernais!
Não deixa pena alguma
como lembrança dessa mentira que tua alma aqui falou!
Deixa minha solidão inteira!

Sai já deste busto
Sobre minha porta!
Tira teu bico do meu coração,
E tira tua sombra da minha porta!
E o Corvo disse:
Nunca mais.

Mas nós precisamos encontrar nossos refúgios, nossas hipóteses, nossas companheiras, forjadas muitas vezes em algum recanto da alma. A solidão costuma ser uma doce companhia.

Eu criei, para recolher meus escombros, uma "poesia ao cair da tarde". Todo final de tarde eu fujo do mundo e recito algumas poesias, tendo o pôr do sol como moldura. E dentro dessa moldura o Lago Paranoá, que acolhe o sol se pondo como se este derretesse ao encontrar suas águas, a profusão de cores que pintam o céu de Brasília nesta época, os ipês-amarelos que parecem lembrar a todos que não há secura, que não há aridez que possa impedir que a beleza vença. Só por vencer. Só para nos encantar. Só para dar, às vezes, cor à tristeza. E as suas folhas caem muito rápido, duram pouquíssimo, como se a nos dizer: viva, viva logo, viva com volúpia e intensidade. Mas viva, permita-se.

Certa madrugada, quando lia alguns livros de poesia — afinal, para recitar sete poesias leio e escolho entre 70 —, chegou uma mensagem no meu WhatsApp. Eu, com vários livros espalhados na mesa, lembrei-me de Clarice Lispector:

Às vezes sentava-me na rede,
balançando-me com o livro aberto no colo, sem tocá-lo,
em êxtase puríssimo.
Não era mais uma
menina com um livro:
era uma mulher com seu amante.

Sem saber de quem era a mensagem, li, curioso. Uma pessoa desconhecida me dizia que, todas as tardes, recebia de uma amiga as poesias que eu postava. E que essa foi a maneira que ela encontrou de "não embrutecer". Que era ali, nas minhas poesias, que ela encontrava um dique para não transbordar.

Confesso que me emocionei e vi que a resistência necessária é como um grande abraço de solidariedade. Em época de isolamento, o abraço agasalha o coração. Cada um a seu modo, a gente encontra uma maneira de não só sobreviver, mas de viver, de acreditar, de ser feliz. Não há vírus nem verme que possam nos vencer. Não sou desses que dizem que sairemos mais fortes e melhores desta hecatombe. Mas sairemos juntos e vamos buscar fazer do mundo um lugar mais solidário, mais justo, mais igual. Não vamos nos embrutecer.

Resistiremos juntos com Pessoa, na pessoa de Caeiro:

Sei ter o pasmo essencial
Que tem uma criança se, ao nascer,
Reparasse que nascera deveras...
Sinto-me nascido a cada momento
Para a eterna novidade do Mundo...

Link para vídeo no Youtube: *https://youtu.be/Nz0JUObA2z0*

4/9/2020 — Poder 360

Cegueira deliberada

Olhos,
vale tê-los,
se, de quando em quando,
somos cegos
e o que vemos
não é o que olhamos
mas o que o olhar semeia no mais denso escuro.
Vida,
vale vivê-la
se, de quando em quando,
morremos
e o que vivemos
não é o que a Vida nos dá
nem o que dela colhemos
mas o que semeamos em pleno deserto

Mia Couto

Foi comovente a expressão crispada, de choro, do presidente da França ao anunciar, em rede nacional, o recrudescimento das ações de controle em todo o país, para enfrentar a segunda onda do vírus. O desespero da crise econômica que se agudiza, o medo do desconhecido, a certeza das mortes, a dor das doenças. Uma desgraça real rondando o mundo inteiro e tirando o ar das pessoas, sufocando as esperanças e gerando incredulidade e perplexidade. Um clima de caos e ansiedade domina boa parte do planeta. A poderosa Alemanha se prepara para um enfrentamento desse inimigo invisível e letal.

A força desestabilizadora da praga exerce, na visão dos especialistas, fundamental influência no resultado das eleições nos Estados

Unidos. O fascista-mor, o ídolo desse protótipo tupiniquim, está prestes a perder uma reeleição por ter desdenhado da Covid.

O mundo se mobiliza, assustado e atônito com a onda de depressão, com os efeitos colaterais da doença, com o desemprego brutal em alguns setores, com o isolamento que provoca efeitos ainda a serem estudados. Jovens que veem, tristes, suas adolescências serem tragadas por uma nuvem de solidão e incredulidade. Uma época de sonhos e descobrimentos perdida. Enfim, uma onda de angústia invade boa parte dos que ousam tentar ter lucidez.

E, aqui ao nosso lado, nas nossas barbas, o país segue como num show de calouros. Ou num show de horrores. Idiotas queimando máscaras em frente à Embaixada da China. Um ministro das Relações Exteriores se vangloriando de o país ser pária internacional. Enchendo o peito com orgulho para se proclamar fora do rol de países sérios, respeitados.

Já são 88 países que vetaram a entrada de brasileiros em função da maneira criminosa com que o governo enfrenta a pandemia. Um ministro da Saúde reconhecendo não saber o que é o SUS e, talvez pior, o ministro saber o que é o SUS e tentar privatizá-lo. No meio ambiente, o isolamento e o desprezo internacional já nos fazem corar de vergonha. A situação é tão catastrófica que as "Damares" e os "Onyxs" perderam espaço no noticiário vulgar do dia a dia. Falta ler T. S. Eliot:

Os homens ocos.
Nós somos homens ocos
Os homens empalhados
Uns nos outros amparados
O elmo cheio de nada.
Ai de nós!
...
Que eu demais não me aproxime
Do reino de sonho da morte
Que eu possa trajar ainda
Esses tácitos disfarces
Pele de rato, plumas de corvo,
estacas cruzadas.

E a discussão do momento é uma campanha sórdida para não vacinar as pessoas. É muito mais do que o governo pregar que a vacina não será obrigatória. É uma campanha dirigida para fanáticos e lunáticos para os quais a terra é plana, a fim de fazer crer que não se deve vacinar. É a tentativa de fazer as pessoas lúcidas, responsáveis, nossos filhos inclusive, serem obrigadas a conviver no mesmo espaço físico com esses descerebrados que negam a ciência. Aceitam a necessidade de vacinar o gado contra a febre aftosa, mas não aceitam a vacina contra o vírus da Covid-19. Uma demonstração óbvia de que só pensam na saúde deles, de falta de empatia. Recorro à cultura popular de um trovador nordestino, Patativa do Assaré:

Meu caro jumento
Meu caro amigo jumento
Que tanto sofre e padece,
Seu grande merecimento
Muita gente não conhece.
...
Veve sempre no castigo
Debaixo da sujeição,
...
Com a cangaia no lombo
Sem ninguém lhe respeitá
...
Quando um berro você sorta
É um siná de revorta
Contra a farsa humanidade.
...
Acho sê um desaforo,
Um crime, um grande pecado,
Um sacrilejo, um capricho,
Botá cangaia no bicho
Que Jesus andou montado.

Tristes e estranhos tempos! A imbecilidade dominou e dividiu o país. Para esse grupo irracional, a vacina é comunista! O que a falta de leitura, o obscurantismo e a estupidez não fazem com um povo! É o uso da ignorância como estratégia de dominação. O obscurantismo e a fé como aliados inescrupulosos do atraso, como maneira de exercer o poder. Assim como o conhecimento liberta o homem, a falta absoluta dele pode ser uma deliberada aposta de controle, uma manipulação calculada do rebanho de estúpidos.

É necessário nos indignar. Não nos restam mais tempo, calma e mínima tranquilidade para o enfrentamento das vicissitudes. Nosso esforço e nossa força deveriam estar todos canalizados para o enfrentamento das sérias crises econômica e sanitária. Sem contar o desalento de ver amigos que não voltarão mais a ocupar, juntos e leves, as mesmas mesas. Não dá mais. Não tem volta. Não quero que tenha volta. A revelação da falta explícita de caráter, da ausência eloquente de humanismo, da presença velada de racismo, até de certo orgulho e empáfia da crueldade vão deixar, e têm que deixar, marcas indeléveis.

Aquelas desavenças que vez ou outra se apresentavam ainda eram superadas. Agora, parece que o governo inoculou nesses grupos uma dose de ânimo para que saíssem de todos os armários o preconceito, o desprezo pelos direitos mínimos das pessoas, a falta de dignidade, o ódio pelo outro, enfim, a desumanização das relações.

Esse é o legado deste tempo. Se algo pode acontecer de positivo dessas trevas é a consciência de que não podemos ser coniventes com essa opção de um grupo pela barbárie. Não sou dos que acreditam que a humanidade sairá melhor depois dessa tragédia. Ao contrário, sairemos mais pobres, com menos opções de crescimento, com atraso em pesquisas paralisadas, com destruição de avanços consideráveis em quase todas as áreas. Sairemos menores.

A crueldade e a indiferença vingaram. O Brasil sai esfacelado deste desgoverno, e estamos, o país, numa UTI sem muita perspectiva. Um muro invisível nos separa, nos divide. Qualquer movimento humanista é sufocado como se tivessem retirado os respiradores. O mundo todo enfrenta a tragédia do vírus. Aqui, porém, houve uma modificação genética, e o nosso vírus se tornou uma máquina de extermínio também da racionalidade, da solidariedade. Boa parte das nossas forças é destinada ao combate a uma boçalidade que nos envergonha e que se multiplica perigosamente. É ler o "Poema em Linha Reta", de Pessoa, na pessoa de Álvaro de Campos:

Nunca conheci quem tivesse levado porrada.
Todos os meus conhecidos têm sido campeões em tudo.
...
Eu, que, quando a hora do soco surgiu, me tenho agachado,
Para fora da possibilidade do soco.
...
Quem me dera ouvir de alguém a voz humana
Que confessasse não um pecado, mas uma infâmia;
Que contasse, não uma violência, mas uma cobardia!
...
Arre, estou farto de semideuses!
Onde é que há gente no mundo?

Se algo de positivo pode ser pensado neste momento é a reflexão sobre a necessidade de um real embate com esses bárbaros. Seja pela política institucional, seja pela partidária, pelo deboche, pelo desprezo, pela poesia, pela força das palavras. Vamos resistir por escrito, pelas ações e até pelo silêncio. Ser solidário agora é ter lado. Se de alguma forma nossa resistência tem chance de melhorar o mundo é pelo posicionamento, pela não omissão.

Eles são tangidos por um barulho qualquer que pareça o som de um berrante; com os olhos vendados caminham plácidos rumo a um precipício. Mas deixam onde passam, como num estouro de uma boiada, um rastro de destruição, uma terra arrasada. Nós temos que ser a cerca que divide e impõe limites a essa fúria indomada.

A ignorância parece não ter limites. Mas, repito, o uso dos "ignorantes" é pensado, estratégico, manipulador. Resta a coragem de fazer o embate no dia a dia. É necessário nos expor, dizer não, acreditar no sim, mostrar que a vida vale um sacrifício, sair do imobilismo e ter a ousadia como companheira de resistência. Sem medo de ser feliz. Com a singeleza de Saramago:

No teu ombro pousada,
a minha mão
toma posse do mundo.
Outro sinal não proponho de mim ao que defino:
Que no mínimo espaço
desse gesto
se desenhem as formas do destino.

30/10/2020 — Poder 360

Raiva libertadora

Pelo que esperam?
Que os surdos se deixem convencer
E que os insaciáveis
devolvam-lhes algo?
Os lobos os alimentarão,
em vez de devorá-los!
Por amizade
Os tigres convidarão
A lhes arrancarem os dentes!
É por isso que esperam!

Bertolt Brecht

É interessante notar que, muitas vezes, passamos a vida inteira sem refletir sobre certas verdades ensimesmadas em nós mesmos. Sempre tive para mim que a indignação fazia parte da nossa mola propulsora para encarar as desigualdades, as iniquidades.

E sendo eu parte dessa elite branca, homem, hétero, com milhões de oportunidades durante a vida, já me sentia bem em deixar a indignação guiar meus movimentos, minhas decisões e posicionamentos. Nunca me abaixar na hora do tapa, me expor, enfrentar, ousar até, sempre foram posturas que me deixavam confortável comigo mesmo. Mas sempre dentro de certos limites que essa sociedade amorfa, hipócrita forjou, sem nem eu mesmo notar.

Sempre cordial e aberto a escutar o outro lado com um *olhar de ver*. Como deve ser, dizem. Querendo compreender o sentimento do mundo e respeitar a opinião de todos. Um tal respeito que, vejo agora, beirava às vezes certa subserviência. Com uma infinita paciência cristã. Recorro a Clarice Lispector: "Não quero ter a terrível limitação de quem vive apenas do que é passível de fazer sentido. Eu não: quero é uma verdade inventada".

Nos últimos tempos passei a prestar atenção a quem se expõe além dessa passividade indignada. A quem se permite tratar com desprezo ou mesmo rispidez aqueles que têm como norte o solene desrespeito aos direitos mais elementares. Um governo fascista e desumano aflorou em muita gente posturas inaceitáveis para uma vida em sociedade. Saíram do armário pessoas que se permitem agora ser mesquinhas, racistas, homofóbicas, enfim, um esgoto humano foi aberto à luz do dia. É preciso enfrentar esse bando de ensandecidos que saiu das trevas para assombrar.

E eu passei a admirar aqueles que se permitem ter a raiva como forma de resistência e de luta. Foi ouvindo e lendo a valorosa Sheila de Carvalho e a primeira vereadora trans negra de São Paulo, Erika Hilton, entre tantos, que percebi a força transcendental da revolução que se pode implementar canalizando a raiva. Sabendo usar a raiva. Acumulando a raiva para armazenar força. Mas liberando-a na hora certa. Lendo a grande Sophia de Mello Breyner:

A liberdade dos deuses que eu esperava
Quebrou-se.
As rosas que eu colhia,
transparentes no tempo luminoso,
morreram com o tempo
que as abria.

Como não sentir raiva com essas desigualdades que diariamente nos entorpecem e com os protocolos sociais a cumprir para pretensamente, falsamente, enfrentarmos essas desigualdades? Como não ter raiva da fome, do desemprego, da provocação machista, do escárnio dos que riem de quem não teve oportunidade? Como não ter raiva da falta de oportunidade real da grande maioria de negras e negros, dos analfabetos, dos homossexuais, trans e tantos outros tragados por uma ordem imposta por essa sociedade tacanha? Como não ter raiva de não poder ter raiva? De sermos adestrados para conviver com a miséria, com a falsidade, com a mentira, com as desumanidades diárias que passam a fazer parte das nossas vidas?

Com a empáfia desses que se sentem poderosos? Desses que arrotam uma meritocracia enquanto criticam as cotas, mas que na verdade assim agem para manter os privilégios?

Não necessariamente a indignação ou a raiva levam às rupturas indesejadas. É uma maneira digna de estar no mundo. Mas normalmente consideramos irracional quem assume ter raiva. Vejo hoje que deveria ser o contrário: assumir a raiva nos leva a dar um passo além da simples resistência, um passo na construção de uma nova visão do que é nosso espaço no mundo. Nosso lugar. Nosso caminho. A dignidade da pessoa humana, tenho dito, é a base de todo o nosso sistema jurídico, a base do direito penal, o arcabouço da Constituição da República. A dignidade tem que ser o alicerce que sustenta as relações entre as pessoas. E quem atenta contra a dignidade merece nossa raiva como catalisadora da repulsa cívica. Volto à Clarice: "A raiva é a minha revolta mais profunda de ser gente? Ser gente me cansa. Há dias que vivo da raiva de viver".

Deveríamos ter vergonha da omissão, da passividade, do conformismo, não de ter raiva. O despertar para um respeito próprio, para uma inteireza interior, certamente passa por uma raiva ante as abissais diferenças no mundo. Como canalizar essa raiva vai fazer cada um de nós definir o papel de objeto ou de sujeito na história. Ou continuamos a aceitar placidamente os idiotas que se apoderaram da barbárie como meio de vida, ou nos posicionamos contra a truculência dos abusos. Como bem disse Sheila de Carvalho, que recebeu o prêmio de Pessoa Afrodescendente Mais Influente da ONU: "A raiva reprimida pode ser muito danosa. Eu resolvi expressar a minha raiva, transformá-la na força motriz das minhas ações". Parece simples, mas requer postura, coragem, determinação.

A nossa maneira de estar no mundo nos define, e a superação dessa nuvem densa de opressão que nos envolve e nos domina determinará o nosso papel. Ou continuamos a seguir pacatamente, como simples espectadores dessa tragédia que se aprofunda, ou ousamos nos posicionar e sair da mesmice. Romper primeiro com nossos medos, enfrentar a nós mesmos, sem preocupação com o ridículo, e fazer com que nossa voz saia do conformismo e se transforme em resistência e fator de transformação. É o que nos cabe. E assim nos abrigar em Pessoa no *Livro do desassossego*:

> *Reconheço hoje que falhei; só pasmo, às vezes, de não ter previsto que falharia. Que havia em mim que prognosticasse um triunfo? Eu não tinha a força cega dos vencedores ou a visão certa dos loucos... Era lúcido e triste como um dia frio.*

20/11/2020 — Poder 360

Indiferença assassina

Bates-me e ameaças-me
agora que levantei minha cabeça esclarecida e gritei:
"Basta!"
...
Condenas-me à escuridão eterna
agora que minha alma de África se iluminou e descobriu o ludibrio...
E gritei, mil vezes gritei:
"Basta!"
...
Vem com teu cassetete e tuas ameaças,
fecha-me com tuas grades e crucifixa-me, traz teus instrumentos de tortura e amputa-me os membros, um a um...
Esvazia-me os olhos e condena-me a escuridão eterna...
que eu, mais do que nunca,
dos limos da alma,
me erguerei lúcida, bramindo contra tudo:
Basta! Basta! Basta!"

Noémia de Sousa, *Sangue negro*

O que leva uma pessoa a sentir-se melhor do que a outra? Por que é tão difícil priorizar o olhar de querer ver e conseguir ouvir sem eternos prejulgamentos os que estão a nos dizer algo diferente do que acreditamos? Insisto que a postura simplesmente cordata de não se posicionar, de não questionar, de não promover o enfrentamento mesmo duro em situações em que há diferenças essenciais, nas quais há lesões aos direitos fundamentais, não serve para o fortalecimento de uma sociedade justa e igual. Não é disso que se trata.

Uma sociedade será mais madura quando a maioria souber se expor, se arriscar para garantir direitos de maneira coletiva. Repito que é necessário rompermos o tal círculo invisível que nos aprisiona, nos limita, nos oprime. Romper a densa nuvem que nos sufoca o grito, que nos cala a voz, que nos tira a luz e nos cega. Falo do respeito a uma convivência fraterna, cuidadosa, sincera e solidária em sociedade, mas sem perder a capacidade de indignação.

Ao longo da vida procurei exercer a liberdade de olhar o diferente e tentar enxergar no outro aquilo que me reflete e me traduz. E respeitar. Foram muitos os enganos e as atitudes equivocadas, das quais não me orgulho, mas que serviram para me posicionar dando um passo à frente. Mesmo quando foi necessário dar antes dois ou três para trás. Recorro, como sempre, ao *Livro do desassossego*, do nosso Pessoa:

> *Uma mão fria aperta-me a garganta e não me deixa respirar a vida. Tudo morre em mim, mesmo o saber que posso sonhar! De nenhum modo físico estou bem. Todas as maciezas em que me reclino têm arestas para a minha alma. Todos os olhares para onde olho estão tão escuros de lhes bater esta luz empobrecida do dia para se morrer sem dor.*
>
> ...
>
> *Tenho mais pena dos que sonham o provável, o legítimo e o próximo, do que dos que devaneiam sobre o longínquo e o estranho.*

Por respeito às mulheres, mesmo sem ser minha vontade, me vi solidário a antigas companheiras, como expus no artigo "Eu Fiz Três Abortos", publicado na *Folha de S. Paulo* em 15 de outubro de 2010. E, à época que publiquei e fui a público tratar de um assunto tão delicado, me expondo, foi também em consideração às pessoas que estavam sendo manipuladas por uma propaganda enganosa covarde e hipócrita entre dois candidatos à presidência que eu respeitava.

Agora, o país assiste estarrecido ao massacre cruel e abominável a um homem negro em uma grande rede de supermercado. E somos obrigados a ouvir um silêncio cúmplice e ensurdecedor de um presidente da República e uma afirmação racista e desrespeitosa do vice-presidente de que não existe racismo no Brasil. A pergunta que antecede toda essa falsa perplexidade e essa dúvida insincera é: se fôssemos nós, homens brancos e vestidos como "homens de bem", nós seríamos vigiados, seguidos e retirados do supermercado? Todos sabemos que não. É preciso ler Augusto dos Anjos:

Quem foi que viu a minha Dor chorando?!
Saio. Minh'alma sai agoniada.
Andam monstros sombrios pela estrada
e pela estrada, entre estes monstros, ando!
...
Bati nas pedras dum tormento rude
E minha mágoa de hoje é tão intensa
Que penso que a Alegria é uma doença
E a tristeza é minha única saúde.
...
E eu luto contra a universal grandeza
Na mais terrível desesperação
É a luta, é o prélio enorme, é a rebelião
da criatura contra a natureza!

No meio de tanta dor, perplexidade, raiva, sensação de impotência, ouvi de uma criança negra que a maneira como olham para ela toda vez que vai a um shopping ou a uma loja é com desconfiança, medo, desprezo, e isso a fez não ter mais vontade de sair às ruas. São os racistas promovendo o apartheid, só que de maneira sorrateira e insidiosa. De forma canalha e abjeta. É a humanidade perdendo para uma barbárie silenciosa e sufocante. E o humanismo só ganha voz quando eclode um massacre. No dia a dia crescem o ódio e a discriminação. Só há resistência quando o racista sai da posição de violência com subterfúgio, escondida, e se sente à vontade, protegido para barbarizar, para massacrar. A postura omissa da inspetora protegendo o patrimônio do patrão e apoiando a surra no negro Beto, filmando de maneira vil como que supervisionando a morte, me lembrou a dos carrascos que acompanham as execuções. Uma omissão cúmplice que encontra eco íntimo na perversidade generalizada.

Essa é uma grande parte da sociedade que se sentiu em casa e à vontade para arrotar superioridade após o atual governo se jactar de ser misógino, racista, homofóbico. É necessário conhecer, divulgar e debater os dados da desigualdade racial. Mesmo com 56% das pessoas se declarando negras, a desigualdade é gritante.

É ínfimo o percentual de negros na magistratura, na política, em posições de liderança no mercado de trabalho. O percentual de negros só é maior entre as vítimas de homicídios, nas estatísticas de desemprego ou subempregos, na população carcerária. A chance de um jovem negro ser vítima de homicídio no Brasil é quase três vezes maior do que a de um jovem branco. Em 2019 a estatística mostra que 74,5% dos assassinatos em operações policiais eram de pessoas negras e 61% dos feminicídios eram de mulheres negras. A cor da pele define a expectativa de vida no Brasil.

Essa desigualdade é o muro que nos divide. Um muro tão real que não é mais invisível, é palpável. O fosso medieval que mantém a lucidez fora dos castelos com seus bizarros habitantes é um buraco feito para enterrar qualquer chance de dignidade e de humanismo. E o que nos cabe é o exercício permanente da resistência. Querem nos enterrar vivos e, junto conosco, sepultar qualquer esperança de um mundo mais solidário. Mal sabem eles que somos movidos à indignação e raiva. E que os abusos perpetrados nos unem e comovem. Eles não conhecem Mia Couto:

Preciso ser um outro
para ser eu mesmo
Sou grão de rocha
sou o vento que a desgasta.
Sou pólen sem insecto.
Sou areia sustentando
O sexo das árvores.
Existo onde me desconheço
aguardando pelo meu passado
ansiando a esperança do futuro
No mundo que combato morro
No mundo por que luto
nasço.

27/11/2020 – Poder 360

Ousadia e esperança

Quando a escuridão é espessa
e não se escapa entre os dedos
gosto de apanhar uma mancheia
e levar até a luz para ver melhor
Regresso feliz de mãos vazias

a escuridão afinal não é a tempestade fatal
o abismo medonho a avalanche final
é apenas o que não se pode ver.
Boaventura de Sousa Santos

Hoje eu acordei com uma placa no terreno ao lado: "Vende-se este lote". No isolamento, todos os movimentos são criteriosamente observados; qualquer mudança chama a atenção. Logo fiquei imaginando, curioso, quem poderia vir morar ali ao lado. E comecei a pensar em tudo que mudou desde o início da pandemia até hoje. Uma constatação óbvia: as pessoas são um mistério permanente.

De todas com as quais eu mantenho contato, mesmo que virtual, nenhuma defende o genocida. As poucas que insistiam na defesa eu bloqueei no WhatsApp. Incrível ferramenta civilizatória: impede brigas, discussões fúteis com gente sem argumento. Basta deletar ou bloquear.

Mas o mistério é recorrente. Ninguém defende esse despreparado e cultor da morte, mas sua aprovação continua batendo recorde. Ou seja, o anonimato covarde, cúmplice, continua a preservar o apoio dos fascistinhas enrustidos, dos misóginos não assumidos, dos racistas envergonhados, dos admiradores da tortura e da violência. Deveriam ler Augusto dos Anjos:

Hora da minha morte. Hirta, ao meu lado, a ideia estertorava-se...
No fundo do meu entendimento moribundo

Jazia o Último Número cansado.
...
Bradei: — Que fazes ainda no meu crânio?
E o Último Número, atro e subterrâneo,
Parecia dizer-me: "É tarde, amigo!"

Hoje é comum ver jornalistas chapas-brancas, que na eleição foram, no mínimo, omissos, virem com um discurso de perplexidade com o desgoverno, como se tivessem hibernado por longo tempo. Habitavam outra estratosfera. Não está na hora de cobrar coerência ou dispersar; o momento é de resistência, de tentar mostrar os podres que já cheiram mal há anos e que agora, com a putrefação, incomodam até os narizes de quem esconde os punhos de renda.

Muitos que estavam se regozijando, explícita ou intimamente, começam a perceber que até o absurdo, o teratológico, tem que ter limite. Percebem que é mais do que desonestidade, mais do que mau-caratismo, mais do que ignorância, é quase uma doença essa falta de empatia, esse desprezo à vida, esse culto lúgubre da morte. E é familiar, hereditário e contagioso.

Uma densa nuvem, espessa, nos cerca e tenta nos imobilizar. Não é apenas a luta permanente contra a maior estratégia de desmantelamento de todos os programas de governos anteriores; é a angústia do medo do vírus, a tristeza da falta de seriedade no enfrentamento da pandemia, a presença da morte que, a essa altura, já visitou inexoravelmente alguém ligado a cada um de nós.

Só um genocida vendido e vulgar aproveita o caos sanitário que nos imobiliza para sucatear a cultura, destruir o SUS, entregar o meio ambiente, desmanchar os conselhos da sociedade civil, empreender uma política externa entreguista e submissa, humilhar parte das Forças Armadas, enfim, fazer o país se igualar à sua mediocridade, fazer do país que ele governa um prostíbulo à feição familiar.

E não pensem que tudo se dá por acaso. O que existe é uma política estruturada, pensada, planejada. A sustentação se dá não apenas com a indústria de fake news, mas com a velha cooptação política de distribuição de cargos e verbas e o culto a um populismo que cega o gado seguidor do mito com verdadeiros antolhos adaptados a essa turba ignara, inculta.

Ele, como podemos notar, porta-se como se estivesse em casa. Não tem a dimensão do cargo que ocupa. Trata os brasileiros com a mesma baixaria e arrogância com que trata seus filhos, seus amigos. Quando se dirige às pessoas, com um estilo que envergonha os minimamente lúcidos, dá a nítida sensação de que está em casa, em família. Ele é assim e tem orgulho de ser. Não adianta nós o considerarmos ridículo, pois ele não tem nenhuma dimensão do que é ser ridículo.

Com o recrudescimento do vírus, a morte chegando a acachapantes 185 mil brasileiros, 70 mil casos de infectados em 24 horas, mais de 7 milhões desde o início da pandemia e quase mil mortos por dia, nós, brasileiros, ainda assim, temos que enfrentar o escárnio, as brincadeiras idiotas, o negacionismo — a essa altura! — e uma doentia campanha contra a vacina. No caso da cloroquina, era fácil identificar o criminoso interesse financeiro que havia. No caso da politização da vacina, parece mais um caso de interdição, de inimputabilidade.

No processo democrático é salutar que ocorra alternância de poder. O fortalecimento das instituições se põe à prova exatamente com a adaptação da estrutura do Estado a grupos de diferentes matizes ideológicas. Quem perde as eleições se prepara para tentar ganhar as próximas. Esse é o amadurecimento que nos permite viver em um Estado democrático de direito. Recorro a Rainer Maria Rilke:

As folhas caem, caem como se, no alto, lá nos céus, longínquos jardins murchassem.
Elas caem de maneira resignada.
Em noites frias a terra pesada cai, dos astros todos, na solidão.
Todos caímos. Cai aquela mão.
E olha as outras; há quedas também.
No entanto há alguém
que, com suaves mãos,
todas as quedas detém

Mas o mundo vive uma época sem precedentes e, para situações inusitadas, graves, complexas, a sociedade tem o direito de se mobilizar, exigindo saídas e soluções fora da trivialidade, desde que, claro, dentro da normalidade e da previsão constitucional. Passou da hora de nós nos perguntarmos se vamos aceitar que esse genocida continue à frente do país. Ao desmanche político deve-se responder com mais política, com conscientização, com participação popular.

Mas não é apenas disso que se trata. É muito mais profundo. É o momento de pensar que país nós deixaremos para as futuras gerações, para nossos filhos e netos. Há instantes na vida em que é preciso dar um passo à frente e romper esse invisível círculo de giz que nos aprisiona. Buscar o ar puro fora desse fosso de ar rarefeito a que nós estamos sendo submetidos. Um ar que nos dê forças para tirar as vendas do medo de ousar. Sem ousadia nos restarão a submissão e o amargo gosto de cumplicidade por omissão.

Vamos acreditar que existe vida inteligente, honesta, simples fora das amarras obscurantistas desses bárbaros. Depende de cada um. Vamos ter aquele pasmo essencial, a que se referia Pessoa, que teria cada criança se ao nascer reparasse que nascera deveras. Vamos fazer nascer um novo Brasil. Nós merecemos. E levemos Pessoa conosco:

> *Há um tempo em que é preciso abandonar as roupas usadas, que já têm a forma do nosso corpo, e esquecer os nossos caminhos, que nos levam sempre aos mesmos lugares. É o tempo da travessia: e, se não ousarmos fazê-la, teremos ficado, para sempre, à margem de nós mesmos.*

18/12/2020 – Poder 360

Olhar que abraça

> A meio caminho entre a fé e a crítica está a estalagem da razão. A razão é a fé no que se pode compreender sem fé; mas é uma fé ainda, porque compreender envolve pressupor que há qualquer coisa compreensível.
>
> **Fernando Pessoa**, *Livro do desassossego*

Eu sempre imaginei um mundo onde ser solidário seria o óbvio, não o excepcional. Coisa assim das pessoas que são seres humanos. Nada de muito heroico ou diferente. O normal seria todos terem um sentimento de torcer para ninguém sofrer além das naturais mazelas da vida. Ainda que o egoísmo impere na sociedade, o egoísta estaria tão preocupado com o próprio egoísmo que não teria tempo de se dedicar a ser sádico. Tipo assim, bem básico. Primário.

Vejam só a loucura em que nós nos metemos! Hoje, qualquer um de nós, com um átimo de lucidez, carrega em si uma perplexidade do mundo. O pasmo essencial, a que se referia Caeiro, que teria cada criança se ao nascer soubesse que nascera deveras. Medo da doença, do vírus, medo de se infectar e, a angústia maior, o medo de infectar alguém. Não é só contaminar o avô, o filho, a companheira, o amigo, mas, sim, o desconhecido, infectar alguém, enfim. O ato de se cuidar carrega, no fundo, o compromisso com o outro. É necessário seguir as regras e as orientações da ciência não somente para não correr o risco de se infectar, o que já é por si só importante, mas como compromisso social com o outro.

Todo esse contexto fez de nós pessoas ensimesmadas, preocupadas, quase tristes. Não querer contaminar outra pessoa é o primeiro sinal de caráter nestes tempos sombrios. Aqueles que saem por aí sem máscara, desdenhando da ciência, ridicularizando o vírus, negando-se a se vacinar, espalhando notícias falsas e teratológicas contra a vacina podem ser considerados não só assassinos em potencial, mas, sim, crápulas. Uns escroques. Não me permito mais conviver com esse tipo de atitude. O desprezo é o melhor tratamento, embora o desprezado, no mais das vezes de pouquíssimo alcance intelectual, sequer se sinta desprezado. Nunca leram Cecília Meireles:

Já vem o peso do mundo
com suas fortes sentenças
sobre a mentira e a verdade
desabam as mesmas penas
apodrecem nas masmorras
juntas a culpa e a inocência
...
Já vem o peso da vida
Já vem o peso do tempo
...
Julga os donos da Justiça
suas balanças e preços
e contra os seus crimes lavra
a sentença do desprezo.

Mas, no meio do caos, o que me encanta e seduz é a rotina daqueles que se dedicam a salvar vidas. Quando me encontro com alguém, mesmo fora do meu círculo íntimo, me preocupo ao extremo em não colocar quem quer que seja em risco. A realidade é cruel, e cada vez mais estamos acompanhando a evolução do vírus ao redor do mundo. Mas o que me impacta é a coragem diária e permanente das pessoas que se dedicam a tratar a doença.

Quando o médico e a enfermeira colocam em risco as próprias vidas, em todos os segundos do dia, eu sinto um raio de esperança. O homem médio, quando sabe que teve contato com alguém que pode estar com o vírus, imediatamente se preocupa em se cuidar e não contaminar ninguém. Esses profissionais que cuidam da saúde fazem dessa exposição diária as suas vidas.

Entretanto, não são apenas o médico ou a enfermeira, mas também os que cuidam da limpeza, da segurança, da alimentação nos hospitais, nas UTIs. São pessoas que voluntariamente se colocam em situação de sério risco para fazer o enfrentamento da doença. Mesmo sabendo que podem infectar, involuntariamente, pessoas queridas do seu círculo de relação. Na grande maioria das vezes, dedicam-se de maneira anônima a cuidar de pessoas que nem sequer conseguem identificar e que não os identificam, pois se escondem atrás de máscaras e de roupas de proteção.

Para muitos dos doentes, os olhos dos cuidadores passaram a ser o único contato com o mundo. E muitas vezes o último! Na ausência das famílias, a visão derradeira é a dos olhos de quem cuida. É um momento de se apegar a detalhes. Assim como nas ruas, no trabalho, no dia a dia, o sorriso escondido pelas máscaras foi substituído por um olhar acolhedor. Também no momento de cuidar dos doentes, o olhar é que leva a última esperança. Isso me remete a Helena Kolody: "Quem é essa que me olha de tão longe, com olhos que foram meus?"

Em recente matéria veiculada no jornal *El País*, constatou-se que o Brasil foi responsável por um terço das mortes globais de profissionais de enfermagem com Covid. Só na primeira semana deste ano, foram 30 mortes. No total, foram mais de 500 óbitos registrados de pessoas que estavam na linha de frente ao combate da doença, entre enfermeiros, técnicos e auxiliares. E um número quase igual de médicos perdeu a vida no combate ao vírus. São pessoas que sofrem na carne o impacto da irresponsabilidade daqueles que desprezam os cuidados e as recomendações da ciência.

É óbvio que a pandemia, de uma maneira ou de outra, traria efeitos avassaladores sobre as pessoas. Mas a politização do vírus e a irresponsabilidade no trato da questão nos levou ao caos. Os que se negam a cumprir as normas de segurança, quando infectados, dividirão os mesmos leitos, respiradores e UTIs com os que tiveram o infortúnio da infecção. Já há lugares no país onde o drama da escolha de Sofia passou a ser realidade. Os médicos têm que optar por quem receberá tratamento. É a própria negação do espírito da medicina.

Já passou da hora de nos indignarmos com a omissão criminosa ou com a ação irresponsável dos que negam a gravidade do que acontece no mundo. Se nem mesmo essa catástrofe sanitária despertou qualquer sentimento de solidariedade e responsabilidade em boa parte das pessoas e governantes, não é possível esperar qualquer gesto civilizatório. Estamos claramente divididos entre a barbárie e o humanismo. Se tivermos a humildade de ver nos gestos de cada profissional da área de saúde um sinal de resistência solitária, talvez nós possamos sentir a necessidade de dar um passo à frente. Sem heroísmo, mas com a coragem desses anônimos que, sem politizar, dão um sentido digno para a vida. Não é preciso mais do que isso.

Parece simples, mas é muito. Não nos escondermos na omissão diária e não permitir que sejamos tangidos feito gado para o abate. Enfim, depende um pouco de cada um de nós. É no olhar por trás das máscaras de cada profissional de saúde que devemos nos espelhar. E fazer nosso o compromisso de não nos submetermos aos bárbaros, não nos rendermos à mediocridade, não nos permitir virar um deles. Resistência no dia a dia, cada um dando um passo à frente. Com o pensamento em Ortega y Gasset: “Caminhe lentamente, não se apresse, pois o único lugar ao qual tem que chegar é a si mesmo”.

15/1/2021 — Poder 360

A vacina ou a vida

Morrer
como quem deságua sem mar
e, num derradeiro relance,
olha o mundo
como se ainda o pudesse amar.

Morrer
depois de me despedir
das palavras, uma a uma.

E no final,
descontada a lágrima,
restar uma única certeza:

não há morte
que baste
para se deixar de viver.

Mia Couto, *Aprendiz de ausências*

Muito estranho e triste o momento pelo qual passa o Brasil. Enfrentar uma pandemia, a mais grave crise sanitária de todos os tempos, já é um drama real de dimensões avassaladoras. Enfrentar essa tragédia com um presidente sádico e negacionista que pratica a necropolítica é como se fôssemos abandonados em um barco sem rumo numa tempestade, à beira de um precipício. Como diria Achille Mbembe, não é só deixar morrer, é fazer morrer também.

A falta de empatia chega a nos dar a impressão de uma mente sem nenhuma capacidade de discernimento. Alguém a quem a dor do outro não consegue sensibilizar por absoluta falta de formação humanista, ética.

Se não o impressiona o fato de as pessoas estarem morrendo nos corredores, nas ambulâncias, com a agonia indescritível da falta de ar, da falta de esperança, da falta de contato com os entes queridos na hora da partida, ele deveria comover-se pela possibilidade de o vírus inocular pessoas com alguma proximidade afetiva. Mas, não, a maneira cruel de tratar a tragédia desmascara uma verdadeira teratologia no enfrentamento da crise. Remeto-me ao imortal Candido Portinari, o poeta, no poema sobre a pintura "Enterro":

Quantos mortos vi passar! Vejo ainda
Os enterros dobrando a praça.
Homens silenciosos e escuros,
vindo das fazendas distantes.
Trazendo o caixão negro,
cansados do longo caminhar.
Meu cérebro se enchia de caixões pretos,
Assombrações. Pavor.
Alguém mais velho vinha
Fazer-me companhia.
Ao amanhecer o sol afugentava
Todos os medos.

É uma perplexidade ver que a necessidade da vacina foi tratada com o mesmo desdém com que se negou o uso das máscaras, ou a necessidade do isolamento. Estabeleceu-se verdadeira guerra política sobre uma questão 100% técnica: a vacina é a única maneira de vencer o vírus. Ridículos 3,47% dos brasileiros foram vacinados até hoje. Desesperador! Desestimulante. Um dado chama a atenção ao compararmos o Brasil aos Estados Unidos. Com a derrota do Trump, o ídolo do presidente brasileiro, o presidente Biden, que assumiu, garantiu a vacinação de todos os norte-americanos até maio de 2021. Capacidade técnica nós temos de sobra, faltou decisão política.

Há tempos temos alertado sobre o sucateamento de questões cruciais. A falta de investimento na ciência é brutal. Nós poderíamos ter nossa própria vacina, dispomos de excelência técnica para produzir uma vacina de primeira linha. A opção foi negar a gravidade da doença, então nem sequer cuidamos de comprar vacinas. Uma obtusidade que vai resultar em milhares de mortes que poderiam ser evitadas.

A angústia dilacerante cresce entre os jovens, produzindo uma geração de meninas e meninos perplexos com a total ausência de planejamento. Com a falta do combate ao vírus, instala-se o caos na economia. A única maneira de enfrentar a crise na economia é exatamente vacinando todos e derrotando o vírus. É falsa e canalha a inversão desses fatores, pregar a hipótese de esquentar a economia sem ter vencido a pandemia. Os milhares de mortos hão de assombrar todos os que negam a urgência no trato da doença.

A responsabilidade primeira, claro, é dos governantes, especialmente do presidente da República, mas todas as pessoas que ousaram afrontar as normas internacionais de combate ao vírus devem também ser responsabilizadas. Chega de conviver com esses propulsores da morte, com esses que, sendo negacionistas, propagam o vírus de forma criminosa e indiscriminada. É necessário ter um rigor ético nas nossas escolhas, e saber que a cumplicidade deve ser renegada. Chega dessa convivência que absolve e incentiva a atitude de culto à morte e desprezo à vida.

Os dados sobre o dia a dia de quem está à frente no combate à pandemia me comovem e me fazem indagar até que ponto a hipocrisia vai dominar a narrativa desses necrófilos. Não somente os médicos, mas os enfermeiros, os responsáveis pela limpeza dos quartos e banheiros das UTIs, os que zelam pela segurança, aqueles que cuidam das roupas, dos lençóis, por fim, todos aqueles que estão fechados nos hospitais pela opção de querer salvar vidas, por acreditar na ciência. Enquanto covardes e irresponsáveis se portam como se não houvesse a doença, milhares de pessoas se privam do contato com a família, com os amigos, com qualquer vida social. E são esses os verdadeiros heróis que, de maneira silenciosa e simbólica, abraçam não só os doentes, mas suas famílias, seus amigos, a todos nós, enfim, que entendemos e valorizamos esse sacrifício abissal.

Vivemos num jogo de máscaras. De um lado, um bando de covardes e hipócritas que se exibe acintosamente, de maneira irresponsável e sórdida, para afirmar um negacionismo criminoso; do outro, o silêncio responsável dos que se dedicam a salvar vidas, a minorar dores e, muitas vezes, a só lançar um olhar amigo, carinhoso, seja de esperança, seja de despedida. É nesses gestos solidários que eu deposito minha confiança em vencer a crise. Mais uma vez, reporto-me ao meu Fernando Pessoa, no *Livro do desassossego:*

> *Nunca encontrar Deus, nunca saber, sequer, se Deus existe!*
> *Passar de mundo para mundo, de encarnação para encarnação, sempre na ilusão na ilusão que acarinho, sempre no erro que afaga.*
> *A verdade nunca, a paragem nunca!*
> *A união com Deus nunca!*
> *Nunca inteiramente em paz, mas sempre um pouco dela, sempre o desejo dela.*

Sempre observo as pessoas pelo que chamo de "sentimento de mundo". Quero ter ao meu lado quem tem o mesmo desejo de um país justo e solidário que eu tenho. Os que embruteceram a vida, desprezaram os valores éticos e humanistas, optaram por construir muros que segregam o que resta de humano nesses grupos merecem, nesse momento, um desprezo cívico. O ar que falta nas UTIs lotadas, o beijo que não se faz possível na despedida, a saudade do abraço, tudo representa a diferença entre nós e a barbárie.

Talvez nada me abale mais do que saber que muitos mortos pelo vírus têm como o último olhar de despedida, na hora final, não um pai, um filho, o seu amor, mas um médico, um enfermeiro. Na nossa cultura, o ritual da despedida faz parte de um acolhimento que nos ajuda a resistir, a continuar existindo. E a nós cabe continuar existindo com dignidade, apesar deles. Entrego-me ao velho Vinicius de Moraes, na sua "Ausência":

> *Deixa secar no meu rosto*
> *Este pranto de amor que a presença desatou.*
> *Deixa passar o desgosto*
> *Esse gosto da ausência que me restou*

Eu tinha feito da saudade
A minha amiga mais constante

E ela a cada instante
Me pedia pra esperar
E foi tudo que eu fiz
Te esperei tanto
Tão sozinha no meu canto
Tendo apenas o meu canto pra cantar
Por isso deixa que o meu pensamento
Ainda lembre um momento a saudade que eu vivi
A tua imagem fiel
Que hoje volta ao meu lado
E que eu sinto que perdi.

5/3/2021 — Poder 360

“Eu não consigo respirar”

Irmão negro de voz quente, o olhar magoado,
diz-me:
Que séculos de escravidão geraram tua voz dolente?
Quem pôs o mistério e a dor em cada palavra tua?
E a humilde resignação na tua triste canção?
E o poço da melancolia no fundo do teu olhar?
Foi a vida? o desespero? o medo?
Diz-me aqui, em segredo,
Irmão negro.

Noémia de Sousa, *Sangue negro*

É muito significativo que a frase que ecoou no mundo todo, ao retratar o assassinato de um homem negro nos Estados Unidos, George Floyd, tenha sido: “Eu não consigo respirar”.

Isso acontece quando, no Brasil, as pessoas também não conseguem respirar por falta de oxigênio nos hospitais. Vários são os pontos que, simbolicamente, nos permitem refletir sobre o dia em que o policial que matou covardemente George Floyd foi condenado.

A regra nos Estados Unidos, que tem uma polícia extremamente violenta, especialmente contra os negros, é que homicídios cometidos por policiais não resultem em condenação. Segundo o *Washington Post*, 1.014 pessoas foram assassinadas a tiros por policiais em 2019, a maioria das vítimas era de negros. Estudos da ONG Mapping Police Violence demonstram que, nos Estados Unidos, os negros têm três vezes mais chances de ser mortos pela polícia do que os brancos. No Brasil, a polícia matou 17 vezes o número de negros mortos por agentes policiais em 2019 nos Estados Unidos, conforme matéria publicada aqui em junho de 2020. Recorro a Belchior, interpretado por Emicida, em "Amarelo":

Tenho sangrado demais
Tenho chorado pra cachorro
Ano passado eu morri
Mas este ano eu não morro.

A primeira pergunta que devemos fazer é se o policial branco, Derek Chauvin, seria condenado pela morte de Floyd caso Trump tivesse sido reeleito presidente. O que vimos foi o presidente Biden se manifestando fortemente contra a violência policial, inclusive falou pessoalmente com os familiares e prometeu uma reforma na polícia. Da mesma maneira, o ex-presidente Barack Obama reagiu à sentença afirmando que "não podemos descansar", pedindo justiça. Poderia ter citado Maya Angelou:

Você pode me fuzilar com suas palavras, você pode me cortar com seus olhos, você pode me matar com seu ódio. Mas ainda assim, como o ar, eu vou me levantar.

É importante ressaltar que o recém-empossado presidente norte-americano, de maneira corajosa, anunciou recentemente uma série de medidas de controle contra, nas suas palavras, uma "epidemia de violência de armas de fogo" nos Estados Unidos. Sabemos da enorme dificuldade que o democrata enfrentará, pois a cultura republicana armamentista é fortíssima.

Também impressiona a postura do presidente Biden no combate à Covid. Antes da sua posse, a curva de mortos nos Estados Unidos era mais acentuada que no Brasil. Um Trump negacionista que se irmanava com Bolsonaro no trato não científico do vírus. Com a prioridade absoluta na vacina e a responsabilidade que tem um presidente no sistema presidencialista, os Estados Unidos já aplicaram mais de 200 milhões de doses. Ou seja, 128 milhões de americanos já receberam pelo menos uma dose da vacina.

No Brasil, apenas 13% da população foi vacinada, totalizando 27 milhões de pessoas que tomaram pelo menos uma dose, num total de 38 milhões de doses distribuídas. A irresponsabilidade do presidente Bolsonaro chegou a tal ponto que o Conselho Federal da OAB fez uma representação criminal imputando-lhe responsabilidade, por omissão, pela morte de milhares de brasileiros. Os atos omissivos envergonham a nação, a irresponsabilidade absoluta de desprezar a necessidade da compra das vacinas, o escárnio com a dor dos brasileiros. Remeto-me a Sophia de Mello Breyner:

Não podemos aceitar. O teu sangue não seca.
Não repousamos em paz na tua morte.
A hora da tua morte continua próxima e veemente.
E a terra onde abriram a tua sepultura
É semelhante à ferida que não fecha.
...
A noite não pode beber nossa tristeza
E por mais que te escondam não ficas sepultado.

Enquanto isso, a corrida armamentista se fortalece enormemente no Brasil. Números apontados pelo *Poder 360* dão conta de que temos hoje, nas mãos de civis, 1.151 milhão de armas legais. Um aumento de 65% na era Bolsonaro. O que falta de oxigênio e vacina sobra abundantemente em armas. Somente em 2020, o número de novos registros de arma de fogo no Brasil aumentou 90%, de acordo com a Polícia Federal. E é importante constatar que 70% desse total se enquadra na categoria "cidadão comum". Ao que parece, o presidente, sabendo que será responsabilizado pelo desastre na condução da crise sanitária, resolveu armar a população para dar força aos seus delírios golpistas.

O impressionante e chocante número oficial de 378 mil mortos, que certamente é muito maior pela enorme quantidade de subnotificações, nos deixa chocados e indignados com a postura genocida e sádica do presidente.

É impossível não fazer uma comparação da postura dos responsáveis na condução da política entre os dois países. Sabemos todos as enormes diferenças econômicas que nos separam. Mas, em um regime presidencialista, a definição da linha de ação cabe ao presidente, e é necessário que os brasileiros tenham a coragem de se indignar e cobrar a punição pelo descaso doloso que está deixando o Brasil sem respirar.

Esta semana, ouvi de médicos que trabalham em um hospital de ponta que estavam com dificuldades de dar alta a pacientes, pois não havia oxigênio disponível no mercado. Cria-se então um círculo vicioso, perigoso e cruel. Pessoas desesperadas por um leito e outras ocupando leitos por não poderem sair em razão da falta de oxigênio fora da estrutura hospitalar. E o pior: na maioria dos lugares a falta de vagas nos hospitais para acolher o enorme número de infectados é gritante. Esse descompasso não permite sequer um monitoramento digno de boa parte dos doentes. E me impressionou a exaustão que acompanha os responsáveis pelo tratamento dos pacientes.

Por isso, o simbolismo do grito de Floyd bradando ao mundo que não conseguia respirar me emocionou. Esse grito eternizado por uma gravação feita num celular permitiu não só que o mundo inteiro ouvisse o pedido de socorro covardemente negado pelos assassinos, mas que a população americana, especialmente a negra, se mobilizasse pedindo justiça. E a responsabilidade e a força do presidente dos Estados Unidos deram vazão ao grito.

Aqui no Brasil, vivemos presos em um círculo invisível de giz. Sem forças para romper o silêncio e gritar ao mundo que o povo brasileiro não está conseguindo respirar. Que estamos sufocados por mãos e joelhos assassinos que nos tiram o ar, nos amordaçam a voz e nos cegam a visão. E que pretendem não só nos levar à lona por cansaço de tanto descaso, mas nos vencer pela força, truculência e ignorância.

Mal sabem esses bárbaros que o ódio e a prepotência deles servem de alimento e ânimo para que possamos romper o círculo que nos aprisiona. E que a hora deles se aproxima, serão vítimas de todos os excessos e truculência que os caracterizam. Quem cultua a morte e a violência acaba perdendo para sua mediocridade, para o próprio sadismo. Aprenda com Miguel Torga, em *Penas do purgatório*:

Guarde a sua desgraça
O desgraçado.
Viva já sepultado
Noite e dia.
Sofra sem dizer nada.
Uma boa agonia
Deve ser lenta, lúgubre e calada.

23/4/2021 — Poder 360

Obrigado, Paulo Gustavo

Prouvera aos Deuses, meu coração triste, que o
Destino tivesse um sentido!
Prouvera antes ao Destino que os Deuses o tivessem!
Fernando Pessoa, na pessoa de **Bernardo Soares**,
Livro do desassossego

Todos nós temos um mecanismo de fuga que nos permite enfrentar os nossos momentos de desespero, de dor dilacerante. Nos últimos meses, o massacre frequente do noticiário sobre milhares de mortes por dia, sobre a falta de oxigenação para os doentes e de leito nos hospitais, de certa maneira, nos anestesiou. Ninguém suporta mais acompanhar a realidade.

É uma infinita angústia, acompanhada de um medo e da falta de sonhos. Quando a pessoa deixa de sonhar e se vê obrigada a viver o caos diário, existe um risco real de embrutecimento dos sentimentos, até como mecanismo de defesa. E a capacidade necessária de indignação começa a sentir, também, a falta do ar que impulsiona a resistência.

Quando se contam números de mortos sem conseguir identificá-los, sem dar os nomes às vítimas desse verdadeiro genocídio, há uma tendência de as pessoas se afastarem da realidade nua e macabra para conviverem com a notícia. É como se a informação da quantidade de óbitos pudesse quase se dissociar das mortes em si, dos cadáveres, das dores da partida e do desespero das perdas.

Já não se levantam os olhos do livro, nem se interrompe a conversa sobre futebol para prestar atenção no anúncio de que morreram 3.215 pessoas somente hoje no Brasil. A informação de que chegamos a 411 mil óbitos vem para confirmar as previsões. Ainda assusta, um pouco, o prognóstico de que poderão ser 800 mil mortos em agosto. Assusta pelo número, pelo medo de ser alguém aqui da sala ou um parente próximo.

Na realidade, a não ser quando entre os mortos anunciados está incluído um parente querido ou um amigo, a notícia compõe um quadro de horror diário degustado com uma xícara de café ou um copo de vinho.

A necessidade de permanecermos vivos nos faz fechar os olhos e os ouvidos. Certa insensibilidade nos invade e nos domina momentaneamente para nos preservar. Recorro a Manuel Bandeira, no poema "Momento num café":

Quando o enterro passou
Os homens que se achavam no café
Tiraram o chapéu maquinalmente
Saudavam o morto distraídos
Estavam todos voltados para a vida
Absortos na vida
Confiantes na vida.
Um no entanto se descobriu num gesto largo e demorado
Olhando o esquife longamente
Este sabia que a vida é uma agitação feroz e sem finalidade
Que a vida é traição
E saudava a matéria que passava
Liberta para sempre da alma extinta.

De repente, como um raio que tenta romper o círculo invisível de giz que serve de aparato para não enlouquecermos, nós nos pegamos perplexos e emocionados com a partida prematura do grande gênio do humor, o ator Paulo Gustavo. Como mostrar a morte de uma pessoa que está radiante, alegre, gargalhando em todas as filmagens? A imagem dele não combina com dor, com tristeza, com sofrimento. É preciso encontrar uma forma artística de mostrar o humor inteligente e escancarado que nos tira da mesmice que virou a vida.

As notícias sobre o desastre sanitário dividem o país com informações de uma CPI instalada para, exatamente, descobrir os responsáveis por mortes como essa. Os amigos dele perguntam o óbvio: como morrer aos 42 anos se já existe vacina para o vírus? E a dúvida sobre o que teria acontecido se esse governo assassino tivesse comprado a vacina quando foi oferecida em junho de 2020: teria o Paulo Gustavo conseguido se vacinar?

E a notícia da morte vai ficando real com a informação de que ele tinha revelado o medo de não ver os filhos crescerem. Com os fatos que vêm à tona sobre a generosidade do grande coração que ele tinha, as diversas doações anônimas que fazia e a solidariedade com todos os que trabalharam com ele. O seu lado humano dá um rosto para a morte. Logo ele, que fazia o isolamento social, que pedia a vacina, que usava máscara e respeitava a ciência. Um homem que priorizava a alegria, o coletivo, o amor. É simbólico: uma pessoa que viveu para dar alegria oferece, na sua trágica morte, uma mensagem de alerta, mostrando que as mortes são reais, que esse momento não é um filme de terror, que é a tal realidade pura, nua e crua. Lembro-me de Rainer Maria Rilke:

Aceita tudo o que te acontece
O belo e o terrível
É só andar. Nenhum sentimento é estranho demais.
Não deixem que nos separem.
Perto está a terra que chamam de vida.
Tu a reconhecerás pela sua gravidade.
Dá-me a mão.

Neste infeliz país, no mesmo dia da morte de Paulo, temos que ouvir o desvairado presidente da República atacar a China, nossa maior fornecedora de insumos da vacina, acusando levianamente o país e sugerindo que o vírus foi criado em laboratório, "numa verdadeira guerra química, bacteriológica e radiológica". Muito grave! Essa bravata irresponsável pode resultar em um isolamento ainda maior do Brasil. É uma estratégia vulgar para fazer uma cortina de fumaça e tapar os fatos da CPI. E, pela milésima vez, desdenhar da dor do brasileiro, ameaçar enfrentar o Judiciário e impor, por decreto, a proibição de medidas de restrição tomadas pelos governadores. O mesmo show de horror, a mesma vulgaridade, a mesma leviandade.

Que a tristeza dessa morte de um ser iluminado, como era o grande humorista, nos dê esperança e força para renovar o enfrentamento do ambiente de guerra alimentado por esse presidente irresponsável. Em homenagem a um Brasil que já foi feliz, representado por essa figura carismática e envolvente, vamos apoiar a CPI, o impeachment, a tentativa de abrir um processo criminal no Supremo, o afastamento pelo TSE (Tribunal Superior Eleitoral), enfim, vamos apoiar a vida, a alegria e a esperança. O Brasil só poderá ser feliz de novo quando a vacina e os cuidados impostos pela ciência tiverem vencido o vírus. E, para vencermos, é necessário derrotar o governo da morte, da falta de empatia, da empáfia que só os muito ignorantes conseguem ter.

Quem dedicou a vida a trazer luz, humor e muita alegria, fazendo dessa imagem leve a sua marca, a sua cara, que opere o milagre de, com sua morte, nos trazer também de volta a capacidade de indignação e de resistência. A falta de um rosto nas milhares de mortes diárias estava nos mantendo catatônicos.

A melhor maneira de homenagear aquele que se foi é enfrentando o que o levou. Os que cultuam a morte, que desprezam a dor e desconhecem a solidariedade podem ser vencidos com humor, poesia, literatura e responsabilidade no acatamento da ciência. Saudando meu velho e querido Leão de Formosa, no poema "Sonetilha existencial":

O homem lúcido me espanta
Mas gosto dele na lírica
A verdade metafísica
Modela o verbo e a garganta.
O homem lúcido verifica
Que a existência não se estanca
Põe a babá ao pé da planta
Eis que a planta frutifica.
O homem lúcido como quer
Seja lá onde estiver
Ele está, sem aquarela.
Sabe que a vida é viscosa
Sabe que entre a náusea e a rosa
Foi que a ostra fez a pérola.

7/4/2021 — Poder 360

No aconchego das ruas

Sei ter o pasmo essencial que tem uma
criança se, ao nascer, reparasse que nascera
deveras. Sinto-me nascido a cada momento
para a eterna novidade do Mundo.
Fernando Pessoa, no heterônimo Alberto Caeiro

Quando o primeiro grito de *"fora Bolsonaro"* ecoou em frente à catedral de Brasília, em 29 de maio, eu senti que tinha valido a pena ter ido às ruas. Ainda com a dúvida sobre ir ou não pairando sobre todos nós — afinal, somos ferrenhos críticos de qualquer hipótese de aglomeração —, eu percebi que a história tem de ser vivida com a intensidade do momento. Ninguém vive do passado, e o futuro tem que ser construído no enfrentamento das adversidades. Com coragem e ousadia. Nosso momento agora é de nos posicionarmos ante esse governo que mata mais do que o vírus. Essa constatação nos dá legitimidade para sair às ruas.

E fui de verde e amarelo para a manifestação, como escrevi aqui. Uma das necessárias posturas no combate a esse grupo fascista é resgatar nossos valores e símbolos. Um bando de bárbaros nos invade a alma e nos tira o ar, rouba nossa esperança e alegria. Não podem roubar nossa identidade. É necessário reagir com muita literatura, discussões políticas, debates, propostas, apego à ciência e à liberdade. E bastante poesia e humor. Eles detestam poesia. Como dizia o poeta Vinicius de Moraes:

Quem já passou por esta vida e não viveu
Pode ser mais, mas sabe menos do que eu
Porque a vida só se dá pra quem se deu
Pra quem amou, pra quem chorou, pra quem sofreu...

Um dos pontos principais nesse embate com o mundo imaginário criado pelos mentirosos contumazes é não nos igualarmos a eles. Eles se apegam ao que criam e vivem uma realidade paralela. Se esses milicianos e seus seguidores não têm limites, cabe a nós impô-los, inclusive com as nossas ações. Pelo baixíssimo nível de boa parte dos que ocupam o poder, é imperioso nos policiarmos para não virar briga de rua, em que vale tudo.

O que deve nos nortear, neste momento, é o desnudar da política genocida adotada pelo presidente da República e seus auxiliares diretos no tocante à pandemia. A CPI do Senado tem compromisso com os 460 mil brasileiros mortos pela irresponsabilidade do governo e com a dor imensurável dos milhões de parentes, amigos, companheiros. É evidente que a crise sanitária mataria, de qualquer maneira, muita gente, como aconteceu em todo o mundo. Mas já há estudos e evidências de que boa parte do drama poderia ser evitada simplesmente se fosse seguida a ciência. O governo fez uma opção pela morte ao politizar o vírus.

O depoimento da dra. Luana Araújo na CPI tratou o tema com objetividade ao falar da postura obscurantista: "Essa é uma discussão delirante, esdrúxula, anacrônica e contraproducente, estamos na vanguarda da estupidez mundial. É como se a gente estivesse escolhendo de que lado da borda da Terra plana a gente vai pular". Essa é a preocupação que devemos ter, de não entrarmos no mundo falso criado por eles.

O nosso foco é saber o porquê dessa atitude assassina e necrófila. Enquanto no Brasil, que optou deliberadamente por não comprar a vacina e que pregou o desrespeito às normas sanitárias básicas, ainda morrem quase 3 mil pessoas por dia, já tendo como número oficial 468 mil óbitos, nós vemos países como Portugal e Inglaterra, entre outros, comemorarem o êxito da política séria e obediente aos ditames da ciência, com nenhum morto por Covid nos últimos dias.

É necessário responsabilizar, ainda que por omissão, diretamente o presidente da República e os que deram corpo à política negacionista. É preciso acordar desse pesadelo que atordoou a todos. A dor, a angústia, o medo da morte e a solidão das UTIs fazem com que nossa capacidade de reação seja comprometida. Por isso, esse grito que soltamos nas ruas fez bem ao país e à nossa sanidade. Ao sairmos desse círculo de giz invisível que nos sufoca e nos tira o ar, mostramos a nós mesmos a capacidade de indignação.

No dia 29, em cada manifestação país afora, era possível sentir a presença dos que se foram, vencidos pelo vírus. E é também por eles que não podemos nos calar. O silêncio é cúmplice. Para que honremos todos os que realmente se dedicam ao enfrentamento da pandemia, é urgente a nossa voz. E voltando a ocupar todos os espaços. Respeitando os que ainda optam pelo isolamento, certamente uma atitude mais responsável, mas dando cara e cor ao nosso brado de quem quer o país de volta. Mirando-nos em Clarice Lispector:

> *O mais difícil é não fazer nada: ficar sem fazer nada é a nudez total*
> *Perder-se é um achar perigoso.*

Não é só cuidar da vida, que já seria o bastante, mas é preciso enfrentar o desmantelo a que estamos sendo submetidos. E enfrentar às claras, com vigor, pois esses bárbaros não têm limites. É só lembrar que, numa reunião ministerial, com a presença do presidente da República, o ministro do Meio Ambiente assumiu, propôs e defendeu vigorosamente aproveitar que a imprensa estava com a atenção voltada para a pandemia e "mudar as regras para passar a boiada". É muito grave. Não podemos nos omitir. Enquanto estamos perplexos com as insanidades no trato com esse vírus maldito, o país vai sendo entregue, saqueado. Em todas as áreas.

Outra vez o presidente da Fundação Palmares ataca símbolos da luta negra no país e decide retirar do logotipo da Fundação Palmares o "martelo de Xangô", por fazer referência ao candomblé, religião de matriz africana. Ele é quem disse que a escravidão foi benéfica, pois "os descendentes vivem melhor no Brasil do que os negros da África".

É disso que se trata. Por isso saímos às ruas. Para nos fazer ouvir. Para deixar claro que o humanismo vencerá a barbárie. Se cada um de nós falar um basta, em voz alta ou simbolicamente, poder ter de volta uma vida que seja digna de ser vivida. E poderemos escolher quem estará do nosso lado, para definir que país sairá deste abismo em que nos jogaram. Depende de nós.

Lembrando nosso Ernest Hemingway:

— *Quem estará nas trincheiras ao teu lado?*
— *E isso importa?*
— *Mais do que a própria guerra.*

29/5/2021 – Poder 360

Meses de silêncio

Por que existem uns felizes e outros que sofrem
tanto? Nascemos do mesmo jeito. Moramos no
mesmo canto. Quem foi temperar o choro
E acabou salgando o pranto?
Ariano Suassuna, recitando Leandro Gomes de Barros

Em qual encruzilhada o país se perdeu? Em que momento o destino resolveu renunciar a certo cuidado e deixou o Brasil à deriva? Quando foi dado o direito aos idiotas de falarem em nome das pessoas? Quando foi que a vergonha alheia deixou de corar as faces antes enrubescidas? Enfim, o que aconteceu que, de repente, a nossa capacidade de indignação parece prostrada, sem força, sem ânimo? O que a tristeza e o desânimo fizeram com nossas vidas?

Num dia em que foram registradas 3.025 mortes, número sabidamente subnotificado, a Comissão Parlamentar de Inquérito no Senado, que visa apurar a tragédia da pandemia e os responsáveis por ela, começa a ouvir testemunhas que, pelo visto, ficarão sempre no fio da navalha entre serem simples testemunhas de fato, acusadores com objetivos políticos ou possíveis candidatos a futuro banco dos réus.

A primeira testemunha a ser ouvida foi o ministro da Saúde entre janeiro de 2019 e abril de 2020. Embora ainda não houvesse vacina aprovada no período em que foi ministro, o comportamento do presidente já era claramente negacionista e incentivador de práticas que contribuíam para alastrar a pandemia.

Em uma tese nitidamente de defesa, o ex-ministro afirmou não ter deixado o cargo porque o "cliente dele era o Brasil" e não poderia abandonar o "paciente" ainda doente. Quase bonito. Quase verdade. Quis se defender dizendo que agiu como médico, priorizando o "enfermo". Um médico aceitaria que o dono do hospital adotasse medidas que impedissem o tratamento da doença? Permitiria o uso de remédios não indicados pela ciência? Conviveria com a manipulação de dados e com a interferência dos filhos do dono do hospital, os quais não têm formação médica, na condução do tratamento de seu "paciente"?

Se não houvesse sido instalada a CPI, quando o ex-ministro daria conhecimento público da carta que mostrou aos senadores? Segundo ele, a carta fora encaminhada ao presidente da República em 20 de março de 2020 e apresentava várias recomendações para conter a pandemia. Será que só seria revelada nas próximas eleições, quando o ex-ministro pretende ser candidato? Ora, se sua lealdade era com o "paciente" — a ponto de afirmar que não teria pedido demissão porque cuidava do "doente" —, por que não tomou providências quando foi demitido? Não notou que o seu "paciente" iria entrar em sofrimento ainda maior? Não se desesperou ao deixar os doentes serem tratados por um sádico, um homem sem nenhuma empatia, um cultor da morte?

É evidente que ele viu a agonia lenta e desesperadora do "paciente" durante os meses subsequentes. Será que os 411 mil óbitos não foram o bastante para sensibilizá-lo a tentar frear o verdadeiro genocídio que nos sufoca a todo momento?

Essas mortes, cada vez mais, deixam de ser apenas números, estatísticas. Uma pesquisa recente aponta que três em cada quatro brasileiros conhecem alguém que morreu de Covid: um parente, um amigo ou um colega. Suspeito que seja até maior esse percentual. A morte hoje virou nossa companheira do dia a dia. E ela tem nome, ela tem rosto. Seja de uma maneira que nos emociona por tabela, como no estúpido falecimento do grande humorista, bem-humorado e brilhante Paulo Gustavo, seja no relato do sofrimento de alguém desconhecido. E não há desculpa nenhuma que preencha a dor e o vazio dessas perdas.

Se fôssemos seguir um costume brasileiro, o de fazer um minuto de silêncio quando morre alguém, teríamos que ficar em silêncio obsequioso por quase 10 meses seguidos. Seria um silêncio ensurdecedor. Um silêncio que cairia sobre nós e nos achataria, nos oprimiria. Deixaria a todos sem ação, a ponto de nos tirar o fôlego, de nos impedir de respirar. Seria uma ausência de som cortante que reduziria nossos instintos e que nos levaria a uma incapacidade de enxergar. Talvez assim, sem ouvir, sem respirar e sem enxergar, o mundo voltasse a ter empatia e o homem se colocasse no lugar daquele que sofre pela força desse vírus cruel e traiçoeiro.

Por isso, vamos acompanhar a CPI e cobrar que não ocorra uma politização. Em homenagem à memória dos mortos, em respeito ao sofrimento nos leitos solitários das frias UTIs, em solidariedade aos que ficaram e guardam um luto indignado. Vamos apurar a responsabilidade criminal dos que efetivamente, por ação ou omissão, sujaram as mãos de sangue com essa tragédia brasileira. Que os senadores saibam honrar a expectativa que cada um de nós deposita neles. E que construam com independência e coragem o caminho que nos levará a todos os que jogaram o país no precipício.

A história há de cobrar dos omissos, dos canalhas e dos que foram cúmplices. Como nos ensina Adélia Prado: "Estou com saudades de Deus, uma saudade tão funda que me seca".

6/5/2021 — O Dia-IG

Devolvam as nossas cores!

Eu sustento com palavras
o silêncio do meu abandono.
Manoel de Barros

É difícil definir o que nos foi levado primeiro. A esperança, dirão alguns; a alegria, outros; o futuro, quase todos. Mas algo permeia quem ainda tem lucidez, e uma expectativa nos invade. Há um estranho e indefinido sentimento de perplexidade no ar. O Brasil deixou de ser o país que, mesmo com profundas contradições e o fosso abissal de desigualdade, acalentava o sonho da mudança para se tornar mais justo e igualitário.

Aqui dentro e no exterior, o Brasil secou. E virou uma pátria triste, sem ar, sem charme. O futuro não chegou sequer a ser sonhado, foi tragado pela mesmice e pela obviedade de um bando de bárbaros que assaltou as instituições e saqueou o Estado.

Nos dias de hoje, o grande trunfo é ter vivido e ter histórias para contar. O passado é nosso companheiro nos infinitos momentos de solidão. Quem foi feliz começa a se achar poderoso e a imaginar uma hipótese de viver com o crédito de vidas passadas. O futuro deixou de ser um capital, a juventude é um susto contido, e a vida, enfim, é uma incógnita diária.

Nesse contexto, todos nós temos que nos reinventar para enfrentar e conviver com a extrema direita obtusa, vulgar e criminosa que está no poder. É indescritível o número de absurdos que se materializam. Se fosse ficção, todos nós acharíamos de uma inimaginável criatividade surrealista. Mas é a vida real, sem viés, que vem se apresentando como uma pantomima.

O dia a dia tem sido de uma mediocridade irritante. Imagine que a Fundação Palmares excluiu monumentos da nossa história da lista de personalidades negras, como Gilberto Gil, Martinho da Vila, Milton Nascimento e tantos outros; removeu do site os links de biografia de ícones da literatura, como da Carolina de Jesus. Sem contar o fato escandaloso que foi a retirada da estátua de Zumbi dos Palmares da entrada da sede da Fundação. E, hoje, numa confusão que nos envergonha, anuncia que excluirá qualquer referência a Carlos Marighella, pois seus textos "são como escritos de Hitler".

Ao mesmo tempo, uma secretária do Ministério da Saúde diz à CPI, sob juramento, que existe um "pênis na porta da Fiocruz". Num país onde o presidente da República frequentemente se ampara em piadas chulas, provavelmente se trata da manifestação de um desarranjo sexual exteriorizado por uma pseudossegurança sexual. Parece que a sua família anda permanentemente no limiar do armário e do divã. E o pênis é o fetiche dos seguidores bolsonaristas.

Mas, no meio de todas as nossas lutas diárias que nos mobilizam e nos definem, eis que surge a hipótese de exercer um espaço real. E, ainda assim, temos dúvidas. No sábado, 29 de maio, os brasileiros que não suportam mais esse governo que cultua a morte, que se posta de costas à vida, menospreza a dor das pessoas e tem a desfaçatez de ridicularizar os que sofrem pela falta de oxigênio, os que, afinal, querem deixar de ser prisioneiros do obscurantismo e do atraso irão às ruas demonstrar sua indignação. Será uma manifestação pacífica na qual as pessoas ocuparão as ruas em sinal de inconformismo com a política genocida do governo Bolsonaro.

Organizado pelos movimentos sociais, o protesto tomou corpo pela tristeza e revolta generalizadas pelo caos das nossas vidas diárias. Marcharão com os manifestantes, lado a lado, num abraço invisível e de mãos dadas, as memórias de 452 mil brasileiros que foram levados pelo vírus. Boa parte deles em razão da irresponsabilidade criminosa do presidente da República e seus asseclas.

Andará junto a cada um de nós a memória dos familiares, dos amigos, dos conhecidos e até dos desconhecidos. Um silêncio de dor e saudade será ouvido mais forte do que qualquer grito de inconformismo. Nada fala mais alto aos nossos corações do que a falta de um ser querido.

Não tenhamos, porém, a pretensão de ser percebidos pelos bolsominions. Como ficou evidente na CPI, eles vivem em um mundo imaginário originado pela mentira e suportado pela hipocrisia. A insensibilidade criou um fosso intransponível, e do lado de fora de um círculo de giz invisível ficaram a solidariedade, o humanismo e a empatia. Nós, enfim. A importância do movimento é mostrar para nós mesmos que é possível resistir. Que não perdemos a capacidade de nos indignar. E de sonhar por um mundo, de novo, justo e igual.

É difícil a decisão de sair em passeata, pois a aglomeração é a arma dos fascistas. É uma decisão pessoal, vista como um ato de legítima defesa própria e de terceiros. No silêncio das nossas casas estamos presenciando um genocídio, um massacre, um extermínio. Talvez das ruas, com distanciamento e máscaras, possamos mostrar ao mundo que nossa dor é nossa, mas que a indignação é de todos.

Eu, vacinado, irei, mas não convoco ninguém. Respeito os que decidirem, por coerência, resistir no isolamento. Consigam uma maneira de se manifestar, como, aliás, temos feito nos últimos tempos. Todos estaremos juntos, inclusive os 452 mil brasileiros mortos pela condução criminosa da pandemia, pelos quais vale a pena sair às ruas.

E vou de verde e amarelo. Os fascistas, que roubaram a dignidade, a esperança, o presente e o futuro, se apropriaram inclusive das nossas cores, que passaram a representar certa vergonha nacional. Será também uma maneira de dizer não a esses incultos. Voltar a usar o verde e amarelo é também uma maneira de dizer não a essa barbárie, de resistir. Sem medo de ser feliz. Recorro ao poeta Torquato Neto, no poema "Marginália II":

Eu, brasileiro, confesso
Minha culpa, meu pecado
Meu sonho desesperado
Meu bem guardado segredo
Minha aflição
Eu, brasileiro, confesso.

27/5/2021 — O Dia-IG

Pra não dizer que não falei das cores

A poesia
Quando chega
Não respeita nada.
...
E só depois
Reconsidera: beija
Nos olhos os que ganham mal
Embala no colo
Os que têm sede de felicidade
E de justiça.
E promete incendiar o país.
Ferreira Gullar, *Subversiva*

Depois de sair de verde e amarelo na manifestação contra Bolsonaro, no dia 29 de maio, e de defender a necessidade de retomar o orgulho, ou simplesmente de ter o direito, de usar nossas cores e nossos símbolos nacionais contra a usurpação fascista, comecei a prestar mais atenção na dimensão do que esses gestos representam.

Recebi muitas manifestações carinhosas sobre o fato de a ligação direta criada pela propaganda dos bolsonaristas com o uso da bandeira, da camisa da seleção e de outros símbolos representativos dessa comunidade que cultua a morte ter afastado o brasileiro de algo que seria natural. O grande cineasta, agitador cultural, Neville D'Almeida me mandou um vídeo lembrando que nenhum grupo se atreveria a tomar para si as bandeiras e as cores dos Estados Unidos, da China, da França. E, principalmente, com tanto sucesso de marketing. Seria impensável.

No episódio da Copa América, ficou claro que a estratégia usada pelo governo de dominar e usar os símbolos é uma opção forte e definida. Como são negacionistas e pregam que a aglomeração favorece a tal imunidade de rebanho, pouco importando o aumento da contaminação, os governistas trataram de trazer a Copa para o Brasil como um grande trunfo. Mesmo quem não gosta de futebol há de reconhecer o forte apelo popular da seleção nacional e da camisa canarinho. Tanto que, no auge da ditadura, com a tortura assustando todos, o ditador Médici tirou o técnico João Saldanha e escalou Dadá Maravilha, e o slogan "Brasil, ame-o ou deixe-o" ecoava país afora. E muitos torceram escondidos, envergonhados até, para a seleção.

Desse episódio da Copa América, no qual a negativa de participação da seleção durou pouco tempo, o que fica é a mensagem que o brasileiro está cansado de ser usado, manipulado e desprezado. A estratégia de usar a competição de futebol para aumentar a popularidade do governo é autoritária e irresponsável. Esse deve ser o foco dos questionamentos.

A politização do vírus da Covid é a versão atual do vírus da morte que era inoculado pela ditadura. A maneira criminosa com que se enfrentou a crise sanitária já levou quase meio milhão de brasileiros a óbito. Destruiu famílias, sonhos e empregos. Um jovem que cresce no meio dessa tragédia tem sua adolescência roubada, um tempo que nunca viverá. Mesmo a alegria, que diziam ser a nossa marca, nos foi subtraída. E tudo ocorre em meio a uma profunda e pensada destruição de valores, que cria uma identidade nacional. Esses bárbaros não cuidaram tão somente de saquear o país, o que já seria um estrago, mas trataram de impor em todas as áreas — cultura, educação, economia, costumes e saúde — um jeito fascista de governar. Enquanto nos ocupamos da preservação da vida, eles corroem o país por dentro, como cupins.

Um exemplo claro é o apego à mentira de maneira deslavada e sem pudor, que passou a ser uma estratégia de governo. Criam fatos e propagam-nos como sendo verdadeiros. O que importa é o mundo imaginário no qual eles vivem. E o grupo insano que os acompanha, alimentado por ódio e falsidade, cresce e sustenta o governo. É uma bola de neve, um moto-contínuo.

Essa é a maneira como se portam, por exemplo, na CPI do Senado. Falam para os seguidores fanáticos sem nenhuma vergonha do ridículo. Distorcem os fatos e se gabam, sem ruborizar, das atrocidades cometidas. Sempre sustentei que esses facínoras não têm vergonha de ser ridículos, pois nem sequer têm a dimensão do ridículo. Não ruborizam, pois precisariam ter consciência íntima do que fazem.

O presidente da República é o maior exemplo da desfaçatez. Agora, ele anuncia, com uma tremenda cara de pau, que o TCU, em um documento oficial, afirmou que mais da metade das mortes imputadas a Covid não teve o vírus como causa. Uma afirmação gravíssima! A toda evidência, ele falou sabendo que seria desmentido, que era uma informação falsa. Mas falou para alimentar as fake news, o submundo das notícias, o seu gado faminto e o ódio. Esse é o perfil do nosso desgoverno, que ri da nossa dor, do nosso abandono e do nosso desespero.

É estranho, mas, como se percebe, o mundo imaginário criado por esses terraplanistas é alimentado pela máquina de sustentar o universo paralelo, que acaba sendo real. Nós passamos a ser ficção ao tentar racionalizar. Nós somos os que querem discutir literatura numa rave, os que se preocupam em usar máscara e fazer isolamento enquanto as festas clandestinas ditam as regras. Somos aqueles que insistem em ler livros e escrever, enquanto a comunicação tem que ter no máximo 240 caracteres. Quando o Twitter aumentou o limite de 140 para 280, os usuários reclamaram.

Nós estamos sendo tragados por um universo medíocre no qual o que se prioriza, no máximo, são os livros com resumos e "soluções" para concurso. O mundo hoje tem a profundidade dos bolsonaristas, e, por isso, a Terra tem que ser mesmo plana para eles. Precisamos refletir e mudar a abordagem do enfrentamento. Não podemos jogar xadrez em um tabuleiro de damas.

É impossível ceder mais, mas é preciso jogar no campo deles. Na CPI, por exemplo, não se pode continuar com a tentativa de desmoralizá-los no confronto entre ciência e barbárie. Eles nem piscam, estão soberbos com a mais completa ignorância. É preciso ir atrás do dinheiro e de comprovar quem ganhou com o uso criminoso da cloroquina. Temos que ter consciência de que o campo de atuação deles é o gabinete do ódio, os ministérios paralelos, a instrumentalização das milícias, o emparedamento das Forças Armadas.

O Brasil virou pária mundial. O brasileiro não é aceito em boa parte da Europa; quando é aceito, como nos Estados Unidos, precisa fazer uma humilhante quarentena no México. Logo, logo nossos produtos também serão banidos. E, mais do que excluídos, viramos chacota internacional: o ocorrido no periódico *The Economis*t é constrangedor. A conceituada revista dedicou uma matéria de abertura, além do caderno de 10 páginas, à dissecação do desastre da política de culto à morte do governo brasileiro. A foto na capa é o nosso Cristo Redentor respirando com o auxílio de um tubo de oxigênio. Se o Cristo ficasse em Manaus, iria faltar oxigênio.

A Secretaria de Comunicação da Presidência usou o Google Tradutor, ou pediu ao filho do presidente, para traduzir a reportagem, e foi outro vexame. Ao apontar o óbvio, a matéria fala da impossibilidade de mudar o Brasil com esse presidente. O governo fez a leitura que interessava aos seus seguidores e afirmou que o texto jornalístico propõe eliminar, fisicamente, o presidente. Vergonha alheia outra vez.

Ninguém responderá ao ódio que esse grupo propaga com ódio. Queremos tirá-lo, sim, mas pelo impeachment, por uma responsabilização criminal ou pelo voto. Até lá, vamos fazer o enfrentamento com política institucional, muita poesia, muita literatura e uma dose extra de solidariedade, empatia e coragem.

Como ensina Carlos Drummond de Andrade, no poema "Os Ombros suportam o mundo":

Chegou um tempo em que não adianta morrer,
Chegou um tempo em que a vida é uma ordem.
A vida apenas, sem mistificação

10/6/2021 — Poder 360

CPF cancelado: vulgarização da barbárie

A ostra cria a pérola
para distrair-se do mar.
O poeta cria a beleza
para distrair-se do efêmero.
Só Deus cria a rosa
para distrair-nos do eterno.
Leão de Formosa, *Criação*

O mundo e as pessoas perderam um pouco a capacidade de olhar para o outro, de sentir a dor do próximo e de ter compaixão. Algo que eu sempre expressei como um "sentimento de mundo", que nos posiciona de maneira humanista à frente do inusitado, da barbárie e dos abusos. O caso desse jovem Lázaro, de 32 anos, deveria nos levar a uma reflexão que fugisse do óbvio.

Os fatos postos são de um assassino cruel, que matou e aterrorizou várias pessoas antes de ser morto com 38 tiros por uma polícia que desferiu, só no momento da morte, 125 disparos de armas pesadas. Lázaro já estava sem munição quando foi morto. A morte dele vai, talvez, impedir uma investigação que se insinua interessante: seria ele um assassino contratado para amedrontar os proprietários de pequenos sítios e, consequentemente, derrubar os preços das terras?

Esse é um fato que deveria ser investigado, mas que nenhum interesse tem para esta reflexão. Que a polícia o executou, penso, não existem dúvidas. Interessa, nesse contexto, a reação que a execução operou nas pessoas.

Num governo presidencialista, a figura simbólica do presidente tem uma força enorme, especialmente em um certo grupo de seguidores com baixíssima capacidade de reflexão. O inimputável

presidente agiu como se estivesse na mesa da sua c
pessoas do mesmo nível intelectual dele, sem se im de
repercussão das suas sandices. Ou, talvez, tenha exatam a
o que o seu bando gosta de ouvir. do

Com a autoridade miliciana vituperou: "CPF ca
expressão comumente utilizada no meio policial para se
execução. E brincou, de forma jocosa: "Ele não morreu de C
E ainda debochou: "Tem gente chorando pelo Lázaro aí". Ess
relato oficial de uma crônica da morte anunciada.

Parece até estranho que qualquer um de nós ainda se espante co
os absurdos que esse presidente vomita diariamente. Na trágica crise sanitária, potencializada pela condução criminosa desse Bolsonaro, todos nós fomos humilhados pela agressividade vulgar e banal com que ele tratou os mortos pelos quais é responsável direto por omissão. Foram inúmeros os desrespeitos: "não sou coveiro", "chega de mi-mi-mi", "deixem de ser histéricos", "sejam homens e não maricas". Não cabe aqui repetir o que fez o mundo inteiro tratar o Brasil como um pária. Somos hoje uma imagem fosca refletida num espelho trincado, sem credibilidade, sem força e sem voz.

Enfim, com tristeza deixamos de contabilizar as insanidades ditas por esse cultor da morte. Não é sequer possível tratar a realidade como tal, pois estamos vivendo um mundo paralelo de mentiras e humilhações. Não é o caso, neste momento, de tratar da grossa corrupção que está se revelando a tônica do governo Bolsonaro. Antes, políticos pequenos e regionais faziam a corrupção miúda das rachadinhas ; agora, são corruptos federais que atacam até as vacinas para a Covid. Uma lástima! Mas não podemos nos rebaixar e aceitar, sem reflexão e crítica, os apelos perigosos de um recrudescimento e da genuína propaganda da violência policial. A exaltação da morte não pode ser uma política de Estado. Não é muito relembrar que o torturador Ustra é a referência intelectual do presidente. Seu autor de cabeceira.

A comemoração da morte de um sequestrador de ônibus por parte do ex-governador Witzel, descendo de um helicóptero aos brados, ficou como marca indelével da barbárie do seu curto governo. Da aneira, o corruptor do sistema de justiça e ex-juiz declarado elo Supremo, Sergio Moro, tentou emplacar no seu frustrarrotado pacote anticrime — que de combate ao crime nada — uma licença para os policiais poderem matar, num país , à época, 71,5% das pessoas assassinadas eram pretas ou pardas.

enso que cabe a cada um de nós sair do imobilismo. É necessário er que o presidente está fazendo um culto à morte e à violência por rte do Estado; ao desprezo a uma investigação criminal científica séria nesse episódio específico. Se nós nos calamos, deixamos que a voz ouvida seja a da barbárie. A mesma voz que já soa mais alto do que nossa resistência, que já encontra respaldo, nesse caso, não só nos fascistas seguidores dos "Moros" e "Bolsonaros", mas em boa parte de uma sociedade que tem como refrão a máxima "bandido bom é bandido morto". Cabe a nós fazermos o eterno papel da voz minoritária, sem medo, sem nos esconder atrás de tecnicismos covardes e sem deixar de expor às escâncaras essa praga que domina o imaginário nacional. E sermos coerentes, inclusive, para o bem do presidente e dos seus filhos: bandido bom não é bandido morto. Vamos investir e acreditar no sistema de justiça.

E nos ater à poeta mexicana Juana Inês de la Cruz:

Homens néscios a acusar
às mulheres sem razão,
sem ver que são a ocasião
do que estão a culpar.
...
Quem será maior culpado
Pelo mau comportamento:
A que peca em pagamento
Ou que paga por pecado?

1/7/2021 — O Dia-IG

Detalhes da vida

Quanto mais contemplo o espetáculo do mundo, e o fluxo e refluxo da mutação das coisas, mais profundamente me compenetro da ficção ingênita de tudo, do prestígio falso da pompa de todas as realidades.

Fernando Pessoa, *Livro do desassossego*

Algumas questões são carregadas de forte simbolismo, mas, muitas vezes, a dura e crua realidade não nos permite perceber os gestos que nos cercam. Em um país como o Brasil, com tantas e profundas desigualdades, é quase sempre difícil conseguir ter olhos para o desgaste crescente da nossa autoestima e da nossa capacidade de seguir sonhando e acreditando.

Um país onde o desastre humanista virou a matéria-prima do dia a dia, o desprezo pela vida, o escárnio com a dor do outro, o culto à morte e a própria morte, representada por mais de meio milhão de brasileiros, boa parte pela omissão criminosa de um governo corrupto. Hoje, sabemos que não era só o desprezo pela ciência, era negócio. Era o vil metal que comandava.

Os interesses financeiros coordenavam todos os lados. Tanto na insistência criminosa das cloroquinas e ivermectinas quanto no desprezo à compra de vacinas que poderiam salvar vidas. O fundamental era priorizar outros grupos com interesses econômicos. Eles ganhavam dos dois lados. Fixavam-se em Charles Chaplin: "Se matamos uma pessoa, somos assassinos. Se matamos milhões de homens, celebram-nos como heróis".

Talvez, nessa obsessão doentia pelo poder e por dinheiro, seja possível estudar e tentar entender tamanho desdém pelos mais comezinhos direitos. Somente a cultura miliciana pode explicar tanto desapego pela vida e pelo mínimo de respeito que se exige de uma vida em sociedade. O Brasil virou um grande negócio, um espaço sem limites éticos ou legal. É a conhecida terra sem lei.

Os nossos embates são diários e quase sempre em defesa de teses que sustentam a hipótese de uma vida com razoável harmonia democrática. Esta semana, por coerência, nós nos posicionamos contra uma postura autoritária da CPI, que se autoproclamou dona da última palavra na decisão de quem é o responsável pelo silêncio das pessoas chamadas a depor, sejam elas testemunhas ou investigadas.

Ora, se a Constituição protege o sagrado direito ao silêncio, apenas a defesa técnica pode definir qual é a postura a ser adotada. Se optar pelo silêncio, a única opção é o respeito pela posição da defesa, na verdade, em obediência à Constituição Federal.

Delegar ao inquisidor, seja senador, seja delegado de polícia ou promotor, a linha de defesa a ser adotada, se o silêncio ou o enfrentamento, é tirar um dos pilares do Estado democrático de direito.

Sempre haverá a alegação, válida, mas já surrada, de que a recusa em falar dificulta as investigações e a CPI perde muito a força investigativa. Na verdade, esse era o argumento de quem defendia a tortura como o meio mais "eficaz" de ouvir verdades encomendadas. A vida na democracia tem seus percalços, bons e necessários.

O que fica prejudicado é o espetáculo midiático, pois as provas terão que vir do trabalho, às vezes silencioso, de investigação. Sem contar que a Lei de Abuso de Autoridade, aprovada recentemente pelo Congresso, tipifica como crime o fato de a autoridade insistir em perguntar à pessoa que optou pelo direito ao silêncio.

Essa autoridade, por exemplo, pode ser um senador da República que ouse, em tese, continuar a questionar o cidadão que expressou o direito constitucional de se calar. O texto é claro.

Imagine um advogado advertindo um senador, no plenário da CPI, de que ele deve se abster de perguntar para não cometer crime de abuso de autoridade. Seriam presos todos os advogados presentes, e só seriam soltos quando os senadores precisassem de um advogado.

Mas volto ao tema da autoestima e do abismo ao qual estamos submetidos. Os detalhes impressionam quem ainda tem olhos para ver. Socorro-me do mestre Charles Bukowski: "Eles pensaram que eu tinha coragem, mas eles perceberam tudo errado. Eu só estava com medo das coisas mais importantes".

Nos últimos anos, tivemos a oportunidade de ver o prestígio do Brasil em todos os cantos do mundo. Mesmo com o profundo fosso social e com a abissal diferença vinda das desigualdades, o Brasil era um país querido. Uma imagem nem sempre verdadeira em todos os aspectos, mas a ideia transmitida sempre foi a de um país onde a alegria era companheira de luta dos brasileiros.

Quantas vezes ouvi esse discurso afetivo, carinhoso e lúdico de um funcionário da livraria Ler Devagar, em Lisboa, de um garçom de algum restaurante em Paris, de um gondoleiro em Veneza, de um professor em Coimbra.

Lembro-me do carinho, e até da emoção, de um taxista de uma pequena cidade no sul da Itália quando descobriu que eu, além de brasileiro, era advogado do rei Roberto Carlos. Cantamos juntos e não paguei nem a corrida.

Sei que são detalhes, mas agora, em Nova York, onde estou para vacinar meu filho, notei o caminho do fundo do fosso. Já havia sentido, antes da pandemia, uma perplexidade geral de todas as pessoas fora do Brasil com a situação de terra arrasada do país depois de o fascista ter assumido o governo. As perguntas sempre eram sobre o que nós fizemos com o Brasil.

Uma tristeza generalizada. Uma intensa perplexidade sobre o que ocorria em relação às mulheres, aos negros, à cultura, às florestas e à vida, por fim. Ninguém entendia um idiota estar governando o Brasil. E com um grupo inculto, banal e raso. Até nossas cores esses fascistas usurparam. Um horror!

Esta semana, saindo de um restaurante francês no Soho, minha mulher, meu filho e eu pegamos um táxi rumo ao hotel. Entramos, ar-condicionado a mil, pois estamos no verão de Nova York. Depois de dar o endereço, a viagem seguia sem novidades. Até o motorista escutar a gente falando português entre nós. Um grito de pergunta se éramos brasileiros e uma mudança completa de comportamento. O taxista fechou a janela que o separa dos passageiros, abriu todos os vidros, desligou o ar e, pasmem, arrumou uma desculpa para pedir que descêssemos mais cedo, a duas quadras do hotel!

Vi o medo nele, nós éramos o vírus representado pelo verme do presidente. Lembrei-me de Tom Jobim, que dizia: "Nova York é uma maravilha, mas é uma bosta. O Rio de Janeiro é uma bosta, mas é uma maravilha". Esse era o nosso país.

Esses facínoras e canalhas roubaram muito mais do que o nosso presente, roubaram as nossas vidas. Levaram nossa alegria de estar no mundo. Vamos enfrentá-los. Até em homenagem aos detalhes da vida, às nossas coisas do dia a dia e a nós, enfim.

Em reverência ao nosso Caeiro Brasileiro, Manoel de Barros:

> *Poderoso para mim não é aquele que descobre ouro. Para mim poderoso é aquele que descobre as insignificâncias (do mundo e as nossas).*

16/7/2021 — Poder 360

Parte 5

QUASE TARDE, MAS AINDA É TEMPO

Nota do Editor:

Enquanto este livro estava sendo editado,
de julho a setembro de 2021,
Kakay escreveu mais 12 artigos
que, em seu conjunto,
revelam a extrema tensão
da conjuntura política nacional.

Conheci o nome Kakay muito antes da pessoa, o que só veio a acontecer em tempos mais recentes, já nestes tempos tenebrosos pelos quais o Brasil passa desde o golpe que decretou o impeachment da presidenta Dilma.

Hoje, penso que a letra da linda canção de León Gieco, cantada maravilhosamente por Mercedes Sosa — que carreguei na minha mesa de trabalho, no gabinete do Tribunal de Justiça de São Paulo, e manuscrevi nas minhas agendas —, deve ser carregada por Kakay, mas no coração e no seu cotidiano.

Solo le pido a Dios
Que el dolor no me sea indiferente,
...
Solo le pido a Dios
Que lo injusto no me sea indiferente,
...
Solo le pido a Dios
Que el futuro no me sea indiferente,
Desahuciado esta el que tiene que marchar
A vivir una cultura diferente.

Solo le pido a Dios
Que la guerra no me sea indiferente,
Es un monstruo grande y pisa fuerte

Toda la pobre inocencia de la gente.

Em tempos de ódio, desprazer, dor e cólera, curti ouvir poesias e, ao mesmo tempo, acompanhar lutas nas quais Kakay se joga de cabeça, creio que com esse sentimento de não se permitir ser indiferente com a dor e a injustiça.

Que eu possa seguir acompanhando tudo o que ele se propõe a fazer e que faz tão intensamente, porque são poucos os que na vida transformam a fala em ação.

Salve!

Kenarik Boujikian,

desembargadora aposentada do TJSP (Tribunal de Justiça de São Paulo), militante de direitos humanos, feminista, cofundadora da AJD (Associação Juízes para a Democracia) e ABJD (Associação Brasileira de Juristas pela Democracia), membro do Grupo Prerrogativas.

Covarde

De tanto ver triunfar as nulidades, de tanto ver prosperar a desonra, de tanto ver crescer a injustiça, de tanto ver agigantarem-se os poderes nas mãos dos maus, o homem chega a desanimar da virtude, a rir-se da honra, a ter vergonha de ser honesto.

Rui Barbosa

O presidente da República é um covarde. Esconde-se atrás da autoridade do cargo para ameaçar, destratar, caluniar e injuriar as pessoas e as instituições. Por estar desestruturado emocionalmente, pois sabe os crimes que cometeu, e, naturalmente, preocupado com a prisão não só dele, mas dos filhos, perde completamente a dignidade do posto com as ameaças de baixíssimo nível que profere.

Resta a todos nós resistir, pois as intimidações, ainda que vulgares e chulas, ao estilo dele e da família miliciana, quando feitas por um presidente em exercício são ameaças à estabilidade democrática. Não se trata mais de um fascista frustrado, um ex-deputado medíocre e militar expulso do Exército, mas, sim, de um inimputável no exercício da Presidência da República! A sociedade organizada e os poderes constituídos têm a obrigação de responder à altura esses despautérios.

O momento é grave. Não estamos mais enfrentando as bravatas da milícia, que se uniu a parte das polícias militares para assumir o caos e apostar no fechamento do governo. Esse quadro era dantesco, mas com baixa possibilidade de real preocupação. Era mais a infeliz junção da mediocridade, da burrice, da idiotice, do mau-caratismo e do banditismo vulgar e barato sem nenhuma chance de resultar em qualquer hipótese concreta de quebra institucional.

Após os recentes movimentos das Forças Armadas, é melhor chamar à responsabilidade todos os poderes. E, principalmente, o poder que emana do povo brasileiro. Não podemos entrar em briga de rua, como o infeliz chefe da Aeronáutica: "Homem armado não ameaça". Ou na vulgaridade da bravata ao presidente do TSE pelo presidente fascista ao chamá-lo de imbecil e idiota.

O que causa espécie é a ousadia da nota das Forças Armadas contra o presidente da CPI. Uma comissão parlamentar do Senado Federal, Casa do Legislativo. Nós, brasileiros, não estamos sujeitos às ordens do dia dos militares. Respeitem-nos, para serem respeitados. É uma tentativa de ressuscitar a leitura golpista do artigo 142 da Constituição Federal? As Forças Armadas não são o poder moderador. Essa subleitura só serve aos golpistas de plantão.

Ou o Congresso Nacional se posiciona clara e definitivamente contra o arbítrio de um presidente descontrolado e insano, ou o Executivo vai calar o Congresso, fechar o Judiciário e amordaçar o povo brasileiro.

Não tenhamos mais dúvidas: se depender do que fala o presidente da República, há um golpe em curso. Ele é tão incompetente que anuncia o golpe. Ele é a piada dele mesmo, mas temos que levar em consideração que esse piadista chegou à Presidência! Daí para ser o que sempre propôs — a ditadura, a morte e a tortura — não está tão longe.

Na verdade, Bolsonaro é um homem realizado: fascista assumido, racista misógino e inculto, conseguiu assumir a Presidência e trouxe com ele todo o show de horror. Boa parte da aristocracia fascista que se sentava enrustida à nossa mesa tirou a máscara. Deliciaram-se com o autoritarismo imposto. Não só a podre elite econômica, mas a pretensa elite intelectual. Somente agora, com a evidência do culto à morte e o desprezo por mais de meio milhão de mortos na Covid, é que parte dessa alta sociedade começa a se indignar.

As milhares de mortes, os milhões de desempregados e as pessoas que estão passando fome em razão da política econômica desse governo nunca sensibilizaram a elite bolsonarista. Ninguém com nome e CPF da burguesia bolsonariana morria de fome. Agora, a morte não tem classe. Os negacionistas, que repelem a vacina em nome do assassino que dirige o país, morrem também. A fome e o desemprego não os sensibilizam, mas a dor da perda é demasiadamente humana.

A maneira agressiva com que o presidente se dirige às mulheres demonstra um evidente complexo a revelar suas inseguranças, que, por sinal, parecem ser familiares, mas agora essa mesma agressividade se insurge contra as instituições. Contra o Tribunal Superior Eleitoral e o seu presidente, um ministro da Suprema Corte!

Um presidente que ataca pessoalmente o presidente de outro poder, xinga e agride. Banal e vulgar.

Não é possível que os poderes constituídos não reajam! O que existe? Um sentimento de classe? Uma pretensa responsabilidade institucional? É responsabilidade manter no poder um inepto e agressor das instituições? Manter um *serial killer* em termos de crimes de responsabilidade? Como é mesmo aquela história da responsabilidade de cada um de acordo com sua participação? Como vamos imputar aos omissos a coparticipação na autoria dos crimes contra a humanidade?

O Supremo Tribunal, que tem sido tão ligeiro, em geral, no trato com as garantias individuais dos chamados crimes nos quais políticos são investigados, agora, como vai se posicionar quando quem está sendo lesado é o país, a Constituição e a estabilidade democrática?

Gosto de parafrasear o poeta maranhense e dizer: "A vida dá, nega e tira". Para refletir carinhosamente, um verso que define nossa necessidade:

> *O correr da vida embrulha tudo. A vida é assim: esquenta e esfria, aperta e daí afrouxa, sossega e depois desinquieta. O que ela quer da gente é coragem.*
> *Guimarães Rosa*

9/7/2021 — Poder 360

Urgência democrática

Esqueceram uma semente
em algum canto de jardim.
Chico Buarque, *Tanto Mar*

Era 25 de abril de 1994. Eu estava prestes a tomar um copo de vinho pelo aniversário de 19 anos da Revolução dos Cravos, quando recebi a decisão do ministro Celso de Mello no habeas corpus 71.421. Um habeas corpus impetrado contra a Presidência da Comissão Parlamentar de Inquérito que investigava um esquema de fraudes no INSS (Instituto Nacional do Seguro Social).

Liminar básica que garantia o direito do depoente de permanecer calado e que não haveria qualquer ato de coação contrário ao seu *status libertatis*. Simples assim. Naquele tempo, eu já advogava nas CPIs em nome dos direitos e garantias constitucionais. Só esse fato tem 27 anos, e eu, infelizmente, sou mais antigo.

Em 2001, seguindo a mesma linha de preservação das garantias, cumpre ressaltar a decisão que conseguimos na CPI da CBF/Nike. Como advogado da CBF (Confederação Brasileira de Futebol), fiz um enfrentamento democrático de forças opostas quando da votação do relatório final elaborado por aquela comissão. Este é o jogo da democracia: vence quem tem mais voto. Criamos uma maioria contrária e o relatório não foi aprovado, pois não teve votos suficientes. Ou seja, a Câmara não concordou com a conclusão dos trabalhos de investigação realizados pela CPI! Isso também é democrático.

Fio-me no grande Ferreira Gullar, em seu poema “Traduzir-se”:

Uma parte de mim
é todo mundo:
outra parte é ninguém:
fundo sem fundo.

Uma parte de mim
é multidão:
outra parte estranheza
e solidão.

Uma parte de mim
pesa, pondera:
outra parte
delira.

Uma parte de mim
almoça e janta:
outra parte
se espanta.

Uma parte de mim
é permanente:
outra parte
se sabe de repente.

Uma parte de mim
é só vertigem:
outra parte,
linguagem.

Traduzir uma parte
na outra parte
— que é uma questão de vida ou morte —
será arte?

E, o mais significativo, entrei com um mandado de segurança no Supremo (MS 24.054), em nome da CBF, para que o relator da Comissão Parlamentar de Inquérito ficasse impedido de usar o relatório. Em 18 de setembro de 2001, o ministro Nelson Jobim deferiu a liminar, proibindo o uso oficial do relatório da CPI da CBF/Nike. O relator determinou ao presidente da Câmara que era proibida "a remessa e divulgação de original ou cópia dos referidos documentos e dados, como também do relatório não aprovado". Imaginem isso hoje, prenderiam o ministro do Supremo!

Agora, estamos passando por um momento delicado. A CPI da Covid tem que ter o nosso apoio incondicional. Desde o início, assegurei que apurar a responsabilidade por omissão na morte de milhares de brasileiros não podia ser nosso único objetivo.

Que o presidente é o responsável direto, junto com seus asseclas, pelo óbito de pelo menos um terço dos mais de meio milhão de vítimas é inquestionável. O próprio parecer da comissão designada pela OAB (Ordem dos Advogados do Brasil) federal foi nesse sentido, propondo um aditamento à representação da OAB para o procurador-geral Augusto Aras.

Devo, porém, registrar minha perplexidade, pois julguei que a proposta da nossa comissão da OAB federal seria um tiro de morte no fascista. Mas ela nem sequer foi analisada pelo procurador-geral, não fomos levados a sério. Como o grande Augusto dos Anjos, no poema "Psicologia de um vencido":

Eu, filho do carbono e do amoníaco,
Monstro de escuridão e rutilância,
Sofro, desde a epigênesis da infância,
A influência má dos signos do zodíaco.

Profundissimamente hipocondríaco,
Este ambiente me causa repugnância...
Sobe-me à boca uma ânsia análoga à ânsia
Que se escapa da boca de um cardíaco.

Já o verme — este operário das ruínas —
Que o sangue podre das carnificinas
Come, e à vida em geral declara guerra,

Anda a espreitar meus olhos para roê-los,
E há de deixar-me apenas os cabelos,
Na frialdade inorgânica da terra!

Mas é imprescindível fixar os nossos limites. É simples, basta cumprir a Constituição Federal. Tenho tentado discutir essas balizas. Sei que não estamos tratando de obviedades, ou mesmo de questões que tenham uma consequência lógica, na lógica vulgar do entendimento popular. Precisamos trabalhar com a hipótese de o fascismo não ter limites. É ele que desfaz, que torna líquida qualquer hipótese de resistência mínima que seja.

É o que nos resta, resistir ao básico e ao banal. Se nós entendíamos que seria dura uma resistência fundamentada em alguma base intelectual, é melhor nos acostumarmos com o completo *nonsense*. Para eles, a Terra é plana, o livro é algo abominável, e o sexo, bem, o sexo... haja armários para tantos enrustidos e horas de terapia para tantos frustrados e inseguros.

Pondero, é hora de a CPI elaborar um relatório parcial do que já foi levantado sobre a responsabilidade criminal: a política de não comprar as vacinas, o negacionismo que imobilizou o governo e os fatos que deram causa ao aprofundamento da catástrofe.

Um relatório técnico e contundente, para que a sociedade e o Congresso Nacional possam cobrar uma posição sobre o impeachment e sobre um processo-crime no Supremo Tribunal. Não é mais possível que os poderes imperiais do presidente da Câmara e do procurador-geral da República se sobreponham a essa urgência democrática.

E, claro, continuaremos a acompanhar a nova vertente da investigação, que agora se dedica a apurar a responsabilidade de quem mercadejou e ganhou dinheiro com o culto à morte. Desde o início causou estranheza a persistência em apoiar uma política contrária aos ditames da ciência. Não era pura obtusidade, era ganância, corrupção e prevaricação.

No meio desse caos, o *serial killer* que ocupa a presidência faz escola e a democracia é ameaçada por ninguém menos do que o ministro da Defesa. Acostumamo-nos a banalizar as bravatas do presidente, que quase diariamente expõe as instituições a desgastes desnecessários e insulta impunemente autoridades e poderes constituídos. Num sistema presidencialista, a força simbólica do chefe do Executivo é muito significativa. Se o presidente da República não tem limites, os subordinados se sentem à vontade para afrontar a Constituição.

Ou seja, ou reagimos ou estamos perdidos. Vamos nos apegar ao nosso amigo Charles Bukowski:

bata na máquina
bata forte
faça disso um combate de pesos pesados
faça como um touro no momento do primeiro ataque
e lembre dos velhos cães que brigavam tão bem:
Hemingway, Céline, Dostoiévski, Hamsun.
se você pensa que eles não ficaram loucos
em quartos apertados
assim como este em que agora você está
sem mulheres
sem comida
sem esperança
então você não está pronto.

23/7/2021 — Poder 360

A irresponsabilidade do Executivo, a coragem do Judiciário e a omissão do Legislativo

Na minha terra há uma estrada tão larga que vai de uma berma a outra.
Feita tão de terra que parece que não foi construída.
Simplesmente, descoberta.
Estrada tão comprida que um homem pode caminhar sozinho nela.
É uma estrada por onde não se vai nem se volta.
Uma estrada feita apenas para desaparecermos.
Mia Couto, *Estrada de terra, na minha terra*

Chegamos a um ponto de deterioração da política por parte do governo Bolsonaro que, muitas vezes, é difícil acreditar no que estamos vendo acontecer. Não é uma questão de disputa política e de ocupar espaços legítimos, como sempre acontece nos regimes democráticos. O baixíssimo nível do presidente da República dita o tom das ações do seu governo. A sua fixação por mentiras, que foi a tônica de toda sua campanha, é reproduzida como método de governo. Mentira e intimidação.

A propagada balela de que o presidente poderia provar a fraude nas eleições e a pregação pelo voto impresso, sendo contrário às urnas eletrônicas, têm vários objetivos. Buscam plantar uma dúvida nos seus seguidores, a absoluta maioria sem nenhuma capacidade de discernimento, para propiciar futura investida na anulação de uma eleição em que for derrotado. Também tem como meta colocar os tribunais em posição defensiva e, se possível, desacreditados.

Um presidente fraco, sem prestígio na cúpula das Forças Armadas e malvisto internacionalmente, mas que conta com o apoio de grupos fanáticos e de boa parte da escória política. Busca a desmoralização das instituições até para tentar puxar para o chão o discurso político.

E ele sabe que, com uma iminente derrota política sua e do seu grupo, a possibilidade de serem responsabilizados criminalmente, após o mandato, é muito grande.

Daí, em parte, o desespero que o leva a agredir pessoalmente, abaixo do nível da cintura, os poderes constituídos e as autoridades. A provocação vulgar que o presidente da República fez ao ministro Barroso, presidente do Tribunal Superior Eleitoral, com xingamentos pessoais, é não somente uma evidente quebra de decoro, mas uma forte tentativa de acuar e intimidar o Judiciário. O presidente tem a informação de que, com o Congresso semicontrolado, e apesar da CPI, é do Judiciário que podem vir as decisões que o levem às cordas. Um Congresso que não se situa à altura da grave crise pela qual passamos abre um espaço enorme para um Judiciário mais atuante.

Por isso as surpreendentes, corretas e corajosas medidas tomadas pelo Tribunal Superior Eleitoral. Numa demonstração de maturidade, responsabilidade institucional e compromisso com a democracia, reagindo às vis provocações, o corregedor-geral eleitoral, ministro Luís Felipe Salomão, determinou a instauração no TSE de um inquérito administrativo para apurar a responsabilidade dos relatos e declarações sem comprovação de fraude no sistema eletrônico de votação, com ataques à democracia.

O Tribunal, em boa hora, já se posiciona em defesa da legitimidade das eleições de 2022. Medida necessária, pois o presidente da República descaradamente fala em não aceitar o resultado do pleito eleitoral. Como um siderado, pode admitir que houve fraude até nas eleições das quais ele saiu vitorioso. É um voo cego, uma grande quantidade de fake news e de acusações sem nenhuma credibilidade.

Em um movimento até ousado, mas com grande respaldo jurídico e com a consciência da responsabilidade de manter íntegra a democracia, as instituições e a paz social, o TSE, por unanimidade de votos e sob a liderança do seu presidente, o ministro Luís Roberto Barroso, apresentou inédita notícia-crime junto ao Supremo Tribunal Federal para apurar possível responsabilidade criminal do presidente da República em relação aos fatos investigados no Inquérito 4.781/DF. Na linha do imortal Guimarães Rosa: “O correr da vida embrulha tudo. A vida é assim: esquenta e esfria, aperta e afrouxa, sossega e depois desinquieta. O que ela quer da gente é coragem".

Esse é o famoso inquérito que apura as fake news que, em março de 2019, desestabilizavam a segurança dos poderes, especialmente do Poder Judiciário e do STF. A história vai fazer justiça ao então presidente Dias Toffoli, que teve a coragem de determinar a instauração e de designar o ministro Alexandre de Moraes para conduzi-lo. A competência técnica e o destemor do relator foram fundamentais para o enfrentamento daquele momento delicado. E que continua perigoso.

O ministro Alexandre de Moraes, no uso das suas atribuições e com a responsabilidade do seu cargo, determinou a imediata abertura do inquérito, com a ressalva de que era imperioso apurar as condutas do presidente da República. É importante ressaltar que o relator, expressamente, recomendava "investigar o *modus operandi* de esquemas de divulgação em massa nas redes sociais com o intuito de lesar ou expor a perigo de lesão a independência do Poder Judiciário, o Estado democrático de direito e a democracia".

A resposta do chefe do Executivo é, de maneira mais uma vez desrespeitosa e golpista, a ameaça de agir fora das quatro linhas da Constituição. Ou seja, ameaça dar um golpe e quebrar a ordem constitucional. Tivesse o presidente da República força para tal, esse propalado golpe já teria se efetivado faz tempo. Remetemo-nos ao grande Augusto dos Anjos, no poema "O Deus verme":

Fator universal do transformismo.
Filho da teleológica matéria.
Na superabundância ou na miséria.
Verme — é seu nome de batismo.
Almoça a podridão das drupas agras.
Janta hidrópicos, rói vísceras magras.
E dos defuntos novos incha a mão...
Ah! Para ele é que a carne podre fica,
e no inventário da matéria rica,
cabe aos seus filhos a maior porção.

E tudo isso com a CPI trabalhando para apurar as provas de crimes comuns e de responsabilidade, inclusive com foco nos gabinetes paralelos que, parece, faziam dos espaços públicos ambientes privados com tenebrosas transações. Muito sintomática a determinação de manter em sigilo por 100 anos as informações dos crachás de acesso ao Palácio do Planalto emitidos em nome dos filhos do presidente.

É necessária uma reflexão sobre a gravidade do momento. As ameaças de ruptura institucional e de golpe já não são mais veladas. Parece óbvio que os poderes constituídos devem reagir à altura. O Judiciário não tem faltado ao Brasil na defesa da Constituição e da estabilidade democrática. Embora com previsão constitucional, o caminho do TSE para o resgate da democracia, até com a cassação da chapa presidencial, parece ser a última saída. Sempre me angustia a hipótese de cassação pela justiça eleitoral de alguém eleito com milhões de votos. Embora possa vir a ser a opção possível para nos livrar do caos e da barbárie.

Tenho insistido na saída via Congresso Nacional. Tive a honra de, como advogado, assinar o que se convencionou chamar de "superpedido de impeachment", uma compilação técnica das dezenas de pedidos que dormitam nas gavetas do presidente da Câmara. Assinei também, com a Comissão de juristas criada pelo Conselho Federal da Ordem, a petição endereçada ao procurador-geral da República para responsabilizar o presidente da República por omissão no enfrentamento da crise da Covid e pela morte de milhares de brasileiros.

O impeachment, embora não deva ser banalizado, é plenamente justificado para enfrentar esse verdadeiro *serial killer* de crimes de responsabilidade. Já passa da hora de a sociedade cobrar uma postura do Congresso Nacional. O Poder Legislativo tem que sair do imobilismo. Ouvir a voz do povo. Sentir a presença do mais de meio milhão de brasileiros que morreram, em parte pela irresponsabilidade do governo. Pensar nos milhares e milhares de órfãos fora da hora, de famílias desfeitas, de sonhos amputados e de um exército de solidão a vagar tristemente Brasil afora. É preciso sair do círculo de giz invisível que nos aprisiona e nos tira a voz. O medo do golpe não pode ser maior do que o nosso compromisso com a democracia.

Amparando-nos o poeta Boaventura de Sousa Santos:

não gosto de ver tanta água reunida
sei que é o mar
mas nada é o que parece
visto de Guantánamo
o mar são grades de infinitas tessituras
visto de Gorée
é o marulhar multissecular de lágrimas exangues
preferia que a água se dispersasse.

6/8/2021 — Poder 360

Política no fim do túnel

> O pior da peste não é que mata os corpos, mas desnuda as almas, e esse espetáculo costuma ser horroroso.
> **Alberto Camus**, *A peste*

A derrota de Bolsonaro na votação do voto impresso no plenário da Câmara comporta uma reflexão cautelosa sobre o momento brasileiro. O projeto é arcaico, reacionário e inexequível. É a cara das "Bias Kicis" do governo e, claro, a representação facial do senhor presidente: o homem morte.

Mas esse projeto, que, se fosse aprovado, inviabilizaria o país e aprofundaria o fosso entre o Judiciário e o Executivo, além de instalar o caos, foi finalmente derrotado pela política. Com a manifestação da Câmara dos Deputados, voltamos, de certa forma, a ter luz no fim do túnel. Cumpre olhar de frente essa luz. O Judiciário se posicionou firme na questão do voto impresso e o Congresso se viu obrigado a dar uma resposta.

O Brasil não melhorou um segundo sequer com essa votação. A compulsão do presidente da República, em relação aos crimes de responsabilidade, é a mesma e cada vez maior. E, concomitantemente, a responsabilidade criminal pelas suas ações e omissões se repete a cada dia. Esse *serial killer* precisa ser contido. O que nos faz olhar com atenção redobrada é como contê-lo. Não no mundo ideal, dos nossos sonhos e desejos, mas com olhos voltados para a crua realidade, para a política.

O pior projeto possível, uma excrescência jurídica e política, uma PEC que deveria ser rejeitada quase à unanimidade, e ainda teve 229 votos favoráveis. Na realidade, a oposição teve menos votos, apenas 218. Só não passou porque, como era emenda à Constituição, precisava de 308 votos. Mas é importante levar em consideração que o projeto teve maioria dos votos a favor. É claro que poderemos argumentar que a abstenção votou com o Brasil. E essa é a reflexão que nos cabe fazer.

Tivessem o presidente da Câmara, o ministro da Casa Civil e mais alguns ministros políticos se empenhado ao máximo para aprovar o teratológico projeto, ele seria acatado. É claro que o Senado seria o dique para impedir tal extremismo, mas a vitória simples na Câmara já incendiaria o país. Falou mais alto a política.

Se passasse a PEC, a tática golpista do presidente encontraria uma narrativa dificílima de ser enfrentada. E os 229 votos no escatológico projeto nos inquietam sobre qual espaço existe hoje para a política feita com fanatismo, messianismo e sob o jugo de um governo sem escrúpulos e sem compromisso com o país.

De certa forma, o presidente, sua família e seu entorno fazem o papel que parte do Congresso tem se negado a fazer. A vexaminosa parada militar, que envergonhou as Forças Armadas e o povo brasileiro, fez com que 93% dos posts nas redes sociais fossem de chacota. A pilhéria tem uma força corrosiva, até os bolsominions mais raiz sentiram o golpe.

Os cultores do golpismo vulgar e os provocadores da ruptura permanente do sistema merecem nosso desprezo, mas é claro que existe a hipótese real de nem sequer se sentirem desprezados. É como imaginar que eles se sentiriam ridículos. Ora, eles não têm a noção do ridículo. Temos que entender, com maturidade, que só nos resta a resistência diária e acolhedora. A luta permanente com humor, poesia e muita política. Com a cabeça na imortal Cecília Meireles:

A liberdade é uma palavra que o sonho humano alimenta, não há ninguém que a explique e ninguém que não a entenda.

12/8/2021 — O Dia-IG

Prisioneiros de nós mesmos

Quando meu rosto contemplo,
o espelho se despedaça:
por ver como passa o tempo
e o meu desgosto não passa.

Amargo campo da vida,
quem te semeou com dureza,
que os que não te matam de ira,
morrem de pura tristeza.

Cecília Meireles, *Quando o meu rosto contemplo*

Numa democracia, algo que dá tranquilidade ao cidadão comum é a certeza de que, por parte do Estado, não haverá surpresas nem sustos. Fora as intempéries da vida, cuja imprevisibilidade é da própria natureza, o homem médio não precisa ter sobressaltos. Há uma confiança de que a ordem institucional está tão firme que nem sequer pensamos nela. Mesmo com crises que abalam vez ou outra o dia a dia, nada acontece que intranquiliza o país. É a velha máxima da democracia: quando batem à porta às 6 horas da manhã, a família sabe que é o leiteiro. Nem precisa ser uma certeza constitucional, é mais simples, é o fluxo natural da vida em um Estado democrático de direito.

Durante os últimos anos, o Brasil vem consolidando sua democracia, e, naturalmente, nós nos acostumamos a acompanhar os estremecimentos econômicos, a angústia da extrema desigualdade social e os arroubos de pequenos rompantes autoritários aqui e acolá. Mas, à noite, nem nos preocupávamos com a hipótese de uma crise aguda impedir o dia de clarear. O sol, com certeza, iria raiar. E, assim, vamos andando sem cair, nesse caminhar seguro em que a estabilidade democrática nos ampara, mesmo sem precisar dizer ou demonstrar.

De repente, o país entrou em uma espiral de irracionalidade, de breguices e de ataques sistemáticos às instituições, ao bom senso, à lógica da vida, à Constituição, às pessoas simples e à vida, enfim. Parece que acordamos de um pesadelo, o terror saiu do mundo dos sonhos e se instalou no meio da sala. O monstro do neofascismo, as garras da mediocridade, a violência crua da lógica miliciana, a vulgaridade das coisas mínimas, tudo parece ter invertido a ordem natural. Como nosso velho Pessoa, no poema "Eu amo tudo o que foi":

Eu amo tudo o que foi
Tudo o que já não é
A dor que já me não dói
A antiga e errônea fé
O ontem que a dor deixou,
O que deixou alegria
Só porque foi, e voou
E hoje é já outro dia.

Num sistema presidencialista, a força simbólica do presidente da República é imensa. Se somos governados por uma pessoa absolutamente sem nenhuma noção de ética, de cidadania, de urbanidade e de respeito, a tendência é a completa desagregação social. É difícil hoje acompanhar o que se passa no Brasil sem um permanente sentimento de profunda angústia. O presidente trata o país e os brasileiros como se fôssemos os boçais do cercadinho do palácio, marionetes de um palhaço frustrado.

A maneira agressiva e vulgar, reveladora de um pote cheio até a tampa de medo e frustração, impotência mesmo, com que o presidente trata as mulheres chega a revoltar. O desprezo solene pelos direitos dos negros, dos quilombolas e dos LGBTQIA+ nos envergonha e atinge a nossa dignidade. Sem contar o culto à morte e o menosprezo à dor dos outros no momento da atual crise sanitária. É um doente que se esmera em ser sádico, cruel, banal e histriônico. Mas ele é o presidente da República e tudo o que faz tem consequências.

Daí o eterno redemoinho institucional a que fomos arrastados. Insegurança jurídica e bravatas inconsequentes. Há meses o país não consegue ter paz para chorar os seus mortos pela crise sanitária, não consegue ser solidário com as dores dos que andam solitários pelas ruas, dos órfãos e desamparados. Não podemos enfrentar a instabilidade econômica, o desemprego e o fato de o brasileiro ter virado pária internacional, por fim, lamber nossas feridas abertas pelo caos.

Cotidianamente, uma nova crise é criada pelo presidente, sendo usada como cortina de fumaça para esconder o desastre no trato criminoso com o vírus, a corrupção e a acachapante e humilhante mediocridade. Sucatearam tudo: a educação, o meio ambiente, a segurança e a ciência, tudo, afinal. O nível intelectual dos apoiadores do governo justifica a teoria da terra plana e desenha o precipício que se abriu à nossa frente. Faz-nos lembrar Sophia de Mello Breyner:

A memória longínqua de uma pátria
eterna mas perdida e não sabemos
se é passado ou futuro onde a perdemos

A cada dia, é uma ameaça de golpe, de quebra da estabilidade e de afronta aos poderes constituídos. Ameaças que começaram com ataques frontais ao Supremo e ao Congresso e logo passaram para o confronto direto com os ministros e outras autoridades. É inexplicável o grau de beligerância. Um palavreado que parece ser um idioma próprio de um mundo miliciano e que não nos pertence.

É um pesadelo do qual precisamos acordar e, principalmente, sair do círculo invisível de giz no qual estamos aprisionados. Vamos enfrentar os golpistas frustrados. Esses moleques e canalhas. O desfile militar para impressionar os congressistas virou piada mundial. A humilhação banal das Forças Armadas certamente deixou envergonhado o brasileiro. O torpor é tal que nem mesmo o fim da maldita Lei de Segurança Nacional nos deu alento para fugir dessa camisa de força a que estamos submetidos.

Quero nossa alegria de volta. Quero acreditar no país. Sem ser dono da verdade, quero a volta do diálogo e do debate. Quero trocar ideias e priorizar a segurança do Estado democrático de direito. Quero não pensar nos absurdos escatológicos praticados diariamente. Coisas simples me complementam e fazem falta. Detalhes do dia a dia e a certeza de que a esperança pode vencer o medo. Chega de sermos prisioneiros de nós mesmos! Vamos resgatar nossas vidas de volta. Como ensinou nosso Caeiro brasileiro, Manoel de Barros:

> *A importância de uma coisa não se mede com fitas métricas, nem com balanças, nem barómetro, etc. A importância de uma coisa há que ser medida pelo encantamento que a coisa produza em nós.*

13/8/2021 — Poder 360

Cegueira deliberada 2

Não sei qual é o rosto que me mira, quando miro o rosto no espelho. Não sei que velho espreita em seu reflexo, com silenciosa e já cansada ira.

Jorge Luís Borges, *Um cego*

Há certa perplexidade, quase uma tristeza, com a constatação de que, hoje, a mediocridade é a tônica que envolve boa parte das relações e das pessoas. O país está infestado de terraplanistas, negacionistas e gente inculta que ocupa cargos que exigiriam uma formação técnica e humanista. E, essencialmente, de pessoas desprovidas de qualquer sentimento de humanidade ou solidariedade. O ministro da Educação teve a desfaçatez de afirmar que crianças com um grau de deficiência não deveriam frequentar escolas, pois a convivência com outras crianças seria impossível. Chega a doer.

É muito difícil acompanhar o desmonte que esse governo nazifascista está fazendo em todas as áreas no país. O mesmo ministro cometeu ainda a atrocidade de criticar o sonho natural das pessoas de cursar uma universidade, pois, segundo ele, não existe emprego no Brasil. Na mesma linha obscurantista, o presidente da Fundação Palmares determinou um "livramento" do acervo e fez um pente fino para excluir livros que considera comunistas, de perversão da infância, de guerrilha e de bizarrias. Assim, foram eliminados desde os aterrorizantes e perigosos livros de Marx, Engels e Lenin até o historiador britânico Eric Hobsbawm, o jornalista norte-americano John Reed, ou a filósofa Rosa Luxemburgo. Tudo em nome da moral e dos bons costumes, homenageando a estultice como maneira de governar.

Acostumados a ver o triunfo da ignorância, nossa tendência é considerar as ações alopradas e irresponsáveis do presidente da República como parte do mesmo script. Um presidente que ofende com xingamentos o presidente de um Tribunal Superior e que continua pregando a volta do voto impresso leva as pessoas a pensarem que é simplesmente um destemperado e aproveitador. Mas não é tão simples assim. Há uma lógica maquiavélica na maneira de fazer política por parte desse grupo sem ética e sem escrúpulos.

O país está completamente à deriva, com um desemprego humilhante, um número de 570 mil mortes pelo vírus, a fome rondando os lares, e uma inflação que já começa a mostrar os dentes e, o que é grave, uma extrema fragilidade institucional. Bolsonaro só não dá o golpe, que alardeia há tempos, por absoluta falta de competência para fazê-lo. Estica a corda ao máximo, com provocações baratas e vulgares aos poderes constituídos, e provoca o brasileiro com uma postura arrogante, machista, misógina, preconceituosa, agressiva, vulgar e banal. E, no entanto, a estrutura da Presidência cria factoides para agir como cortina de fumaça. O presidente é o garoto-propaganda dos desvarios.

Um pedido de impeachment, feito por algum analfabeto e assinado pessoalmente pelo próprio presidente, foi apresentado no Senado contra o ministro do Supremo Alexandre de Moraes. E, daí em diante, o Brasil esquece os problemas reais e passa a discutir um processo inepto e sem nenhuma chance de ser levado a sério. Mas que cumpre um papel: mudar o foco das discussões e das preocupações. O movimento tem pelo menos dois focos: primeiro, esquecer os problemas reais e discutir factoides; depois, tentar cravar no futuro presidente do Tribunal Superior Eleitoral a pecha de parcial e de suspeito. A falsa polêmica do voto impresso e a crítica leviana sobre a credibilidade das urnas eletrônicas fazem parte de um movimento diversionista, mas também golpista. A PEC da cédula de papel era propositadamente inexequível, mas cumpriu a função de jogar para o pé da página as questões sérias do Brasil. O que está em jogo não é a necessidade do emprego, não é a carestia e não é a vacina. O que move o presidente é a estratégia de manutenção de poder.

A mesma nuvem espessa, que asfixiou milhares de brasileiros que morreram sem ar na pandemia, serve agora para cobrir os olhos de muitos do povo para o Brasil real. A venda que impede uma visão crítica desse momento trágico é a mesma que cega quem insiste em acreditar que a cortina de fumaça é verdadeira, e não parte de uma estratégia.

Desestabilizar as instituições, esconder o desmantelamento de todas as áreas essenciais e sangrar o país, tudo isso se dá em nome de uma reeleição que serve também para dar certa segurança de não enfrentamento nos tribunais, na hora do acerto de contas que se avizinha. Quando um vento libertário afastar a fumaça criada para nos cegar, eu espero que ainda estejamos fortes para reconstruir o que está sendo saqueado. Mirando-nos em Mia Couto, no poema "Cego":

Cego é o que fecha os olhos e não vê nada.
Pálpebras fechadas, vejo luz, como quem olha o sol de frente.
Uns chamam escuro ao crepúsculo de um sol interior.
Cego é quem só abre os olhos quando a si mesmo se contempla.

26/8/2021 – O Dia-IG

O eu profundo e os outros eus

O poeta é um fingidor.
Finge tão completamente
que chega a fingir ser dor
a dor que deveras sente.
Fernando Pessoa, *Autopsicografia*

O Brasil virou o país da galhofa. Os bolsominions mais assumidos nunca tiveram a noção do ridículo, mas agora se jactam de ser a realidade virtual criada no mundo falso que venderam como verdadeiro. Eles mentiram tanto, como estratégia mesmo de poder, criaram com tal força um universo paralelo que agora só lhes resta acreditar neles mesmos.

Os bandidos negacionistas são os que venderam remédios sem eficácia e que negociaram produtos proibidos, contribuindo para a morte de milhares de brasileiros. Os que agiram sem nenhuma sustentação científica, mercadejaram a vida e zombaram da dor dos que perderam pessoas queridas na pandemia. Esses devem ser punidos.

Agora, os mesmos que insultaram o povo brasileiro começam a se vangloriar, como sinônimo da mediocridade que representam. Querem tirar proveito de uma ação que boicotaram até o limite. Querem contar a história olhando de trás para a frente, falseando a realidade. Lembro-me de Pessoa, enquanto Álvaro de Campos:

Afinal
Que fiz eu da vida?
Nada.
Tudo interstícios,
Tudo aproximações,
Tudo função do irregular e do absurdo,
Tudo nada.
É por isso que estou tonto...

Os calhordas se dizem orgulhosos do SUS. Os mesmos que, no começo do governo Bolsonaro, tudo fizeram para sucatear o Sistema Único de Saúde.

Agora, querem se apoderar do fato de que o brasileiro tem o costume enraizado de vacinar-se. E contam os números de imunizados como se fosse uma vitória do governo federal, que era contra a vacina. Hoje, ouvi um oportunista, travestido de jornalista, dizer com voz de barítono que a vacinação está um sucesso graças ao esforço bolsonarista. Dizia ainda a maravilha que é o povo brasileiro ter a definição de que a vacina é a única maneira de salvar vidas. Não havia ninguém que demonstrasse um segundo de empatia. São falsos com toda a essência necessária.

Na realidade, no meio de tanta desgraça, temos que exaltar o povo brasileiro. Completamos agora 184.331.135 de doses aplicadas nos braços do povo. Isso significa que 57.687.624 de brasileiros estão imunizados com a segunda dose, ou seja, 27,24% da população. Já a primeira dose foi aplicada em 126.643.511 pessoas, o que representa 59,81% de todos os brasileiros.

Imagine se, em julho do ano passado, o governo tivesse comprado as milhões de doses que a Pfizer ofereceu. Com a entrega dos imunizantes a partir de dezembro de 2020, o Brasil seria o primeiro a vacinar em larga escala e, em três meses, teríamos protegido boa parte da nossa população. Hoje, mesmo com a barbárie e o obscurantismo que pregam contra, estamos conseguindo aplicar a vacina em 2 milhões de brasileiros por dia. É espetacular! Remeto-me a Pessoa, enquanto Caeiro:

Sei ter o pasmo essencial
Que tem uma criança se, ao nascer,
Reparasse que nascera deveras...
Sinto-me nascido a cada momento
para a eterna novidade do Mundo

Não vamos competir com a mediocridade, muito menos com a fantástica máfia de malandros que rodeia o palácio. É necessário fazer um esforço sobre-humano para vencer a crise sanitária, o combate ao vírus não pode ter cor nem ideologia. Nós cuidaremos da nossa sobrevivência política depois de ter a certeza de que podemos contar e velar nossos mortos. E, claro, sem virar a página, pois nunca mais seremos os mesmos e não esqueceremos a tragédia e o caos, vamos resistir e voltar a ter um país sem hipocrisia e sem o fascismo criminoso.

Para isso, é preciso voltar à velha alegria da resistência e às intermináveis discussões sobre temas que não os criados sob o enfoque maniqueísta, fascista e alienante desse grupo que envergonha o país e o mundo. Com o centrão no governo, o impeachment afasta-se da realidade concreta. É necessário manter a linha da contraofensiva aos desmandos diários dos nazifascistas.

Agora, em 7 de setembro, sofreremos outro ataque à estabilidade democrática. A voz estridente do presidente passa a não ter mais tanto respaldo e repercussão, mas ainda é a voz do presidente. Ele está muito desmoralizado, dado o grau de insensatez e de leviandade. Não vamos nos dispersar. Vamos resistir ao embusteiro, à mentira — principal arma desse grupo —, às fake news, à mediocridade, às provocações baratas, ao armamento indiscriminado e à tentativa diária de acabar com nossa esperança e sepultar nossos sonhos. Não vamos sucumbir. Para cada crime e provocação, cresceremos e seremos múltiplos, como os heterônimos de Pessoa no *Livro do desassossego*, na pessoa de Bernardo Soares:

> *Criei em mim várias personalidades. Crio personalidades constantemente. Cada sonho meu é imediatamente, logo ao aparecer sonhado, encantado numa outra pessoa, que passa a sonhá-lo, e eu não. Para criar, destruí-me. Tanto me exteriorizei dentro de mim, que dentro de mim não existo senão exteriormente. Sou a cena nua onde passam vários atores representando várias peças.*

27/8/2021 — Poder 360

O humano em nós

Senhor Deus dos Desgraçados!
Dizei-me vós, Senhor Deus!
Se é loucura... se é verdade
Tanto horror perante os céus?!
Castro Alves, *O navio negreiro*

Em meio a tal grau de perplexidade com as inconsequências do governo federal, é difícil escolher uma marca para tanta incompetência, tanto ódio, tanta ignorância e tanto descaso pela vida humana. É num repetir constante de desrespeito aos direitos fundamentais que um profundo desânimo nos invade. Está sendo cansativo viver no Brasil hoje. Não tem absolutamente nada de esquerda e direita. É, mais uma vez, uma questão entre civilização e barbárie.

Num regime presidencialista, a figura do presidente tem uma enorme força. E o presidente Bolsonaro não consegue dar um único exemplo que mereça ser seguido. Devo reconhecer que ele segue uma linha de coerência com tudo o que sempre foi: um pústula, um inepto e um desqualificado. E vários de seus seguidores tratam de honrar a herança macabra desse governo fascista que está desmantelando todas as áreas do país.

Uma questão específica causa profunda indignação e revolta: a postura do presidente da Fundação Palmares em nítida afronta aos direitos dos negros. Um homem asqueroso que tem raiva do mundo e das pessoas. Que aparenta ter ódio de ser negro e sentir vergonha de pertencer à comunidade negra. Que usa o termo "afromimizento" para agredir pessoas negras que ele entende serem de esquerda e, na sua visão tacanha e preconceituosa, têm vocação para "vitimistas".

Um homem que ocupa um cargo que deveria exaltar a raça negra, preservar seus valores e fomentar a cultura. No entanto, ele se dedica a defender a extinção do movimento negro, zomba da estética afro, especialmente dos cabelos, tem ódio declarado às religiões de matriz africana e revela desprezo às mulheres politizadas que buscam um lugar nessa sociedade machista. Uma verdadeira afronta.

A imputação frequente de assédio moral ao presidente Sérgio Camargo e a perseguição política ideológica que ele faz não podem ficar impunes. É lamentável termos que nos socorrer do Judiciário para resolver uma questão que deveria ser deliberada na política. Mas, como a política bolsonarista é representada pelo atraso e pelo mais rigoroso desprezo à dignidade da pessoa, só nos resta aplaudir o Ministério Público do Trabalho, que pediu o afastamento do cargo desse racista predador.

Na verdade, essa figura deplorável segue os passos do presidente a quem ele serve. Os horrores que ele impõe aos funcionários, covardemente, criam um clima de terror psicológico e humilhação que deve encontrar respaldo e aplauso na "casa de vidro". O exemplo a ser seguido deve ser a atitude do então deputado federal Bolsonaro, que exaltou a figura do torturador Ustra durante a votação do impeachment da ex-presidente Dilma, que foi barbaramente torturada por esses canalhas.

Quando a política deixa de ser exercida com dignidade por parte do Poder Executivo e há uma clara subversão dos valores republicanos, infelizmente se torna necessário buscar em outros poderes o equilíbrio para recompor o Estado democrático de direito. Ou pelo menos tentar. Na ausência de uma condução minimamente ética, respeitosa e civilizada, faz-se imperioso afastar o presidente da Fundação Palmares.

Se não em nome dos negros, que ele tanto tenta humilhar, que se faça em nome da esperança de termos de volta um país mais solidário e mais igual. A cada dia que a barbárie impõe seu terror, morre um pouco do que existe de humano em cada um de nós. E essa é uma guerra que não podemos perder, pois ela não é apenas nossa, ela é da humanidade.

Com a palavra da poesia de Noémia de Sousa:

Por que é que as acácias de repente floriram flores de sangue?
Por que é que as noites já não são calmas e doces,
Por que agora são carregadas de eletricidade e longas, longas?
Ah, por que é que os negros já não gemem, noite fora
Por que é que os negros gritam, gritam à luz do dia?

2/9/2021 — O Dia-IG

A delação da delação

Não! Não sou o Príncipe Hamlet, nem pretendi sê-lo.
Sou um lorde assistente, o que tudo fará
Por ver surgir algum progresso, iniciar uma ou duas cenas.
Aconselhar o príncipe; enfim, um instrumento de fácil manuseio.

T. S. Eliot, "A canção de amor de J. Alfred Prufrock"

"Quem é você? Adivinha, se gosta de mim?" Essa é uma música que me embalou ao longo da vida. Na advocacia — e eu faço isso somente há longos 40 anos —, as respostas a essa pergunta tendem a ser, no mais das vezes, surpreendentes.

É claro que temos histórias meritórias, de Sobral ou Pertence, mas elas são, infelizmente, as exceções no mundo dos advogados. Não são eles que representam, na maior parte do tempo, a classe. A pergunta que nós, advogados, temos que fazer é: quem somos nós?

O importante instituto da delação, tão relevante no combate ao crime organizado, foi estuprado pela republiqueta de Curitiba, coordenada pelo político Sérgio Moro e seu grupo de procuradores. O que cada vez vem mais à tona é o fato de existirem muitos advogados que faziam parte do jogo armado para corromper o sistema de justiça.

Nosso olhar, neste momento de crítica e descobrimento, deve ser para os que usurparam o nome da Ordem. Advogados que se dispuseram a vender o prestígio da classe e se locupletaram em nome de um banditismo escondido em detrimento da advocacia.

Pseudodefensores da ordem democrática e falsos representantes da categoria. Enquanto vários de nós nos expúnhamos, enfrentando os asseclas de um juiz que tinha um projeto político, hoje desmoralizado como chefe da força-tarefa da Lava Jato de Curitiba, os falsos advogados se dispunham a fazer o jogo da repressão.

Isso não é pouca coisa e deve ser debatido entre nós. Existiu até recentemente — ou talvez ainda exista — uma linha auxiliar do Ministério Público em detrimento da advocacia e do Estado democrático de direito, que são os advogados de aluguel.

Advogados à disposição para referendar a barbárie que se instalou com a corrupção do sistema de justiça, em troca de posições de poder ou até mesmo de um falso prestígio acusatório. Sim, o exercício profissional é e deve ser sempre livre, mas a crítica é pertinente, pois esse tipo de atuação se afasta completamente dos propósitos, das razões de ser e do existir da advocacia.

Hoje, sabemos das facilidades vendidas por esses canalhas e, dia após dia, mais casos de falsas delações, muitas delas arquitetadas pelos próprios advogados, vêm à tona. Não traíram só a advocacia, o que já seria abjeto; traíram seus clientes, traíram o sistema de justiça, traíram a história do Brasil. Nunca uso a expressão "bandido" para me referir a um condenado, mas, nesse caso, me permito ser extravagante, pois esses advogados flertaram com um certo banditismo por usarem a carteira da Ordem como escudo!

Vamos esperar que a OAB não os proteja. A Ordem também tem que servir, todos sabemos, para eliminar esses elementos que envergonham a classe e que desonram a advocacia ao tergiversarem com os direitos dos seus clientes, já tão massacrados e fragilizados pela indústria da delação.

Qual é a situação real? O país se mobilizou para o combate à corrupção. Os membros da força-tarefa de Curitiba, hoje desacreditados, coordenados pelo corrupto ex-magistrado Moro, vendiam uma falsa história enquanto corrompiam o sistema de justiça. Foram desmascarados. O juiz político e seus procuradores aliados foram flagrados e estão desmoralizados.

E os advogados? Os comparsas do sistema? Quando vamos colocar no mesmo patamar os advogados criminais que se serviram do sistema Moro de corrupção? Quem eram os defensores indicados pela quadrilha dos procuradores? Quem se dispunha a ser cúmplice? Quem aceitava o jogo de um juiz parcial e corruptor do Estado democrático de direito? Quem vendeu a carteira da OAB e humilhou a classe? Quem ofendeu nossa independência e nossa dignidade?

Quem são esses que se apresentaram como répteis para diminuir a advocacia? Em nome de quem se manifestaram?

A OAB é muito maior do que eles ou é conivente? Coautores da pior fase recente da história criminal. Haveremos de estar juntos com um látego para enfrentar esses traidores quando a verdade se impuser ou teremos o olhar complacente da história?

Não há duas faces para o enfrentamento democrático. Estaremos no mesmo espaço, e, em nome da ordem democrática, os que mercadejam com a carteira da OAB serão desmascarados ou a história há de cobrar o silêncio cúmplice.

Certas reflexões se impõem. O advogado que acompanha um delator e que sabe da narrativa mentirosa — esse é o ponto —, contribuindo para acusar alguém sem prova, é cúmplice de uma série de crimes. Comete não só denunciação caluniosa como também crime contra a administração da Justiça.

No Direito brasileiro, o cidadão não é obrigado a se incriminar, mas tampouco pode mentir acusando falsamente alguém. Há uma diferença abissal. O silêncio e a negativa fazem parte do direito constitucional da ampla defesa, mas nunca existiu o direito de acusar falsamente alguém para se livrar da incriminação. E o advogado tem responsabilidade pelo que ocorre. Não se passa a história a limpo sem o enfrentamento da realidade.

Há tempos a advocacia criminal sabia que algumas pessoas eram escolhidas para serem delatadas. Mas sempre foi difícil provar. Tudo era parte de um projeto político do grupo que instrumentalizou uma fração do Ministério Público e do Judiciário. Hoje, e cada vez mais, o esgoto está colocando os dejetos a céu aberto.

Olhávamos, perplexos, as distorções na prática das colaborações e o verdadeiro mercado que se estabeleceu. Delatores que, no momento de desespero, em busca da liberdade, serviram a um projeto político de um bando sem escrúpulos. Esses delatores, eventualmente presos de forma injusta, exatamente para delatar, ainda tinham uma desculpa para se render ao desespero.

O que ocorreu, muitas vezes, foi uma tortura institucionalizada: a prisão ilegal, a exposição midiática, a humilhação perante a família e a sociedade, o sufocamento financeiro mesmo para despesas de subsistência e a pressão desumana, tudo isso fez com que pessoas corretas cedessem ao jogo macabro dos que usurparam os direitos individuais.

E é possível até entender a postura de sobrevivência de vários delatores. Sob tortura, não se reconhece, muitas vezes, a ação das pessoas. Mas os advogados, não; eles não têm o direito de tergiversar em benefício dos algozes e, assim, contribuir para o massacre dos seus clientes e, o que é mais grave, para acusar falsamente outras pessoas.

Mas, e o advogado que foi cúmplice dessa armação? Aquele que emprestou o prestígio da classe para dar ares de pretensa legalidade e legitimidade a atos claramente inconstitucionais? Ora, é o advogado do sentenciado à morte atuando em favor dos interesses do carrasco.

Esses devem estar no banco da história, ao lado dos juízes e membros do Ministério Público que destroçaram o instituto da delação premiada, que subverteram o sistema de justiça com falsas acusações e provas forjadas. Seria importante que algum dos colaboradores viesse agora a público e fizesse uma delação, passando a limpo toda essa trama criminosa e abjeta. Uma delação espontânea e verdadeira, que faria justiça a muitos que sofreram nas noites eternas das acusações injustas. E quem tiver essa coragem, a história irá absolver.

Relembrando o velho Leão de Formosa, no poema "O búzio e a pérola":

Aperfeiçoa-te
na arte de escutar:
só quem ouviu o rio
pode ouvir o mar.

Com a lembrança do mestre Miguel Torga, em *Penas do purgatório*:

Guarde a sua desgraça
Oh desgraçado.
Viva já sepultado
Noite e dia.
Sofra sem dizer nada,
Uma boa agonia
Deve ser lenta, lúgubre e calada.

Canalha

Eu sustento com palavras
o silêncio do meu abandono.

Manoel de Barros

Logo no início da pandemia, quando comecei a escrever sobre os desmandos deste presidente desalmado e desumano na condução criminosa da crise sanitária, propus que ele fosse processado não somente pelos crimes contra a saúde pública, mas também por genocídio. Escrevi sobre isso em maio de 2020 e fiz várias lives defendendo a criminalização da conduta desse fascista. Fui muito criticado por vários amigos que tinham o cuidado sobre a exata tipificação da conduta desse criminoso. Uma preocupação técnica que eu respeito, mas que não me comove.

O ar que começava a faltar para milhares de brasileiros tragados pela nuvem tóxica que exalava desse governo me turvava os olhos. Agia por impulso, usando o que a advocacia e a vida me deram de mais precioso: a capacidade de poder falar e escrever. Quis fazer da minha voz a voz daqueles que começavam a sofrer os efeitos de uma política perversa e cruel. Já trazia a indignação para o debate que se avizinhava na certeza de que o irresponsável presidente estava guiando o país para o abismo, para o precipício.

E, aos poucos, fui colocando mais pimenta para definir esse presidente desprovido de empatia, de compaixão, de solidariedade e de emoção com a dor do outro. Entre as várias palavras que eu usei para definir minha repulsa, talvez uma o defina melhor: canalha!

Gradativamente, fui tomando atitudes que me davam a tranquilidade necessária para fazer o embate na travessia que se anunciava longa, tumultuada e revoltosa. Cortei os fascistas da minha lista de relações, saí de grupos de WhatsApp e mostrei a mim mesmo que a coerência era imprescindível nessa luta. Nos detalhes. Afinal, não é possível denunciar a barbárie e continuar celebrando a vida com os bárbaros. Temos que ter coragem de denunciar a conivência dos covardes, que são cúmplices do desastre humanitário ao qual o Brasil está sendo submetido.

Aos poucos, fui notando que éramos muitos. A palavra genocida passou a ser um substituto do nome desse canalha. Mesmo a imprensa quase já não usa mais o nome do presidente para se referir a ele. Nos grupos, a maneira de qualificá-lo é, na maioria das vezes, de forma pejorativa e merecidamente depreciativa. O grande Rui Castro fez épica coluna com mais de uma centena de nomes para definir o canalha. Virou um pequeno dicionário para ser consultado quando queremos nos referir a esse assassino.

Mas nada é tão ruim que não possa piorar. A tragédia continua com a destruição de todos os valores humanistas que nossa sociedade incorporou em décadas. Esse canalha governa para as trevas e leva, cada vez mais, o país para o caos. Desestruturou a saúde, desmantelou a cultura, desarranjou a segurança e se apropriou até das nossas cores e dos nossos símbolos. Corrupto que sempre foi, lambuzou-se com o poder. Usou a sua absoluta falta de escrúpulos para sacramentar uma política de ódio, da mediocridade e da desumanidade. Saiu de cena o debate político para dar lugar a uma baixaria que dá asco e nojo.

A mentira é a arma oficial dos canalhas. Criaram um universo paralelo onde o que importa é a estratégia de manutenção do poder. Nenhuma preocupação com a realidade e com a verdadeira situação do povo brasileiro. Um discurso voltado para os milhões de cúmplices e a desfaçatez de arrombar os cofres públicos, a céu aberto, para a perpetuação da quadrilha no comando. Um acinte diário, permanente e sem limites. O Brasil está sendo estuprado aos olhos do mundo, que acompanha perplexo o nosso dia a dia. E nós seguimos indignados com nossa resistência diária e nossa dor pelos que ficaram no caminho.

A fala do canalha na ONU foi um fecho de ouro para coroar a hipocrisia e celebrar a mentira. A humilhação a que o país foi submetido é apenas a continuação do que ocorre a todo instante com as mulheres, os negros, os desempregados, a comunidade LGBTQIA+ e os que perderam amigos e familiares na luta contra o obscurantismo. Pode parecer tarde, mas ainda é tempo. Vamos seguir resistindo. Só não podemos nos esquecer do nome do canalha, esse nome que, por profilaxia, acabamos não usando, preferindo sempre uma qualificação pejorativa: Bolsonaro. Esse é o chefe dos canalhas.

23/9/2021 — O Dia-IG

Cego

Cego é o que fecha os olhos e não vê nada.
Pálpebras fechadas, vejo luz. Como quem olha o sol de frente.
Uns chamam escuro ao crepúsculo de um sol interior.
Cego é quem só abre os olhos quando a si mesmo se contempla.

Mia Couto, *Cego*

Vivemos uma época partida ao meio. Parte de nós perdeu-se na dor das nossas desesperanças, das nossas frustrações e das nossas privações reais. Seja pela perda de alguém querido, seja pela consciência de que não dá para conviver no dia a dia com quem tem outro sentimento de mundo. Tenho falado, há tempos, que a agonia do momento não permite mais pensar na politização esquerda × direita. O que se nos apresenta é civilização × barbárie.

E, aí, mais do que nunca, entendemos o valor e o sentido dos que, ao longo da vida, se encostaram em nós por identidades humanistas. Nessa hora, a gente pode até sentir a falta dos que ficaram pelo caminho, por terem optado pela barbárie ou pela cumplicidade sórdida do silêncio e da omissão. Mas o que realmente vale é a consolidação do afeto de quem olha o mundo pela lente da solidariedade que nos une.

Muito jovem, perdi a visão de um dos olhos em um acidente. Depois de várias operações, uma delas em Moscou, consegui voltar a ver luz, embora não tenha voltado a enxergar. Mas a luz que vejo já me conforta e me situa. E, hoje, vejo o mundo muito sob o prisma da luz que indica o caminho da esperança. Não guardar ódio e não nos levar muito a sério nos posiciona no xadrez da vida. Mas a leveza dessa postura não pode significar a covardia do silêncio ou da omissão. Em momentos como o que vivemos, é fundamental termos lado e nos posicionarmos. Não estamos falando tão somente da sobrevivência física, mas também de definir quem somos e quais valores nos sustentam. Como nos ensinou Padre Antônio Vieira: "A omissão é o pecado que com mais facilidade se comete, e com mais dificuldade se conhece".

Na angústia do isolamento, no auge da pandemia, fiz da poesia um refúgio e, na impossibilidade do abraço, recitei em todos os finais dos dias as minhas "poesias ao cair da tarde". Uma maneira de não deixar a solidão ser a minha única companheira, mas de dividi-la e espraiar o carinho. Um afago a distância para romper a reclusão.

Com a expectativa de certa normalidade, resta-nos fazer esta análise retrospectiva: quem estava, e está, conosco na trincheira da resistência? Não só na defesa, que deveria ser óbvia, dos valores democráticos. É além da obviedade.

Foi bom constatar que os valores da solidariedade e dos sonhos de igualdade são os mesmos que nos unem na lida por um Estado que se pretenda democrático. Não há livro nenhum que ensine isso tão bem quanto o enfrentamento real de uma crise profunda. Crise que testa o caráter e que define os canalhas. Que nos coloca cara a cara com nós mesmos.

Não há psiquiatra algum que nos faça olhar tão profundamente os nossos "eus". Na esteira da grande Cecília Meireles:

Tu tens um medo
Acabar.
Não vês que acaba todo o dia.
Que morres no amor.
Na tristeza.
Na dúvida.
No desejo.
Que te renovas todo o dia.
No amor.
Na tristeza.
Na dúvida.
No desejo.
Que és sempre outro.

Que és sempre o mesmo.
Que morrerás por idades imensas.
Até não teres medo de morrer.
E então serás eterno.

E ainda estamos no meio da tempestade, sem ter a tranquilidade de um mar sereno. O que nos conforta é que, a essa altura, já sabemos, em boa parte, quem é que está ao nosso lado. Vale muito ter a alegria e a maturidade de valorizar nossos afetos e não ficar na sombra e na penumbra opaca dos que ficaram pelo caminho.

Há várias maneiras de enfrentar essas nuvens que endureceram e viraram muros, e que retiram, diariamente, o ar que sustenta a vida. O humor, a literatura, a poesia, a amizade e o riso solto, tudo isso desestrutura os fascistas.

Não usaremos a violência, que é atributo próprio deles. Não ganharemos só com a ironia, pois eles não conseguem captá-la. Não discutiremos ideias, pois precisaríamos pressupor que eles tivessem alguma profundidade. Mas seguiremos como encantados, um ao lado do outro, como num tempo da delicadeza. Romperemos um círculo imaginário de giz que teima, muitas vezes, em nos aprisionar. E esse rompimento nos fortalecerá de maneira indelével na permanente luta por um mundo mais justo e igual. Isso nada nem ninguém pode tirar de nós.

Com a leveza do grande Mário Quintana, no "Poeminha do contra:"

Todos esses que aí estão
Atravancando meu caminho,
Eles passarão...
Eu passarinho!

24/9/2021 — Poder 360

Violência da fome

Vi ontem um bicho
Na imundície do pátio
Catando comida entre os detritos.

Quando achava alguma coisa,
Não examinava nem cheirava:
Engolia com voracidade.

O bicho não era um cão,
Não era um gato,
Não era um rato.

O bicho, meu Deus, era um homem.

Manuel Bandeira, *O bicho*

É muito estranho nós nos acostumarmos com a angústia. Não uma angústia pessoal, que a vida às vezes empresta a cada um por motivos diversos. Falo da angústia coletiva, que se tornou quase uma identidade nacional. O país virou um grande angustiado, um povo à procura de saída para uma espécie de catástrofe permanente. A cada dia, nós nos descobrimos prisioneiros de uma mediocridade que ofende. Ninguém merece estar sempre refém de um governo que não nos permite ter tranquilidade de viver sem permanentes sobressaltos. No Brasil de hoje, a tristeza, a perplexidade e a desesperança passaram a fazer parte da nossa maneira de ser.

Não bastasse a ignorância extrema no trato com a leveza das coisas que realmente importam e que são as que definem nossa existência na Terra, nós agora temos incorporados ao nosso dia a dia o culto à morte, a ganância e a barbárie. O Brasil virou um país vulgar e banal. Um percentual surpreendente de brasileiros acha normal e ainda apoia um governo que perdeu a vergonha e adota a mentira e a desfaçatez como método. Caiu a máscara, e nós temos que nos acostumar com o horror de uma realidade cruel. O que parecia espasmo virou o dia a dia.

Não há como escapar da violência escancarada da fome, companheira de milhões de brasileiros, do flagelo do desemprego e da insegurança com o presente. Preocupar-se com o futuro já virou um luxo; nossa desgraça é real e diária. Enquanto nós denunciamos o massacre das instituições democráticas, pela postura assumidamente fascista do governo federal, um número alarmante de pessoas não consegue sequer alimentar-se para resistir. As angústias se misturam e se bastam. O desespero da fome, da falta de perspectiva e de esperança começa a ser uma espécie de concretude que nos aniquila como povo e como nação.

E nossas angústias não encontram eco naqueles que são os responsáveis pela condução do país. Não se trata, há muito, de divergências políticas, mas de encontrar espaços de sobrevivência. A sensação é que usaram a praga do vírus e a fragilidade do momento para se apoderarem das nossas almas. Sugaram a alegria e retiraram o ar que permitia a resistência. Construíram muros invisíveis que afastam e impossibilitam o afeto. Impingiram véus que escondem a face humana das pessoas. Já não se escondem atrás das máscaras; assumem a natureza sórdida.

O requinte de crueldade foi estampado nesta semana na CPI da Covid do Senado. O que nós sabíamos, mas não queríamos acreditar, veio à tona: os brasileiros foram usados como cobaias por assassinos inescrupulosos. Lucro e poder ditavam as regras. Saiu do esgoto o pior da espécie que se dizia humana. Talvez a sordidez tenha sido tal que mesmo o mais ignóbil dos seguidores desses trastes se sinta constrangido.

Não há mais saída a não ser o enfrentamento cara a cara dos que esbofetearam cada um dos brasileiros. É necessário que levemos para o lado pessoal. A indignação é a resposta mínima para a preservação do caráter. Um governo que estuprou as instituições, que corrompeu o sistema de justiça, que desprezou solenemente a cultura, que abandonou a ciência e que sucateou a saúde joga, agora, 20 milhões de brasileiros na linha da miséria da fome.

Enquanto gritávamos nas ruas por democracia e por segurança institucional, nós representávamos um Brasil que tinha gana de estabilidade social. Agora, nossa voz tem que ter outra força. Quem tem fome, muitas vezes, não consegue sequer ter voz. A fome corrói por dentro, aniquila e destrói. É nessa fraqueza intrínseca que os genocidas apostam para ousarem fazer o brasileiro de cobaia humana.

Vamos rasgar o véu que nos amordaça e fazer das nossas vozes um grito de esperança no enfrentamento desses canalhas. Se não por nós mesmos, façamos em nome dos que foram usados pela cobiça desenfreada e dos que têm a pressa que a fome impõe.

Remeto-me a Pessoa, no *Livro do desassossego*:

> *Tenho a náusea física da humanidade vulgar, que é, aliás, a única que há. E capricho, às vezes, em aprofundar essa náusea, como se pode provocar um vômito para aliviar a vontade de vomitar.*

30/9/2021 — O Dia-IG

Posfácio

Marcelo Freixo

Democracia: matéria tempo

O tempo é a minha matéria,
o tempo presente,
os homens presentes
A vida presente.
Calos Drummond de Andrade

Tomo a liberdade de encerrar com Carlos Drummond de Andrade o percurso iniciado no livro pelos versos de Mário Quintana: "Quem faz o poema abre uma janela", como escreveu o poeta gaúcho. E foi assim que me senti ao terminar de ler esta obra do meu amigo Antônio Carlos de Almeida Castro, a quem nas próximas linhas chamarei apenas de Kakay, como apraz a ambos. A janela aqui aberta pelo autor e o corajoso olhar que ele lança sobre a história recente da República brasileira nos fazem respirar. Volto a Quintana: "O autoritarismo não afogará a liberdade e a democracia".

Escolhi abrir este posfácio com Drummond não só pelo gosto que compartilhamos pelo itabirano em particular e por poesia e prosa em geral — e aí incluímos Manoel de Barros, Fernando Pessoa, Clarice Lispector, Cecília Meireles e Mia Couto, que compõem esta coletânea de artigos —, mas porque o tempo, os homens e a vida são a matéria que permeia este livro.

Muito além do direito vem em boa hora, num momento em que é preciso reafirmar os valores da democracia e do Estado de direito diante da violência de um governo delinquente, sem qualquer compromisso com a ordem constitucional e o mínimo respeito pela vida. Mas esta obra não começa agora, ela é anterior à tragédia que se abateu sobre o país em 2018. E é justamente aí que reside seu grande valor. O livro não é só o registro da coragem e do senso de justiça de Kakay, ele é a genealogia do processo que levou à eleição de Jair Bolsonaro para a presidência da República.

Por isso, trato esta coletânea como um trajeto: ela nos mostra como chegamos até aqui. E isso não é pouca coisa, porque ao fazê-lo o autor nos mostra qual direção precisamos tomar para colocar o Brasil nos trilhos da democracia e do respeito às garantias legais. É matéria tempo de Drummond: passado, presente e, principalmente, futuro.

Ao ler os textos de Kakay que denunciam os abusos praticados por procuradores e pelo ex-juiz Sérgio Moro ainda nos primeiros capítulos da Operação Lava Jato, quando a maior parte da sociedade, os meios de comunicação e os formadores de opinião rendiam loas a ilegalidades absurdas, lembro imediatamente o poema "Let's Play That", do poeta piauiense e tropicalista Torquato Neto, numa releitura, de clara inspiração antropofágica, de Drummond:

eis que esse anjo me disse
apertando minha mão
com um sorriso entre dentes
vai bicho desafinar
o coro dos contentes

Kakay desafinou o coro dos contentes movido não só pelo compromisso de grande criminalista que é com as leis e instituições, mas pelo senso de cidadania. Sem respeito à Constituição e aos procedimentos legais que são pilares do Estado democrático de direito, por protegerem os direitos individuais e coletivos que são sua essência, não há República possível: há o arbítrio, o abuso de poder, o justiçamento e a barbárie.

O autor deste livro esteve, desde o princípio, do lado certo da história e foi além: mostrou que o espírito lavajatista, do vale-tudo para alcançar os objetivos pretendidos, é o gérmen que poucos anos depois levou à eleição de um presidente que, durante toda a campanha, pregou publicamente o desrespeito às garantias constitucionais ao falar, entre outras atrocidades, em fuzilar adversários.

Kakay fala muito em Constituição Revolucionária. É uma expressão certeira. Quando estamos sob um governo fascista, defender a justa aplicação das leis é um ato revolucionário. A Constituição não é apenas a materialização da soberania de nosso país, ainda, democrático, mas um projeto de futuro, o retrato do país que, em 1988, recém-saídos de uma noite que durou 21 anos, todos nós desejávamos e continuamos desejando construir. Defender a Constituição é revolucionário porque ela aponta as bases para erigirmos um Brasil mais justo, igualitário, livre e soberano.

Que a força da nossa Constituição e o exemplo do autor deste livro, que remou contra a maré antidemocrática quando a grande onda que nos engoliu era ainda uma vaga se formando no horizonte, nos inspirem a defender, sem jamais transigir, a tão jovem e vulnerável democracia brasileira.